AF238289

ACCESO GRATIS a la Lectura en la Nube

Para visualizar el libro electrónico en la nube de lectura envíe junto a su nombre y apellidos una fotografía del código de barras situado en la contraportada del libro y otra del ticket de compra a la dirección:

ebooktirant@tirant.com

En un máximo de 72 horas laborales le enviaremos el código de acceso con sus instrucciones.

ESTUDIOS JURÍDICOS
DE MANUEL BORJA MARTÍNEZ

ESTUDIOS JURÍDICOS DE MANUEL BORJA MARTÍNEZ

VV.AA.

tirant lo blanch
Ciudad de México, 2019

© VV.AA.

© EDITA: TIRANT LO BLANCH
  DISTRIBUYE: TIRANT LO BLANCH MÉXICO
  Río Tiber 66, Piso 4
  Colonia Cuauhtémoc
  Delegación Cuauhtémoc
  CP 06500 Ciudad de México
  Telf: +52 1 55 65502317
  infomex@tirant.com
  www.tirant.com/mex/
  www.tirant.es
  ISBN: 978-84-1313-648-6
  MAQUETA: Tink Factoría de Color

Si tiene alguna queja o sugerencia, envíenos un mail a: *atencioncliente@tirant.com*. En caso
de no ser atendida su sugerencia, por favor, lea en *www.tirant.net/index.php/empresa/politicas-
de-empresa* nuestro procedimiento de quejas.

Responsabilidad Social Corporativa: http://www.tirant.net/Docs/RSCTirant.pdf

Índice

Prefacio

Tenemos ahora en nuestras manos "Ensayos jurídicos de Manuel Borja Martínez", libro que contiene una compilación de trabajos y conferencias del maestro, algunos de ellos ya previamente publicados y difundidos, obra que sin lugar a dudas facilitará a los estudiosos y practicantes del derecho su quehacer y que constituirá un instrumento de consulta al que necesariamente deberá acudirse, ya que las conclusiones a las que el autor concurre han influido y formado de manera determinante a las instituciones a que se refieren los temas tratados.

En sus textos, Manuel Borja Martínez —mi maestro en el aula y en la vida, colega, compañero y amigo— desarrolla, como el jurista aventajado e investigador profundo que siempre fue, tópicos principalmente relacionados con el de Derecho civil mexicano, a los que añade notas de derecho comparado y acotaciones históricas, con la claridad, acuciosidad y precisión que facilitó la adecuación de la legislación mexicana para satisfacer las necesidades cada vez mayores y apremiantes de vivienda y ocupación, e igualmente facilita a los jueces la aplicación de las normas y permite y estimula la convivencia de propietarios y ocupantes, al tiempo que reduce los costos y gastos de las fincas. Asimismo. los trabajos, por la profundidad de su análisis histórico, principalmente en materia de propiedad y copropiedad, contribuyeron al desarrollo de las normas en el tiempo para resolver los problemas cada vez mayores de vivienda y ocupación.

Evidencia de lo anterior es la redacción del artículo tercero de la vigente "Ley de propiedad en condominio de inmuebles para el Distrito Federal", en su última reforma (publicada el 13 de enero de 2015) claramente reproduce, en esencia, la conclusión sobre la naturaleza del régimen de propiedad y condominio a la que llegó nuestro autor en alguna de sus conferencias.

En su parte conducente la disposición legal establece "...entendida ésta como aquella en la que coexiste un derecho de propiedad absoluto y exclusivo, respecto de unidades de propiedad privativa y un derecho de copropiedad..." La tesis concluyente de Borja fue que el régimen a que se encuentran sometidas las casas divididas en pisos o locales es el de una propiedad exclusiva sobre el departamento unida a una copropiedad sobre los bienes necesarios para el adecuado uso y disfrute de los mismos.

Manuel Borja señalaba con acierto que en nuestro derecho positivo se ha considerado que, en el caso de la llamada propiedad horizontal, cada persona es propietaria de su unidad privativa y copropietaria de los bienes que son necesarios para la comunidad, de manera que el derecho de propiedad es más importante que el de la copropiedad y este último resulta accesorio del primero.

Los trabajos compilados sobre condominio se produjeron desde los primeros años de aplicación de la primera ley de la materia, llamada con propiedad "Ley sobre el régimen de propiedad y condominio de los edificios divididos en pisos, departamentos, viviendas o locales" (diciembre de 1954), que se produjo casi simultáneamente con la reforma al artículo 951 del "Código Civil para el Distrito y Territorios Federales", entonces vigente, para crear un régimen regulatorio adecuado a la solución del problema que empezaba a presentarse.

Dentro de estos ensayos, el autor informó de la publicación, 18 años después, de la impropiamente denominada como "Ley sobre el régimen de propiedad en condominio de inmuebles para el Distrito Federal" (28 de diciembre de 1972). Al respecto, aclaró que la falta de rigor técnico en la denominación que se dio a la ley deriva de que con ella se puede pensar que la naturaleza del régimen en estudio es de una copropiedad en copropiedad, lo que desde luego es incorrecto.

La "Ley de propiedad en condominio de inmuebles para el Distrito Federal" de 31 de diciembre de 1998, si bien es cierto que entró en vigor tras el fallecimiento del maestro Borja Martínez, es innegable que se inspiró en lo dicho y concluido por el propio autor en los textos ahora compilados.

Las reformas posteriores a la legislación aplicable, por cuestiones de denominación y otras, de 10 de febrero de 2000, 27 de enero de 2011, 3 de abril de 2012, 14 de junio del mismo año y 13 de enero de 2015, igualmente se fundamentan y tienen como punto de partida las reflexiones y conclusiones del notario Borja.

En la "Copropiedad forzosa de los servicios comunes para el uso de varias propiedades" (publicado en *La Justicia* en el año de 1956) puede leerse, como se pretendió en el derecho francés, determinar la naturaza jurídica del régimen de condominio como una servidumbre y como ello no fue ni es de aceptarse, más adelante analiza diversas teorías para determinar la naturaleza jurídica del régimen de condominio, comparándola con figuras como la servidumbre, el derecho de superficie, la sociedad, la enfiteusis, el usufructo y la propiedad, prevaleciendo esta última.

Borja Martínez analizó legislaciones y doctrinas como la española, la francesa, la inglesa, la alemana, la suiza, la belga y la rumana, así como los códigos civiles que rigieron antes del vigente y puso énfasis en la primera ley de la materia, que tuvo su génesis en la reforma de diciembre de 1954, al artículo 951 del Código Civil de 1928.

Entre las notas histórico jurídicas que cita Borja, sabrosa e interesante es la de la relativa a la redacción original del artículo 951 del entonces vigente Código Civil para el Distrito y Territorios Federales de 1928, en cuanto al reparto de las contribuciones entre los diversos propietarios de pisos de una casa en la que se establece que de no haber arreglo en los títulos de propiedad, por regla general, los gastos de las zonas o áreas comunes serán a cargo de los distintos propietarios en proporción al valor de sus inmuebles, pero que si el edificio constare de varios pisos la escalera que conduce al primero habría de costearse entre todos los propietarios con excepción del dueño del piso bajo, si la del primer piso condujera al segundo, se costearía por todos los propietarios excepto por los dueños del bajo y del primero, y así sucesivamente.

Desde luego analiza también el proyecto del licenciado Gustavo R. Velasco, presentado a la Cámara de Senadores el 22 de octubre de 1954 como antecedente de la ya tantas veces citada primera ley de condominio para nuestra ciudad.

Importante también el contenido de los trabajos que ahora se compilan en cuanto a propiedad por departamentos, y condominio horizontal, por el análisis que en ellos se hace de las circunstancias y causas que favorecen el desarrollo de la propiedad por departamentos, demográficas, económicas, financieras y que motivaron que la regulación que hasta entonces se hacía de la copropiedad como un "mal necesario" por las ideas individualistas que regían, tuviera desde entonces una diferente apreciación.

La capacidad de investigador y maestro de Manuel Borja Martínez que lo fue de la Facultad de Derecho de la Universidad Nacional Autónoma de México y de la Universidad Iberoamericana, de cuya escuela fue director, y en infinidad de ocasiones en los cursos para la preparación de aspirantes a notarios y de los notarios, de lo que ahora son el Colegio de la Ciudad de México y el Colegio Nacional del Notariado Mexicano, se aprecia además en la claridad y precisión de los conceptos de estudios no referentes al condominio y en presentaciones y prólogos de libros que realizó. "El análisis del efecto de la condición suspensiva sobre la obligación y sobre el negocio jurídico que le da origen", de 1969, "El contrato atípico, su concepto, clasificación y disciplina jurídica", de 1970, "La usura en el código de 1870", docta y precisa investigación histórica jurídica, "Las capitulaciones matrimoniales", conferencias de 1989 y 1990, ahora con un régimen legal en mucho diferente, y los prólogos a libros de insignes maestros evidencian lo anterior.

Seguramente por tratarse de un estudio histórico y jurídico, "Vida y obra del escribano don José Febrero", de 31 de diciembre de 1984, publicado en forma póstuma por el Colegio de Notarios del Distrito Federal en el año de 1992 para conmemorar su bicentenario, nos deja una clara visión del ejercicio notarial pretérito y de la vocación histórica de nuestro autor.

En suma, y con el agradecimiento que necesariamente debemos a quienes con tanto esmero trabajaron para lograr esta compilación, especialmente a mi querido colega don Ángel Gilberto Adame López y a sus colaboradores, Magali López Cárdenas Civeira, Andrés Avelino Herrera Sánchez y Oscar Manuel Quiroz Reyes, y aceptando el riesgo de ser repetitivo, debemos congratularnos de contar con el instrumento que significa ésta compilación que por su contenido, por la acuciosidad y precisión con que se desahogaron sus temas, constituye sin lugar a dudas una herramienta que facilitará el estudio, comprensión y aplicación de las reglas a que se alude.

CARLOS DE PABLO
Notario de la Ciudad de México

Nota biográfica

Don Manuel Borja Martínez nació el 11 de diciembre de 1932 en la Ciudad de México. Fue nieto de don Manuel Borja Soriano y miembro de una prominente familia jurídica. Cursó la primaria y la secundaria en el Colegio México, y concluyó el bachillerato el Centro Universitario México en 1950. Ingresó a la Facultad de Derecho de la Universidad Nacional Autónoma de México en 1951 y se tituló el 22 de julio de 1957, con mención honorífica, con la defensa de la tesis *La propiedad de pisos o departamentos en Derecho mexicano*. La Facultad eligió su trabajo como el mejor de aquel ciclo y, como reconocimiento, le otorgó la cantidad de cinco mil pesos; además, su tesis fue publicada esa misma anualidad por Editorial Porrúa. En el prólogo de la segunda edición, Bernardo Pérez Fernández del Castillo anotó: "No obstante que el libro [...] se escribió en 1957, analiza con gran conocimiento una institución de carácter permanente como la propiedad en condominio y plantea en forma clara sus características y naturaleza jurídicas". Durante dos años, el maestro tomó cursos doctorales en la División de Estudios de Posgrado de la UNAM.

De 1957 a 1972 ejerció la docencia en su Alma Mater, donde impartió la cátedra de Contratos civiles. Dictó clases de esa misma asignatura y de Obligaciones en la Universidad Iberoamericana, en la cual fue director de la carrera de Derecho de 1966 a 1974. Durante su gestión contribuyó al crecimiento de los estudios jurídicos ampliando el claustro docente y siendo el creador de la prestigiosa revista de derecho de aquella institución.

El 11 de diciembre de 1958 ganó la titularidad de la notaría 36 del Distrito Federal. Fue presidente del Consejo del Colegio de Notarios de 1978 a 1979, también fungió como árbitro de la Comisión Interamericana de Arbitraje Comercial. De su persona y calidad humana, José de Jesús Ledesma Uribe apuntó:

> Recordamos a Manuel Borja Martínez como hombre de suaves modales, movimientos pausados y pensamiento ágil. Sabía emplear de modo fino el sentido del humor sin lesionar a nadie, con plenitud de sabiduría [...]. Su autoridad intelectual nunca estuvo a discusión, él la ganó a lo largo de su vida. Siempre terciaba a favor de la sensatez y la cordura. Manuel era algo así como la síntesis de lo añejo y de lo nuevo [...]. Tradicional por personalidad, fue capaz de encabezar un grupo de varios profesores y amigos para estudiar, sábado a sábado, en las mañanas, qué posibilidades había de aprovechar la lógica matemática para mejorar el manejo del derecho.

Al interior del gremio notarial se cuenta que, en una de las muchas ocasiones en que don Manuel formó parte del sínodo en un examen de oposición, dio inicio a una polémica acerca de la naturaleza de un acto jurídico. El sustentante, después del intercambio de ideas con sus examinadores y puesto el punto en la mesa, concordó en que era necesario remontarse al Código civil de 1884; el maestro, con la gentileza y la erudición que lo caracterizaron, sacó de su portafolio un ejemplar de dicho ordenamiento y se lo ofreció para continuar con la evaluación.

Fundó, en conjunto con Manuel Villoro Toranzo, *Jurídica: Anuario del Departamento de Derecho de la Universidad Iberoamericana* en 1969. Asimismo, formó parte del consejo editorial de la *Revista de Derecho Privado*. Fue un destacado ensayista e historiador, destacándose en esta última faceta con su libro *Vida y obra del escribano don José Febrero*. Como parte de su compromiso intelectual, asumió la tarea de mantener actualizada la célebre obra *Teoría general de las obligaciones*.

En 1996 la Universidad Iberoamericana publicó *Bibliografía tematizada de Derecho civil mexicano (1821-1984)*. En la introducción a la misma, Jorge Díaz Estrada comentó: "Manuel Borja Martínez tuvo una biblioteca extraordinaria especializada en Derecho civil. Inicialmente recibió la biblioteca de su abuelo don Manuel Borja Soriano y la fue actualizando y ampliando con gran esmero a lo largo de toda su vida. Hoy en día esa biblioteca forma parte del acervo del Instituto de Investigaciones Jurídicas de la UNAM, gracias a la previsión de su director José Luis Soberanes".

Fue miembro de la Barra Mexicana, Colegio de Abogados, en donde llegaría a ser parte del Consejo Directivo; también del Ilustre y Nacional Colegio de Abogados; igualmente de la Academia Mexicana de Jurisprudencia y Legislación, ocupando el sitio de número que había sido de su abuelo; de la Asociación Nacional del Notariado Mexicano, donde fungió como vicepresidente y de la Unión Internacional del Notariado Latino, siendo secretario de la Comisión de Asuntos Americanos.

En 1986 recibió la medalla de oro "Jorge Sánchez Villaseñor" por su constancia en la docencia. Como homenaje a su labor jurídica, el aula magna del Colegio de Notarios de la capital y un auditorio de la Universidad Iberoamericana llevan su nombre. En 1992, el propio Colegio editó un libro en su memoria.

El maestro falleció el 3 de diciembre de 1990 en la Ciudad de México. Tenía 57 años.

Nota del compilador

La presente edición estuvo motivada por el hallazgo de un par de conferencias videograbadas que don Manuel Borja Martínez dictó en 1989 y 1990. En el afán de preservar su memoria intelectual para las nuevas generaciones, además de transcribir y comentar las ponencias, me di a la tarea de recopilar una serie de artículos que el maestro publicó en revistas especializadas y que, hasta ahora, no se habían presentado bajo el formato de libro. Una vez reunido el material, se emprendió una labor de análisis y actualización, de modo que las tesis planteadas por don Manuel preservaran su esencia doctrinaria a la luz del contexto jurídico contemporáneo y la legislación vigente. Espero que este trabajo rinda justo homenaje a uno de los estudiosos más importantes del Derecho notarial mexicano.

Algunas observaciones a una sentencia de la H. Suprema Corte de Justicia

[Publicado originalmente en la revista
Foro de México, núm. 29, agosto de 1955.]

La H. Tercera Sala de la Suprema Corte de Justicia de la Nación, en sentencia dictada el 25 de febrero de 1955, ha establecido que:

> Cuando la base de todo el material probatorio de la parte actora es el acta levantada por un notario, en que se narran los deterioros de una finca y los peritos dictaminaron, no en vista de los deterioros, sino a través de la descripción que los mismos hizo el notario, queda prácticamente excluida la intervención judicial en la formación de las pruebas que el actor aporta al proceso ya hechas. Este procedimiento no es idóneo para demostrar los hechos constitutivos de la acción porque la parte demandada carece de oportunidad de audiencia y, consiguientemente, de defensa, pues no asiste a las diligencias de prueba. La eficacia de ésta se halla subordinada a su idoneidad. Tratándose de deterioros de una finca, la prueba idónea requiere la concurrencia de actividades de las partes y del Juez, y si estos no intervienen en las diligencias, la idoneidad desaparece porque faltan los requisitos formales de la prueba.[1]

---

[1] Época: Quinta Época
Registro: 339638
Instancia: Tercera Sala
Tipo de Tesis: Aislada
Fuente: Semanario Judicial de la Federación
Tomo CXXVI
Materia(s): Civil
Tesis:
Página: 21
INSPECCIONES NOTARIALES, VALOR PROBATORIO DE LAS.
Un notario público no tiene capacidad de subsistir al Juez en el ejercicio de sus funciones, para integrar el material probatorio del juicio; de manera que la inspección que lleve a efecto el notario, haciendo constar hechos cuyas condiciones se discuten en juicio contencioso, carece de valor probatorio.
Amparo directo 3376/54. Petra Terreros vda. de Aguilar. 3 de octubre de 1955.
Unanimidad de cuatro votos. Ponente: Hilario Medina.

Dicha sentencia me parece en parte infundada por las siguientes razones:

1. Dentro de las funciones del notario está la de "[…]hacer constar los hechos jurídicos a los que los interesados deban o quieran dar autenticidad, como la existencia de daños en una finca, es sin lugar a duda, un hecho jurídico, el notario está facultado para hacerlo constar en su protocolo". Así lo establece expresamente el artículo 60 de la Ley del notariado vigente,[II] cuando establece: "Entre los hechos que debe consignar el notario en actas, se encuentran los siguientes: […] c) Hechos materiales, como de deterioros en una finca y la construcción de otra en terreno contiguo o próximo a la primera […]".

Una vez establecido que el acta notarial donde se hacen constar los deterioros a una finca está levantada por el notario, dentro de sus funciones, y conforme a la ley y que por lo mismo es perfectamente válida, nos falta establecer qué valor probatorio tiene.

> "Las […] actas y sus testimonios [ordena el artículo 75[III] de la Ley del notariado, mientras no fuere declarada su falsedad, PROBARÁN PLENAMENTE que […] se realizaron los hechos de los que haya dado fe el notario y que este observó las formalidades que mencione".
>
> "Las menciones que se encierran en el documento no tienen todas el mismo valor [dicen Baudry-Lacantinerie y Louis Barde]. La fuerza probatoria del documento auténtico varía, en efecto, según se trate de la realidad de las aseveraciones hechas por el oficial público (notario), en esta calidad, de *visu aut de auditu*,[IV] o de la verdad intrínseca de las declaraciones formuladas por las partes en su presencia […] Hay menciones que no se pueden desconocer sino acusando al oficial público de haber cometido una falsedad, sino atacando su veracidad. Son las menciones relativas a los hechos que el oficial público ha afirmado como habiendo sido ejecutados por él mismo o como habiendo tenido lugar en su presencia, en el ejercicio de su ministerio […] En cuanto a las menciones que es posible desconocer, atacando no la veracidad del oficio público, sino solamente la sinceridad o la exactitud de las declaraciones hechas por las partes, no hacen fe sino hasta prueba en contrario".

Como las menciones de los hechos que hace constar el notario, en las actas de que venimos tratando son de las que no pueden desconocerse sin acusar al notario de falsedad, es claro que en juicio hacen PRUE-

---

[II]   Actualmente artículo 131 de loa Ley del Notariado para la Ciudad de México.
[III]   Actualmente artículo 167 de la ley del notariado para la Ciudad de México.
[IV]   De vista y de oído.

BA PLENA, por lo que sería absolutamente innecesario que el juez, por medio de la inspección ocular, fuera a comprobar los hechos que ya ha constatado el notario y que constan en un documento al que debe creer.

2. Se pretende que la demandada "carece de oportunidad de audiencia, y consiguientemente de defensa" y que "queda prácticamente excluida la intervención judicial en la formación de las pruebas, que el actor aporta al proceso ya hechas".

La parte demandada no tiene por qué asistir a la diligencia en que el notario levanta el acta en su protocolo, ya que este sólo deberá hacer constar en él los hechos materiales que pueda constatar, y no las declaraciones o apreciaciones que hiciera cualquiera de las partes. Pero no por esto carece de audiencia, ya que en el acta el notario sólo hace constar la existencia de los daños, que es lo que ha visto, y no el origen de ellos, que es tarea reservada a un perito. Así, pues, la demandada podrá tener oportunidad de audiencia y de defensa para impugnar el dictamen pericial, pues el instrumento notarial sólo hará prueba plena respecto a lo que en él esté consignado, o sea, la existencia de los daños. Si el perito sólo se basó en el acta notarial, porque la consideró lo suficientemente explícita y detallada para formular su dictamen, podrá impugnarse éste, en el que puede haber apreciaciones o deducciones falsas a juicio de la demandada, pero no aquella (el acta), que deberá considerarse como auténtica y fiel reproducción de los hechos en ella asentados. Tampoco al juez se le aporta la prueba ya hecha, porque el acta notarial por sí sola nada afirma en contra del demandado, sino que sólo hace constar un hecho, y es el perito el que decidirá si esos hechos que constan en el acta son o no efectos de la construcción contigua o próxima que ha edificado la parte demandada. Por lo mismo, el Juez podrá apreciar el dictamen pericial según su prudente arbitrio en los términos del artículo 419[V] del Código de Procedimientos Civiles del Distrito y Territorios Federales, teniendo así la intervención necesaria en la formación de las pruebas.

NOTAS AL ESTUDIO ANTERIOR. La Dirección de Foro de México[VI] felicita al pasante de derecho señor Manuel Borja Martínez[VII] por

---

[V]   Artículo derogado. Actualmente se encuentra regulado en el artículo 346.
[VI] El director de la revista en ese año era el licenciado Eduardo Pallares y Portillo.
[VII] Cabe mencionar que Manuel Borja tenía la edad de 22 años.

el estudio bien razonado y fundado que ha hecho respecto de la fe notarial aplicada a la comprobación de los deterioros que sufre una casa por la construcción de la contigua. Sin embargo, a pesar de reconocer los méritos del trabajo que se publica, no se puede admitir la tesis que en él se sostiene. En contra de ella es posible formular las siguientes argumentaciones:

1. Es un principio de Derecho procesal que las pruebas, para ser válidas, deben producirse en debate contradictorio, dando a las dos partes la posibilidad de colaborar en la formación de ellas, sobre todo cuando consisten en la inspección de cosas o lugares, relacionadas directa o indirectamente con la cuestión litigiosa. Esta garantía del contradictorio queda violada de admitirse la tesis de que se trata. En efecto, cuando el notario da fe de los deterioros que existen en el inmueble, lo hace sin que la parte demandada asista al acto, y pueda pedir al notario que haga constar determinados hechos y circunstancias que tengan influencia en la decisión que se pronuncie en el juicio. Supóngase que la parte promotora de la prueba pide al notario que dé fe de que en una pared existe una cuarteadura e incluso que se encuentra desplomada, pero que no se asienten en el acta circunstancias tan importantes como el material de adobe del que está hecha la pared, su falta de cimientos o la mala calidad de los mismos. La omisión de estos elementos probatorios perjudicará indudablemente al demandado, porque los peritos no podrán tenerlos en cuenta al fundar su dictamen que exclusivamente se apoya en el acta notarial. Si el notario da fe de la existencia de una cuarteadura, pero no expresa la longitud de esta, su ancho, ni en qué dirección se encuentra, es evidente que esta omisión restará eficacia probatoria a los dictámenes de los peritos que, para hacerlo fundado, y en lo posible exacto, deben apoyarse en el conocimiento completo de los deterioros. Por tanto, no es posible admitir que la parte demandada carezca de interés para intervenir en el acto en que el notario da fe de los desperfectos causados por la nueva construcción. Tiene mucho interés en participar en ese acto y pedir al notario haga constar todas las circunstancias del caso que puedan favorecerle.

2. También es inadmisible la tesis de que en la hipótesis de que se trata la prueba sólo consiste en el dictamen pericial y no en el acta notarial. La importancia de esta última es indiscutible porque en ella se da fe precisamente del hecho jurídico generador de la responsabili-

dad civil que va a exigirse al demandado. La acción procesal se funda en ese hecho jurídico, porque si no existen los deterioros, la acción es improcedente. Tanto el juez en su sentencia como los peritos en sus dictámenes no tienen más pruebas respecto de la existencia de aquellos, de su importancia y extensión, que la prueba notarial, en cuya formación no interviene el demandado, todo lo cual es contrario al susodicho principio de que las pruebas han de rendirse con audiencia de las partes.

3. En la práctica es muy frecuente que la persona que va a figurar en el juicio como actor y que solicita la inspección notarial, sea amigo o en cualquier forma allegado del notario, lo que produce el resultado de que aquel se despache con la cuchara grande (como se dice vulgarmente), en el acto de la inspección y obtenga de esta manera una prueba parcial y en todo caso unilateral, circunstancias que le restan eficacia jurídica.

4. La tesis es violatoria del artículo 306[VIII] del Código de Procedimientos Civiles, según el cual las diligencias de prueba sólo podrán practicarse dentro del término probatorio, bajo pena de nulidad. Ya queda demostrado que, en el caso de la prueba específica, la prueba fundamental que sirve de base a la acción de responsabilidad civil consiste precisamente en el acto por virtud del cual el notario da fe de los deterioros causados en el inmueble. La importancia de estas pruebas es decisiva porque, de no existir los deterioros, la acción carece de base. A pesar de ello, en la elaboración de la prueba no interviene el Juez, y además se practica fuera de juicio. También es contraria la tesis que examinamos al artículo 193 del Código de Procedimientos Civiles que sólo permite como medios preparatorios del juicio las diligencias que en él se especifican y entre las cuales no figura el acta notarial a discusión. Indudablemente que esta última se levanta como un medio para preparar el juicio y, por tanto, debiera estar incluida entre los que en forma enumerativa enuncia el artículo 193. Como no lo está y como el artículo no puede ser interpretado ni menos aplicado a casos distintos de los que él determina, es indiscutible la ilegalidad del acta notarial.

[VIII]   Artículo derogado. Actualmente es el artículo 298.

5. Es cierto que la Ley del notariado da facultades a los notarios tan excesivas como las de preconstituir una prueba y llevar a cabo un acto preparatorio del juicio, pero cabe observar que en el artículo segundo de dicha ley[IX] puede ser objetado de inconstitucional porque otorga a un funcionario,[X] que no forma parte de la administración de justicia, funciones judiciales de tal naturaleza que le permiten llevar a cabo una inspección con la que se pretende eludir la auténtica inspección judicial que, en el caso, es el medio probatorio más eficaz para hacer constar los deterioros causados en la finca. Tan es cierto que el notario se sustituye al juez con esa inspección, que en la tesis que se analiza, se pretende que los peritos pueden fundar su dictamen exclusivamente en el acta notarial, dando a esta la misma eficacia probatoria que la que la ley atribuye a la inspección judicial. El hecho de que los notarios tengan funciones judiciales demuestra la inconstitucionalidad del artículo segundo de la mencionada ley.[XI]

[IX]   Actualmente artículo 27 de la Ley del Notariado para la Ciudad de México.

[X]   Actualmente artículo 47, fracción II, de la Ley del Notariado para la Ciudad de México.

[XI]   Actualmente el notario participa con mayor frecuencia en actuaciones que anteriormente estaban restringidas al órgano jurisdiccional. Conforme al artículo 7, fracción V, de la Ley del Notariado para la Ciudad de México, el ejercicio de la actividad notarial debe obrar con estricto apego a la legalidad aplicable al caso concreto, de manera imparcial, preventiva, voluntaria y auxiliar de la administración de justicia respecto de asuntos en que no haya contienda. De ese modo el notario puede intervenir en asuntos de mediación, ser árbitro o secretario en juicio arbitral, así como conciliador y llevar a cabo juicios sucesorios, entre otros. El artículo 178 de la mencionada ley enumera los actos de actuación judicial en los que puede intervenir el notario, los cuales son:
I. Todos aquellos actos en los que haya o no controversia judicial, los interesados le soliciten haga constar bajo su fe y asesoría los acuerdos, hechos o situaciones de que se trate;
II. Todos aquellos en los que, exista o no controversia judicial, lleguen los interesados voluntariamente a un acuerdo sobre uno o varios puntos del asunto, o sobre su totalidad, y se encuentren conformes en que el Notario haga constar bajo su fe y con su asesoría los acuerdos, hechos o situaciones de que se trate, siempre que se haya solicitado su intervención mediante rogación; y
III. Todos aquellos asuntos que en términos del Código de Procedimientos Civiles conozcan los jueces en vía de jurisdicción voluntaria en los cuales el Notario podrá intervenir en tanto no hubiere menores no emancipados o mayores incapacitados. En forma específica, ejemplificativa y no taxativa, en

Por último, el sistema que objetamos despoja al juez de la facultad que le conceden los artículos 278 y 355 componer la del Código de Procedimientos Civiles.

---

términos de este capítulo y de esta ley: a) En las sucesiones en términos del párrafo anterior y de la sección segunda de este capítulo; b) En la celebración y modificación de capitulaciones matrimoniales, disolución y liquidación de sociedad conyugal; y c) En las informaciones ad perpetuam, apeos y deslindes y demás diligencias, excepto las informaciones de dominio.

La copropiedad forzosa de los servicios comunes para el uso de varias propiedades

[Publicado originalmente en *La Justicia*,
tomo XXVII, núm. 320, 1956.]

Universalmente conocido es el aforismo que proclama: "*Nemo compellitur invito in communione detinero*", pero los comentaristas del Derecho romano aclaran que, si bien este principio constituía la regla general, admitía sin embargo excepciones, entre otras cuando "la cosa por su destino debe quedar indivisa".[1] En el cuerpo mismo del *Digesto* encontramos consagrada esta excepción en un texto de Paulo que dice: "Contra la voluntad de cualquiera de los dueños, no debe nombrarse árbitro para la división de la cosa común, respecto al vestíbulo común de dos casas, porque el que sea obligado a hacer subasta de un vestíbulo, tendrá necesidad de poner, a veces, precio a toda la casa si no tiene entrada por otra parte".[2]

En el derecho moderno, la doctrina francesa, italiana y portuguesa afirman unánimes la existencia de una comunidad forzosa al lado de la comunidad ordinaria. "Ninguna legislación [dice Cunha Gonçalves] favorece la copropiedad, ya porque está probadísimo que es la propiedad individual la mejor forma de explotar una cosa y sacar de ella los posibles provechos, ya porque, una larga experiencia demuestra la exactitud del dicho romano '*Communio mater discordiarum*',"[3] Ahora bien, hay ciertos casos en que:

> la indivisión, lejos de perjudicar a la buena explotación de la cosa común es *indispensable* para esta misma explotación y, por otra parte, las desavenencias entre copropietarios no son de temerse en general porque se trata de cosas cuyo destino común salta a la vista; por último, el interés económico de la libre circulación de los bienes no está comprometido porque el propio destino de la cosa la hace intransmisible.[4]

Para que haya copropiedad forzosa, se requiere a juicio de la generalidad de la doctrina que la cosa objeto de la copropiedad sea accesoria de un derecho de propiedad ordinario, esto es, que haya indivisión sobre cosas destinadas a completar el ejercicio del derecho de propiedad.[5] Jean Lebret y Bonnecase[6] extienden el concepto de la copropiedad forzosa y, sin limitarla sólo a las situaciones en que es accesoria de un derecho de propiedad, abren la puerta a casos que sobrepasan los límites de la teoría considerada como tradicional. Ludovico Barasi y Giussepe Branca señalan la existencia en Italia de esta misma corriente.

Pero ¿admite nuestra legislación la copropiedad forzosa? El Código civil[XII] en su artículo 939 dispone: "Los que por cualquier título tienen el dominio legal de una cosa, no pueden ser obligados a conservarlo indiviso, sino en los casos en que por la misma naturaleza de las cosas o por determinación de la ley el dominio es indivisible". O lo que es lo mismo: los copartícipes sólo pueden ser obligados a conservar indiviso el dominio legal de una cosa cuando, por la naturaleza misma de esta o por disposición de la ley, el dominio es indivisible. Este artículo consagra de manera expresa la existencia de la copropiedad forzosa cuando el dominio de la cosa es indivisible.

Pero el artículo siguiente viene, aparentemente, a quitarle todo efecto. Estipula el artículo 940: "si el dominio no es divisible, o la cosa no admite cómoda división y los partícipes no se convienen en que sea adjudicada a alguno de ellos, se procederá a su venta y a la repartición de su precio entre los interesados". ¿Sería esta una interpretación correcta? A nuestro juicio, no. Una interpretación semejante pecaría de ser demasiado superficial y de consagrar graves inconsecuencias. Nosotros pensamos, con Ludovico Barassi,[7] que el término dominio indivisible tiene diversas acepciones.

En un primer sentido, el más radical, hay cosas absolutamente indivisibles, es decir, en las que no se puede disolver la comunidad de ningún modo, ni siquiera con la licitación, esto es, mediante la venta de la cosa en remate y la posterior división del precio, o bien, con la adjudicación de la cosa a uno de los partícipes. Una aplicación la encontramos en la "Ley sobre el régimen de propiedad y condominio de los edificios divididos por pisos, departamentos, viviendas o locales",[XIII] según la cual los

---

[XII] De aquí al final de esta recopilación, cuando se mencione un artículo y no se indique el ordenamiento al que pertenece, se entiende que pertenece al Código Civil para el Distrito Federal de 1928.

[XIII] Dicha ley fue derogada. A mi parecer el artículo en comento sería el 24 de la Ley de Propiedad en Condominio de Inmuebles para el Distrito Federal, el cual establece lo siguiente:

bienes comunes a todos los propietarios de departamentos tales como los muros maestros, el terreno, el techo, etcétera, no pueden ser objeto de acción divisoria (artículo 15).[XIV]

En otro sentido, es indivisible la cosa que no es susceptible de participación material, pero que puede ser dividida *in pretio* mediante la licitación o subasta, o bien mediante adjudicación. Aquí se trata sólo de indivisibilidad física, no de una comunidad necesaria de la cosa indivisible. Así sería por ejemplo el caso de un cuadro o un automóvil perteneciente proindiviso a varias personas.

En un tercer sentido, la indivisibilidad se atenúa aún más, reduciéndose al mínimo cuando se trata de indivisibilidad puramente económica, en cuanto no sea oportuna o sea demasiado incómoda la división. Tal sería el caso de una colección de objetos muebles que, pudiendo ser repartidos entre los comuneros, tiene un valor muy superior en conjunto comparado con la suma de sus valores aislados.

Estimamos que el artículo 940 sólo es aplicable a los dos últimos casos de indivisibilidad, y no al primero. Una inconsecuencia y una iniquidad, bien dice Planiol que:

> Las leyes se establecen para procurar a la ciencia jurídica que terminará en soluciones injustas o perniciosas sería falsa, iría contra su fin. El método lógico no debe emplearse solo, debe ser templado por consideraciones de utilidad y de equidad. Hay evidentemente un límite que guardar para que el juez, que no es sino intérprete, no sustituya su pensamiento personal a la autoridad de las leyes; pero hay también algo que hacer para que la ley interpretada mecánicamente no se vuelva en contra de su fin, que es el bien social.[8]

Nuestra interpretación es correcta dentro de las reglas de la exégesis, pues estas permiten "apartar las interpretaciones que harían consagrar por la ley una injusticia o una inconsecuencia".[9] Es más, llegado el momento en el que se pretendiera aplicar a los casos de que venimos tra-

---

Serán de propiedad común, sólo entre las unidades de propiedad privativa colindantes, los entrepisos, muros y demás divisiones que compartan entre sí. De tal manera, que la realización de las obras que requieran éstas, así como su costo será a cargo de los condóminos o poseedores colindantes siempre y cuando la realización de la obra no derive de un daño causado por uno de los condóminos o poseedores, solo en este caso será a cargo de éstos.

[XIV] Actualmente artículo 24.

tando en el artículo 940, esto sería imposible porque "la ley no se aplica a las situaciones que, aunque comprendidas en su texto, están excluidas por el espíritu de su disposición: cesando la razón de la ley cesa su disposición. Esto es lo que se llama interpretación restrictiva".[10]

Por lo que hemos expuesto, debemos concluir que nuestro derecho admite, en general, una copropiedad forzosa. Las hipótesis en las que se encuentra la indivisión forzosa, escribe Planiol:

Son, desde punto de vista teórico, excepcionales y poco numerosas, pero en la práctica se encuentran representadas por ejemplos innumerables. Se les puede repartir en tres series [...].

Las dos primeras comprenden, por una parte, los muros, setos y otros cercados medianeros, por otra, el suelo y ciertas partes de las casas divididas por pisos entre varios propietarios [...].

La tercera [...] concierne a las cosas que, debido a un estado de hecho o por efecto de un acuerdo, se encuentran afectadas, a título de ACCESORIOS INDISPENSABLES al uso común de dos o muchos inmuebles pertenecientes a propietarios diferentes. Se pueden citar como tales: los portales, las callejuelas, los pasos o callejones, los patios, los pozos o lavaderos, las fosas sépticas destinadas al uso de varias casas, las veredas, caminos o abrevaderos que sirven para la explotación de varios fundos, los diques o canales que sirven a varios establecimientos industriales.

Los jueces de fondo tienen el poder de apreciar si la cosa es realmente necesaria para el uso común y si la partición tendría por efecto estorbar el destino o disminuir el goce de tal modo que se prevea imposible.[11]

El primero de los casos enumerados por Planiol, es decir, la medianería, fue también el primero en ser reglamentado en forma especial por nuestros códigos civiles. En efecto, los de 1870 y 1884 se ocupaban de la medianería inspirándose en el proyecto de Código civil español de 1851 y colocaban, al igual que este, los preceptos que la reglamentaban dentro del libro II: "De los bienes, la propiedad y sus diferentes modificaciones", título VI: "De las servidumbres", capítulo V: "De la servidumbre legal de medianería". Nuestro Código de 1928, con mejor criterio que los anteriores, reglamenta la medianería en el capítulo que se ocupa de la copropiedad, inspirándose en cuanto colocación en el Código español de 1889, pero reproduciendo los artículos referentes de los anteriores, con pequeños cambios más bien de terminología, que resultaban obligados dada su nueva ubicación.

La segunda hipótesis, o sea la que se refiere al suelo y ciertas partes de las casas divididas por departamentos, fue reglamentada en 1870 y

1884, en el título de las servidumbres, junto con las disposiciones referentes a la medianería y junto con ellas pasó en el Código de 1928 al capítulo de copropiedad. La Ley de 2 de diciembre de 1954 sobre "el régimen de propiedad y condominio de los edificios divididos en pisos, departamentos, viviendas o locales" ha venido a ocuparse ampliamente de la materia.[XV]

Sólo quedan sin una regulación especial en nuestro derecho los casos agrupados por Planiol en el tercer grupo, esto es, cuando se trata de propiedades individuales con algunos servicios comunes en copropiedad, como podrían ser un patio, una toma de agua, una calle, un albañal, etcétera. El primer problema que se nos presenta es dilucidar si, en realidad, se trata de estas hipótesis, de una verdadera copropiedad, o bien, de casos en que existen servidumbres recíprocas.

En Francia se consideró, durante algunos años, la copropiedad forzosa como un caso de servidumbre. Las palabras "indivisión forzosa", dice Gilles Goubeau,[12] acobardaron a la jurisprudencia, le parecieron radicalmente incompatibles con la prohibición que preceptúa: "Nadie puede ser obligado a permanecer en la indivisión, y la participación puede ser provocada, no obstante prohibición o convenio en contrario [...]".[XVI] Además, le pareció que se podía aprobar el mismo resultado por otro medio: en lugar de ver en la comunidad perpetua una indivisión propiamente dicha, reconocieron en ella una simple servidumbre recíproca.

Pero, a partir de 1858, la jurisprudencia admitió, implícitamente primero y expresamente después, que en estos casos no existía servidumbre sino una verdadera copropiedad. Así, la sentencia del 15 de febrero de 1858 dice en substancia: "No se podría reconocer, en un terreno destinado a permanecer indiviso, ni fundo sirviente ni fundo dominante, sino más bien el ejercicio continuo de derechos de copropiedad". Des-

---

[XV]   Actualmente es la Ley de propiedad en condominio de inmuebles para el Distrito Federal, publicada en la Gaceta Oficial del Distrito Federal el 27 de enero de 2011.

[XVI] Su correspondiente en el Código civil es el 939: "Los que por cualquier título tienen el dominio legal de una cosa, no pueden ser obligados a conservarlo indiviso, sino en los casos en que por la misma naturaleza de las cosas o por determinación de la ley, el dominio es indivisible".

de entonces, continúa Goubeau, ninguna confusión entre la servidumbre y la copropiedad forzosa se ha cometido jamás, la jurisprudencia no debía retroceder, debía al contrario siempre continuar viendo en la indivisión una verdadera copropiedad; no se cuidó, es verdad, de determinar la naturaleza jurídica de la derogación que constituye el artículo 815, sino que se contentó con colocar como un principio muy seguro que ciertas situaciones imponen la indivisión perpetua "por la fuerza de las cosas": aún ahora le basta afirmar que la necesidad o la utilidad hacen necesaria esta misma indivisión en ciertas circunstancias. Su sistema le parece de tal modo indiscutible que las sentencias se encuentran cada día menos motivadas; afirman, como si decidieran una cosa evidente, la existencia de una copropiedad de vecindad con indivisión forzosa admitida en la jurisprudencia como un axioma. Éste es también el sentir de la doctrina. Baudry-Lacantinerie y Chauveau escriben:

> Con bastante frecuencia se dice que las cosas se encuentran afectadas con una "servidumbre de indivisión" pero la expresión no es de una exactitud muy rigurosa; la indivisión forzosa no es, a decir verdad, una carga impuesta a las cosas comunes; estas son objeto de un derecho de copropiedad, con la sola restricción que la partición es imposible por un motivo de imperiosa necesidad, ya que la división le quitaría toda la utilidad que exige su destino[...] Es un derecho de copropiedad y no un derecho de servidumbre el que ejerce cada uno de los comuneros.[13]

Planiol, por su parte, expresa: "No hay allí ni fundo dominante ni fundo sirviente: los comuneros tienen sobre cada parte, así como sobre la totalidad de la cosa indivisa, derechos iguales que ejercen a título de copropietarios".[14] En el mismo sentido pueden consultarse las obras de Aubry y Rau, Colin y Capitant, Josserand, Cunha Gonçalves, Días Ferreira, Barassi, Scialoja y Branca. Ahora bien, qué importancia práctica tiene este concepto doctrinal:

He aquí diferentes casos en que se manifiesta el interés de esta cuestión:

A) Supongamos que algún edificio bordea una callejuela común y limítrofe. El propietario del edificio quiere abrir en él vistas directas. Según el primer sistema, esto sólo será posible si la pared dista por lo menos un metro de la línea media de la callejuela, porque esta línea constituye el límite de la propiedad vecina. Según el segundo sistema, basta con que la distancia de un metro exista entre la pared en que van a ser abiertas las vistas y el otro lado de la callejuela, pues allí es donde comienzan la propiedad del vecino.

B) Supongamos que el mismo paso común no es utilizado por uno de los vecinos durante más de tres años. Si existiera aquí una servidumbre mutua de paso quedaría extinguida en perjuicio del vecino negligente, pues, las servidumbres continuas aparentes se extinguen por el no uso durante tres años (artículo 1128) por el contrario, puesto que hay copropiedad debemos declarar que la situación jurídica actual se perpetúa, pues el derecho de propiedad es perpetuo, ya se utilice de hecho, ya no se utilice.[15]

Una vez aclarado que se trata de una verdadera copropiedad, se presenta ante nosotros un segundo problema: dado el aparente silencio de nuestra legislación, ¿por qué disposiciones deben reglamentarse estos casos? Debemos optar por cualquiera de estas dos posibles soluciones: a) Asimilarlos a alguno de los dos casos que sí se encuentran reglamentados y aplicarles las normas que se refieren a estos. b) Considerar que constituyen una categoría de situaciones diferentes a las anteriores, que encuentran en nuestra legislación civil su propia reglamentación sin más que dar a los preceptos del código su recto sentido.

1. Salta a la vista la imposibilidad de aplicar las reglas de la medianería a este otro tipo de copropiedad forzosa, la mayoría de ellas resultarían completamente inadecuadas, lo que se comprende fácilmente ya que están redactadas en vista de un supuesto diverso. Sin embargo, podrían aplicarse por analogía algunas normas, (por ejemplo, los artículos 959, 960, 971, etcétera), sin embargo, estos son sólo las generales a todas las copropiedades forzosas.

Pero donde la cuestión cobra mayor interés es el pretender someter estos casos a la "Ley sobre el régimen de propiedad y condominio de los edificios divididos en pisos, departamentos, viviendas o locales"[XVII] ¿Es esto posible? Examinaremos la cuestión desde dos diferentes puntos de vista: 1) En el ámbito del derecho vigente; 2) en el orden de la "*lege ferenda*".

Si consideramos el problema desde el ángulo de nuestra ley positiva, debemos forzosamente concluir que la hipótesis que hemos planteado no puede quedar comprendida dentro de nuestra legislación sobre

---

[XVII] Actualmente Ley de propiedad en condominio de inmuebles para el Distrito Federal.

propiedad horizontal. En efecto, el artículo 951^{XVIII} reformado sólo se refiere a los casos en que "los diferentes pisos, departamentos, viviendas o locales de un edificio, pertenecieren a distintos propietarios". Si no se considera suficientemente claro este precepto, no tendremos, sino que acudir a la exposición de motivos con que acompañó el C. Presidente de la República su proyecto de ley al Senado, donde puede leerse:

> Considerando que [...] la capital de República ha experimentado un extraordi-
> nario desarrollo en los últimos cuarenta años elevando considerablemente su
> densidad demográfica, lo que ha motivado que el área de la ciudad, a su vez,
> se haya extendido en forma tal que la atención de sus servicios públicos exige
> cuantiosas inversiones en obras de urbanización y vigilancia; que además, por di-
> versas causas, el valor de los terrenos y el costo de las obras de urbanización han
> experimentado un alza considerable que dificulta grandemente la posibilidad
> de adquirir en propiedad, a las personas con recursos limitados los terrenos ne-
> cesarios para edificar sus hogares; que los problemas de una excesiva extensión
> superficial de los centros urbanos y la dificultad para que las personas de recursos
> modestos adquieran su propia habitación, abandonando el régimen inquilinario,
> han sido resueltos en otros países mediante el régimen de propiedad por pisos
> o departamentos, ya que al amparo de este se ha fomentado la construcción de
> grandes edificios, aumentando la densidad de la población con un mejor apro-
> vechamiento de espacios reducidos de terreno y se ha obtenido economía en el
> costo por unidad de habitación, facilitando la inversión de pequeños capitales
> en la compra de viviendas y locales en esos edificios; que este régimen de pro-
> piedad puede ser aplicado con resultados satisfactorios en la Ciudad de México
> y que para el efecto se requiere una legislación adecuada que pueda resolver
> los problemas que le son característicos, los que no encontrarían solución en las
> disposiciones del Código civil vigente.^{XIX}

[XVIII] Hoy establece: Cuando los diferentes departamentos, viviendas, casas o locales de un inmueble, construidos en forma vertical, horizontal o mixta, suscepti-bles de aprovechamiento independiente por tener salida propia a un elemen-to común de aquél o a la vía pública, pertenecieran a distintos propietarios.

[XIX] El primero de septiembre de 1954, durante la lectura de su segundo informe de gobierno, el presidente Adolfo Ruiz Cortines anunció: "El Ejecutivo Fede-ral enviará al H. Congreso en el actual período de sesiones, entre otros, las iniciativas de leyes de contenido social que siguen: (...) Ley de la propiedad horizontal (reglamentaria del artículo 951 del Código civil".
El dictamen que se presentó a lectura en la Cámara de Senadores el 28 de octubre señalaba lo siguiente:
La capital de la República ha experimentado un extraordinario desarrollo y un aumento considerable en su población, originándose con ello un grave problema de habitación, que ha tratado de resolverse extendiendo el área de la ciudad mediante la creación de nuevas zonas urbanas. Este procedimiento

no es conveniente porque exige cuantiosas inversiones en obras de urbanización y cada día mayores erogaciones en gastos de mantenimiento de estas y de los servicios municipales.

El valor de los terrenos y el costo de las obras de urbanización en el Distrito Federal han experimentado un alza considerable, lo que hace sumamente difícil para personas de limitados recursos la adquisición de casa propia o de un terreno en el que posteriormente puedan levantar su obra.

La experiencia en otros países demuestra que una de las formas de evitar en parte los problemas que acarrea una excesiva extensión superficial de los centros urbanos. y de satisfacer, aunque sea parcialmente también, la necesidad y la legítima aspiración de las personas de modestos recursos de adquirir un hogar propio, consiste en el establecimiento del régimen de propiedad por pisos o apartamentos, mediante el cual, al mismo tiempo que se fomenta la construcción de edificios de varias plantas para alojar mayor número de personas en áreas urbanas más reducidas, se disminuye el costo de las obras de urbanización y su mantenimiento, se alivia el problema de los alquileres y se permite a un mayor número de individuos de modestos recursos, crear y conservar el patrimonio de familia.

El régimen de propiedad por pisos, departamentos, viviendas o locales, llamado también de la propiedad horizontal, puede ser aplicado con resultados satisfactorios en México y en el Distrito Federal, según estudios llevados a cabo por instituciones oficiales y privadas. Como por ahora no existe una legislación adecuada que defina y precise las características de ese régimen de propiedad y regule y resuelva las situaciones y problemas que le son inherentes, es indispensable la reforma del artículo 951 del Código civil a fin de incorporar en nuestra legislación ese régimen de propiedad. Al mismo tiempo, se requiere una reglamentación adecuada de ese precepto. Por separado, las suscritas Comisiones presentarán dictamen a la distinta iniciativa que envió también el Ejecutivo de la Unión, referente a una ley reglamentaria del citado artículo 951.

Los proyectos a que nos referimos, enviados a esta Cámara por el Ejecutivo, llenan en realidad una laguna y satisfacen una necesidad largamente sentida y cuya actualización es manifiesta. Por razón de técnica, las suscritas Comisiones consideran que debe realizarse la forma que propone el Ejecutivo, pero introduciendo los elementos esenciales que caracteriza el régimen de propiedad que nos ocupa dentro de la norma positiva del artículo 951 y que ampliamente están desarrollados en la iniciativa conexa de la Ley Reglamentaria referida. Por eso, se sugiere que se incluyan en la reforma al artículo 951 los elementos que caracterizan la propiedad individual del piso, departamento, vivienda o local y el carácter de copropiedad en las partes del edificio de uso común, como un anexo inseparable del piso o apartamento de propiedad individual, y la norma de que el derecho de copropiedad sólo será enajenable y gravable

Evidentemente estos fines sólo se consiguen con la división por departamentos de *un edificio* y no con la construcción de varias casas aisladas, aun cuando tengan algunos elementos en común. En general, si examinamos detenidamente la Ley del 2 de diciembre de 1954, encontraremos que sus preceptos están formulados en el supuesto de que sea uno solo el edificio que se divida en departamentos y no en el de que sean varios edificios aislados que pertenezcan cada uno a un distinto propietario.

Piénsese, si no, en las reglas contenidas en los artículos 14, 25, 26, 27, 47 y 48 que no se conciben si no es suponiendo la existencia de un edificio único. Por otra parte, este supuesto de nuestra ley se encuentra en la totalidad de la doctrina y las legislaciones extranjeras que le sirvieron de base. Desde el punto de vista de la "*lege ferenda*", pensamos que tampoco es conveniente incluir este caso dentro de la ley de propiedad horizontal. Si se declaran sometidos a esta legislación, los casos de propiedades individuales con algunos servicios comunes, como podrían ser un patio, una toma de agua, una calle de albañal, etcétera, no se haría sino incurrir en un grave error al confundir dos casos distintos de indivisión forzosa.

Considérese qué razón habría para prohibir, en el caso que nos ocupa, las excavaciones en el subsuelo, siendo que aquí el terreno no es de propiedad común, sino exclusivamente del dueño de la construcción. Lo mismo se diría con relación al precepto que impide sobre elevar el edificio (artículo 25).[xx] ¿Qué fundamento racional tendría la prohibición de pintar o decorar la fachada en forma que desentone con el conjunto o que perjudique a la estética general del edificio (artículo 26)? En un solo edificio dividido en departamentos, la disposición está plenamente justificada: basta imaginar una casa en la que cada piso se encuentra pintado de un color diferente o decorada en una forma que desentone con el resto de la construcción; pero no sucede lo mismo si

---

o embargable conjuntamente con el piso o apartamento del cual es anexo indivisible.

La reforma al artículo 951 y la Ley sobre el régimen de propiedad y condominio de los edificios en pisos, departamentos, viviendas o locales fueron publicadas en el Diario Oficial de la Federación el 15 de diciembre.

[xx] Se refiere a que los condóminos del último piso no podrán ocupar la azotea ni elevar nuevas construcciones.

son varios edificios, no tiene por qué exigírsele al propietario de una construcción aislada e independiente de los demás este requisito, como no se exige que todas las casas de una misma manzana sean de colores que armonicen o que tengan un decorado homogéneo.

> Como ya hemos dicho, es absolutamente inútil considerar los casos de que nos venimos ocupando como de propiedad horizontal, además de que constituye un error doctrinal. Como veremos a continuación, este tipo de copropiedad forzosa se encuentra en el Código civil con principios generales que sirven para poder reglamentarla en una forma adecuada.

Sin duda alguna, varios artículos de la ley de propiedad horizontal parecerán aplicables a estas situaciones, y de hecho el procedimiento de la analogía nos permite hacerlo, pero aquí sucede lo mismo que ya habíamos hecho notar con relación a las normas que rigen a la medianería: que existen reglas generales a todas las copropiedades forzosas y que estas sí le son aplicables.

2. Hemos afirmado en líneas anteriores que no debe asimilarse la copropiedad sobre patios, calles, fosas, tomas de agua, albañales, etcétera, a dos o más predios, a la copropiedad de una pared medianera, ni a la que resulta sobre las partes comunes en las casas divididas por departamentos.

Esta copropiedad tiene claramente, como hemos dicho, sus reglas propias. Veamos ahora cuáles son esas reglas.

En primer lugar, podemos afirmar que en esta copropiedad no es posible pedir la división, sin contar con que la mayoría de las veces la acción divisoria constituiría un abuso del derecho, ya que no perseguiría otro fin que el de perjudicar a los demás copropietarios. Creemos haber demostrado que la participación no procede en este tipo de copropiedad. A los argumentos legales que antes expusimos, y que a nuestro juicio son bastantes para poder afirmar la imposibilidad de la división, queremos agregar ahora el siguiente: el artículo 951 y el artículo 15[XXI]

[XXI] Actualmente está regulado en el artículo 7:

En el régimen de propiedad en condominio, cada titular disfrutará de sus derechos en calidad de propietario, en los términos previstos en el Código Civil para el Distrito Federal. Por tal razón, podrá venderlo, darlo en arrendamiento, hipotecarlo, gravarlo y celebrar, respecto de la unidad de propiedad

de la ley reglamentaria de este artículo disponen que la copropiedad sobre elementos comunes del edificio no es susceptible de división; si examinamos el fundamento de estos preceptos, veremos que hay la misma razón para prohibir la partición en el caso de que se ocupan y en la copropiedad de patios, calles, tomas de agua, etcétera, puesto que no se trata sino de una aplicación del principio general contenido en el artículo 939, que establece que no se puede pedir la división cuando el dominio es indivisible. Por lo mismo, fácilmente podemos aplicar estas disposiciones por analogía al caso que nos ocupa.

En segundo término, de acuerdo con lo que dispone el artículo 941, se puede hacer una reglamentación contractual de la copropiedad en la que figurarán las cláusulas que se estimen convenientes para la buena administración de los bienes comunes. En defecto de esta reglamentación, la copropiedad se regirá por los artículos 942 a 944. En relación con lo dispuesto en el artículo 950, creemos con la generalidad de la doctrina que el copropietario no puede "ceder sus derechos sobre la cosa indivisa al propietario de otro fundo extraño a la indivisión",[16] por las mismas razones por las que no se pueden pedir la partición.

Además:

> dado el carácter perpetuo de la indivisión, cada comunero goza de poderes más extensos que en materia de copropiedad ordinaria. Puede usar libremente de la cosa según el destino que le ha sido fijado por el acuerdo o que resulta de la naturaleza misma de la cosa o al uso al cual ha sido de hecho afectada. Puede así mismo, en esta medida, hacer a la cosa transformaciones o modificaciones. Así el propietario de un patio común puede ejecutar trabajo de elevación del suelo y escurrimiento de las aguas, o, substituyendo una cuadra por una casa, aumentar el avance del canal del techo. Aun así, el copropietario de una callejuela puede colocar, bordeándola con una reja que no estorbe al paso y constituya una

---

privativa, todos los contratos a los que se refiere el derecho común, con las limitaciones y modalidades que establecen las leyes. El derecho de copropiedad sobre los elementos comunes del inmueble es accesorio e indivisible del derecho de propiedad privativo sobre la unidad de propiedad exclusiva, por lo que no podrá ser enajenable, gravable o embargable separadamente de la misma unidad.

El actual artículo 15 de la ley prescribe que: "El derecho de copropiedad de cada condómino sobre las áreas y bienes de uso común será proporcional al indiviso de su unidad de propiedad privativa, fijada en la escritura constitutiva del condominio".

mejora, o, practicar en su construcción vistas directas en las condiciones antes determinadas [...]

De manera más general, cada comunero puede comportarse frente a la cosa común como si fuera el único propietario, con la doble condición: Primero, de no modificar su destino; así el copropietario de un patio no puede instalar en él almacenajes o establos, ni entregarse él a los trabajos de su profesión, si este patio está destinado principalmente a servir de paso; no puede tampoco colocar un seto, si este hace uso del terreno común menos cómodo a los otros copropietarios o si, por ejemplo, constituye un obstáculo o un impedimento permanente para la circulación de los carruajes, y; segundo, de no servirse de la cosa común más que en el interés del fondo para el cual ha sido dejada a la indivisión.[17]

¿Es necesaria la existencia de un solo edificio de varios pisos para la constitución del régimen de propiedad y condominio?

[Publicado originalmente en *La Justicia*,
t. XIX, núm. 349, mayo de 1959.]

Es indudable que en la actualidad pocos problemas jurídicos representan el interés práctico de los temas relativos a lo que en el lenguaje común se conoce con el nombre de "condominio". Antes del año de 1954, la existencia de los "condominios" era desconocida en nuestro medio social, pero desde hace poco menos de cuatro años su incremento ha sido notable, especialmente en la capital y en algunos estados de la República como: Guerrero, Jalisco, Michoacán, Nuevo León, Baja California y Morelos.

La situación jurídica de este tipo de construcciones ha sido reglamentada ampliamente en el Distrito Federal por el nuevo artículo 951[XXII] y su ley reglamentaria de 15 de diciembre de 1954,[XXIII] y en los distintos estados por leyes especiales inspiradas, como es usual, en la Ley del Distrito Federal, aunque algunas contienen modificaciones de importancia.

Numerosas y diversas han sido las críticas dirigidas a estos ordenamientos legales, muchas de ellas acertadas, pero la inmensa mayoría fruto del desconocimiento de la materia. Además, como toda ley nueva,[XXIV] la legislación sobre propiedad horizontal ha suscitado diversas cuestio-

---

[XXII]   El antecedente del artículo 951, se reguló en el 1014 del Código de 1884 y en el 1120 del de 1870.

[XXIII]   Ley sobre el régimen de propiedad y condominio de los edificios divididos en pisos, departamentos, viviendas o locales, publicada el 15 de diciembre de 1954. Es una ley reglamentaria del artículo 951 del Código.

[XXIV]   Para cuando se publicó este artículo estaba vigente la ley de 1954. El 20 de diciembre de 1972, según consta en el diario de debates de la XLVIII Legislatura, entre otros puntos, se llevó a cabo la discusión y aprobación del proyecto de Ley sobre régimen de propiedad en condominio de Inmuebles.

nes acerca de su aplicación e interpretación. Entre éstas, ninguna ha sido más debatida que el determinar si es necesaria la existencia de un solo edificio de varias plantas para la constitución del régimen de propiedad y condominio.

La cuestión planteada entraña dos problemas:

1. ¿Puede considerarse como un caso de "condominio" la existencia de distintas casas individuales, que tengan servicios comunes en copropiedades, como podrían ser un pasaje, una toma de agua, una alberca, patios, jardines, cañerías, desagües, etcétera?

2. ¿Puede constituirse el régimen de propiedad en condominio, que establece el artículo 951 y su ley reglamentaria, sobre una construcción de una sola planta, dividida verticalmente?

Del primero de los problemas planteados nos hemos ocupado con amplitud en nuestros estudios llamados "La copropiedad forzosa de los

---

El 28 de diciembre de 1972 se publicó en el Diario Oficial, abrogando así la de 1954.

El 23 de abril de 1997 la Asamblea de Representantes del Distrito Federal presentó ante la Cámara de Diputados una iniciativa de Ley de propiedad en condominio de inmuebles para el Distrito Federal. Después de algunas modificaciones, fue aprobada por votación unánime el 21 de diciembre de 1998. La Ley se publicó el 31 de diciembre de 1998 en el Diario Oficial de la Federación y entró en vigor el 1 de enero de 1999.

El 10 de febrero de 2000 se publicó en la Gaceta Oficial del Gobierno del Distrito Federal el decreto de la Asamblea Legislativa del Distrito Federal que reformó y adicionó algunos artículos a la Ley de propiedad en condominio de inmuebles para el Distrito Federal. El decreto entró en vigor el 11 de febrero.

El 27 de enero de 2011 fue publicada en la Gaceta Oficial del Distrito Federal la Ley de propiedad en condominio de inmuebles para el Distrito Federal, que es la que rige actualmente y cuya última reforma fue publicada el 24 de marzo de 2017. En dicha reforma se reubicó el texto de la fracción III para quedar como párrafo penúltimo, y el texto mismo de dicho párrafo; y se adicionó un nuevo texto a la fracción III, así como las fracciones IV y V; todos del artículo octavo. Se reformó el acápite; la ubicación y el contenido del texto de la fracción I para quedar como fracción I Bis; y se adicionó un nuevo texto a la fracción I, así como la fracción I Bis; todos del artículo noveno. Igualmente se reformó el artículo décimo segundo, cuya implicación afecta directamente a la actuación notarial y el artículo vigésimo sexto, en el que se reformó la fracción segunda y se adicionaron las fracciones III Bis y III Ter.

servicios comunes para el uso de varias propiedades", y "The mexican doctrine of imposed joint ownership", en donde hemos afirmado que en la hipótesis de que existan diversas propiedades con servicios comunes en copropiedad, aunque se encuentren sometidos a un régimen de indivisión forzosa, no existe "condominio", y que por lo mismo no es aplicable a estos casos ni el artículo 951 ni su ley reglamentaria. También hemos señalado en esos estudios que el interés práctico que generalmente guía a quienes pretenden considerar a esa situación jurídica como un "condominio" es, en el Distrito Federal, al querer eludir las disposiciones de la Ley de fraccionamientos,[XXV] que ordena que en ningún caso un predio podrá tener menos de 120 metros cuadrados de superficie y que su frente a la vía pública nunca será inferior a 7 metros.

Además, cuando se trata de viviendas cuyo precio no excede de 60,000.00 [viejos] pesos, al quedar sometidas a la ley especial de "Propiedad Horizontal" significaría gozar de las exenciones fiscales, que para este régimen de propiedad concede la "Ley de Exención de Impuestos Para Habitaciones Populares en el Distrito y Territorios Federales",[XXVI] reformada por el decreto de 8 de diciembre de 1955.

Asimismo, en los repetidos estudios hicimos notar que la Ley del estado de Morelos, en sus artículos primero y segundo, considera estos casos como de propiedad horizontal, obrando a nuestro juicio en forma censurable y contra toda técnica jurídica.

Es la segunda cuestión la que esta vez será el objeto de nuestro estudio: ¿puede constituirse el régimen de propiedad y condominio sobre un edificio de una sola planta? Lo primero que viene a la mente al plantearse este problema es que uno de los nombres que la doctrina emplea con mayor frecuencia para designar a la institución es el de "propiedad

---

[XXV] Actualmente la Ley de Desarrollo Urbano es la que regula la subdivisión. Las medidas mínimas por lote se encuentran detalladas en Norma general de ordenación número 9, expedida por la Secretaría de Desarrollo Urbano y Vivienda de la Ciudad de México.

[XXVI] Ley abrogada. Publicada en el DOF el 31 de diciembre de 1954. Establecía en el artículo 1ro que se concedía la exención del pago del impuesto del predial por cinco años a los propietarios de predios ubicados en el DF que construyan casas solas o edificios de departamentos o viviendas destinados a habitación.

horizontal", lo que necesariamente supone la existencia de una construcción de dos planos horizontales, como mínimo, para poder constituir sobre ella el régimen de propiedad y condominio. En este concepto, es obvio que no podrá considerarse como un caso de "condominio" a un edificio fraccionado sólo en forma vertical, sino que bastará con decidir que hay copropiedad forzosa en los muros divisorios (medianería) y en los servicios accesorios que eventualmente tengan. Sin embargo, no sería analizar suficientemente la cuestión si nos quedáramos en este razonamiento, puesto que el nombre de "propiedad horizontal" no es universalmente aceptado, por lo que creemos que para poder encontrar una solución satisfactoria es indispensable estudiar más a fondo la situación.

Si acudimos a los preceptos de las leyes en las que se inspiró nuestro ordenamiento jurídico podremos observar que existen en ellas tres soluciones, tres formas de considerar el caso en estudio. Atendiendo a estas soluciones podemos clasificar las leyes extranjeras en tres grupos, a saber:

1. Leyes que de modo expreso consideran la situación como un "condominio".

2. Leyes que de modo expreso excluyen el caso del "condominio".

3. Leyes que pasan en silencio el punto.

1.1. Leyes que de modo expreso consideran la situación como un "condominio". En primer lugar, nos ocuparemos de las leyes que, como las de Uruguay,[XXVII] Argentina,[XXVIII] Colombia,[XXIX] Panamá,[XXX]

[XXVII] El artículo 491 del Código civil en su segundo párrafo regula que la propiedad horizontal se regula en leyes especiales. En esa época, la ley vigente era la 10.751, de 25 de junio de 1946.

[XXVIII] La ley argentina vigente en esa época era la Ley 13512, publicada en el Boletín Oficial del 18 de octubre de 1948.
El 14 de noviembre de 2013 se presentaron los dictámenes para la elaboración final del Código Civil y Comercial. En esa ocasión la Comisión Bicameral incorporó 168 modificaciones que afectaron 311 de los 2671 artículos del proyecto original. El 28 de noviembre de 2013 la Cámara de Senadores le dio media sanción y el 1º de octubre de 2014 la Cámara de Diputados le dio sanción definitiva. Entró en vigor el 1º de agosto del año 2015. La propiedad horizontal constituye uno de los derechos reales regulados por

el nuevo código. Sus disposiciones otorgan a la asamblea de propietarios mayores atribuciones. En este sentido, se establece la reducción de la mayoría exigida para la auto convocatoria de la asamblea, con lo cual se la refuerza como órgano de deliberación y decisión. Asimismo, se limita a dos tercios la mayoría necesaria para modificar el reglamento de propiedad horizontal.

TÍTULO IV

Condominio

CAPÍTULO 1

Disposiciones generales

Artículo 1983.- Condominio. Condominio es el derecho real de propiedad sobre una cosa que pertenece en común a varias personas y que corresponde a cada una por una parte indivisa. Las partes de los condóminos se presumen iguales, excepto que la ley o el título dispongan otra proporción.

Artículo 1984.- Aplicaciones subsidiarias. Las normas de este Título se aplican, en subsidio de disposición legal o convencional, a todo supuesto de comunión de derechos reales o de otros bienes.

Las normas que regulan el dominio se aplican subsidiariamente a este Título.

Artículo 1985.- Destino de la cosa. El destino de la cosa común se determina por la convención, por la naturaleza de la cosa o por el uso al cual estaba afectada de hecho.

Artículo 1986.- Uso y goce de la cosa. Cada condómino, conjunta o individualmente, puede usar y gozar de la cosa común sin alterar su destino. No puede deteriorarla en su propio interés u obstaculizar el ejercicio de iguales facultades por los restantes condóminos.

Artículo 1987.- Convenio de uso y goce. Los condóminos pueden convenir el uso y goce alternado de la cosa común o que se ejercite de manera exclusiva y excluyente sobre determinadas partes materiales.

Artículo 1988.- Uso y goce excluyente. El uso y goce excluyente sobre toda la cosa, en medida mayor o calidad distinta a la convenida, no da derecho a indemnización a los restantes condóminos, sino a partir de la oposición fehaciente y sólo en beneficio del oponente.

Artículo 1989.- Facultades con relación a la parte indivisa. Cada condómino puede enajenar y gravar la cosa en la medida de su parte indivisa sin el asentimiento de los restantes condóminos. Los acreedores pueden embargarla y ejecutarla sin esperar el resultado de la partición, que les es inoponible. La renuncia del condómino a su parte acrece a los otros condóminos.

Artículo 1990.- Disposición y mejoras con relación a la cosa. La disposición jurídica o material de la cosa, o de alguna parte determinada de ella, sólo puede hacerse con la conformidad de todos los condóminos. No se requiere acuerdo para realizar mejoras necesarias. Dentro de los límites de uso y goce de la cosa común, cada condómino puede también, a su costa, hacer en la cosa mejoras útiles que sirvan a su mejor aprovechamiento.

y Cuba,[XXXI] permiten expresamente la constitución del "condominio" sobre edificios de una sola planta. El artículo primero de la Ley argentina, inspirándose en el del mismo número de la ley uruguaya, determina: "Los distintos pisos de un edificio o distintos departamentos de un mismo piso o DEPARTAMENTOS DE UN EDIFICIO DE UNA SOLA PLANTA, que sean independientes y que tengan salida a la vía pública directamente o por un pasaje común, podrán pertenecer a propietarios distintos, de acuerdo con las disposiciones de esta ley. Cada piso o departamento puede pertenecer en condominio a más de una persona".

Artículo 1991.- Gastos. Cada condómino debe pagar los gastos de conservación y reparación de la cosa y las mejoras necesarias y reembolsar a los otros lo que hayan pagado en exceso con relación a sus partes indivisas. No puede liberarse de estas obligaciones por la renuncia a su derecho.

El condómino que abona tales gastos puede reclamar intereses desde la fecha del pago.

Artículo 1992.- Deudas en beneficio de la comunidad. Si un condómino contrae deudas en beneficio de la comunidad, es el único obligado frente al tercero acreedor, pero tiene acción contra los otros para el reembolso de lo pagado.

Si todos se obligaron sin expresión de cuotas y sin estipular solidaridad, deben satisfacer la deuda por partes iguales. Quien ha pagado de más con respecto a la parte indivisa que le corresponde, tiene derecho contra los otros, para que le restituyan lo pagado en esa proporción.

[XXIX] Ley 675 del 3 de agosto de 2001, por medio de la cual se expide el régimen de propiedad horizontal. Esta ley abrogó la ley 182 de 1948, la Ley 16 de 1985 y la 428 de 1998.

La ley consultada por el maestro Manuel Borja fue la 182 "Ley sobre el régimen de la propiedad de pisos de departamentos de un mismo edificio" del 29 de diciembre de 1948 y contenía 26 artículos,

[XXX] La ley que estudió el maestro Manuel Borja fue la "Ley 33" del 25 de noviembre de 1952.

Posteriormente, el Decreto de Gabinete 217 del 1970 estableció el régimen de Propiedad Horizontal o propiedad de pisos o departamentos, se examinó por primera vez en la República de Panamá esta materia. Luego la "Ley 99" de 1973 modifico los artículos 29 y 30 de Decreto de Gabinete. Allí se describieron los procedimientos para construir el régimen de Propiedad Horizontal sobre una finca y las facultades del Instituto de Vivienda y Urbanismo. Actualmente la "Ley 31", de 18 de junio de 2010 regula el Régimen de Propiedad Horizontal. Cuenta con 100 artículos. Esta ley derogó la "Ley 13" de 28 de abril de 1993 y la "Ley 39" de 5 de agosto de 2002.

[XXXI] Ley Decreto No. 407 del 16 de septiembre de 1952 llamada "Ley de Propiedad Horizontal".

De forma análoga a los preceptos de las leyes de Argentina y Uruguay están redactados los artículos iniciales de las leyes de Colombia y Panamá. El artículo tercero de la ley cubana prescribe: "A los efectos de estas disposiciones, se entenderá por apartamento la construcción que ocupe todo o parte de un piso o de más de uno, en edificio DE UNO o varios pisos o plantas, bien se destine lo fabricado a viviendas, oficinas, explotación de alguna industria o comercio, o a cualquier otro tipo de aprovechamiento independiente, siempre que tenga salida directa a la vía pública o a determinado espacio común que conduzca a dicha vía".

Ante la claridad de las disposiciones transcritas, la doctrina de los países en donde tienen vigencia admite la hipótesis de que nos ocupamos como un caso de "condominio", pero no sin observar, como lo hace Eduardo Jorge Laje que:

> Cuando esta situación se presenta, no juegan los caracteres comunes del sistema, que fincan en la coexistencia del dominio sobre varios pisos superpuestos y privativos que se levantan sobre un terreno común, con otros elementos que también lo son (paredes maestras, cimientos, escaleras, corredores, etc.) [...] el caso de los edificios de una sola planta ofrece algunas particularidades con relación a los formados por planos superpuestos.
>
> Ante todo, la ley ha tenido primordialmente en cuenta estos últimos. Por ello, aunque admita la posibilidad de que existan los otros, orienta sus disposiciones a contemplar los edificios de varios pisos. Así lo comprueba, por ejemplo, la enumeración que el artículo segundo formula de las partes comunes. Algunas de esas partes no guardan debida relación con la condición propia de un edificio de una sola planta. Tal es el caso de los cimientos, muros maestros y techos, mencionados en el inciso a). El fundamento para que esos elementos sean comunes resulta claro en los edificios de varios pisos, ya que por su naturaleza sirven a todo el conjunto. Pero no ocurre igual en el caso examinado, por lo menos en el mismo grado, porque el cimiento y el techo que corresponde materialmente a un departamento, sólo en forma muy indirecta podría decirse que sirve a los otros. Un muro maestro que separe dos departamentos se concibe que sea común a ellos, pero no se ve la razón por la cual debe serlo también para los restantes. Faltando la condición de la ventaja general o la posibilidad de que todos los dueños puedan aprovechar de tales partes, no hay razón para que ellas sean declaradas comunes. Con el agravante de que ni siquiera queda a los interesados la posibilidad de una convención que declare lo contrario, ya que, con excepción de las azoteas y sótanos, todos los elementos que la ley considera comunes deben forzosamente serlo.[XXXII]

[XXXII]   El autor no precisó esta cita.

José A. Negri considera que, aunque la ley enumera el caso entre las hipótesis que rige, no es indispensable que esta situación se considere siempre sujeta a las disposiciones de la ley sobre propiedad horizontal y piensa que:

> Podría concebirse la presencia de un condominio de indivisión forzosa en el caso de diversos departamentos, pertenecientes a distintas personas y construidos en una sola planta, con salida a la vía pública por un pasaje común; pero, en este supuesto, el régimen de propiedad sería completamente diferente al de la ley 13.512.[XXXIII] Cada propietario ejercería un dominio puro y simple sobre su departamento cuyo suelo y cuyo techo le pertenecerían también en forma exclusiva. Los cimientos y muros maestros y divisorios no serían comunes a todos los propietarios, sino medianeros entre los propietarios linderos. No existiría relación de interdependencia entre los diversos propietarios, ni consorcio, ni reglamento de copropiedad y administración, pues cada propietario se administraría por sí mismo. El único bien común sería el pasaje de salida, que pertenecería en condominio a los diversos propietarios, sometido a un régimen de indivisión forzosa regido por el Código civil, y no por las disposiciones de la ley 13.512.
> De optarse en el caso reseñado por el régimen de la propiedad horizontal, lo que es posible conforme al artículo primero de la ley, ya no existiría indivisión forzosa, ni le serían aplicables las disposiciones pertinentes del Código civil.[XXXIV]

Con más severidad que Laje y Negri, Arturo Valencia Zea, al comentar el precepto relativo de la ley colombiana, afirma que, aunque "La Ley 182, en su artículo primero, permite la división aun de las casas de una sola planta con la única condición de que los diversos departamentos sean independientes y tengan salida a la vía pública [...] se trata en tal evento de una hipótesis diferente a la propiedad horizontal. Esta exige, por definición, una edificación de dos plantas por lo menos".

2.1. Leyes que de modo expreso excluyen el caso del "condominio". En segundo término, al examinar las leyes inspiradoras de la nuestra, encontraremos algunas que, como la del Brasil, exigen como requisito indispensable para que el edificio pueda someterse al régimen de propiedad y condominio, el hecho de que conste de un determinado número de pisos siempre superior a dos.

Así, en el Brasil, el decreto 5.781 del año 1928 establece que sólo pueden ser materia de división horizontal los edificios de más de cinco

---

XXXIII   Ley de Propiedad Horizontal (Argentina).
XXXIV   El autor no precisó esta cita.

plantas, y determina otros varios requisitos para tales inmuebles. Actualmente dicho decreto se ha reformado, necesitándose sólo que la construcción sea de tres plantas para poder considerarla como regida por la ley de "propiedad horizontal".

3.1. Leyes que pasa en silencio el punto. Por último, veremos que existe un gran número de leyes extranjeras que guardan silencio en relación con el problema que nos ocupa. A este grupo, que es el más numeroso, pertenecen las leyes de Bélgica, Francia, Italia y España.

En estos países, a causa del silencio del legislador, es donde el problema se ha planteado en forma más frecuente a la doctrina y a la jurisprudencia. Pierre Poirier, comentando la ley belga de 1924, afirma que el caso más reducido de propiedad horizontal:

> consiste en edificar dos habitaciones colocadas bajo un mismo techo. Tiene, cada uno, puertas separadas dando acceso directamente a los departamentos completamente distintos, uno en la planta baja y otro en el primer piso [...] No se trata de dos casas gemelas, separas por un muro medianero, sino de una habitación económica, que tiene por objeto evitar lo más posible las partes de uso común; no hay allí pasillo común, pero sí una economía de terreno y de materiales.[XXXV]

Antonio Visco, en su obra sobre *La Disciplina Giuridica Felle Case in Condominio*, se expresa en los siguientes términos:

> ¿Es posible el condominio de un inmueble dividido verticalmente? Por lo que expondré en seguida, la respuesta debe ser negativa [...].
> En caso de división vertical, la comunidad se referirá al muro maestro que sirve de sostén a las dos construcciones, mientras que el techado, los cimientos, la escalera, etcétera, son susceptibles de división por partes.
> Ahora bien, cuando como en el caso, un inmueble se subdivide en sentido vertical en dos o más porciones, entre dos o más personas, de tal manera que cada una de ellas resulta del todo independiente de la otra, teniendo una entrada propia y un medio particular de acceso al piso superior, el condominio forzoso no puede verificarse ni concebirse por falta de dos extremos de hecho que son el presupuesto de aquella determinada configuración jurídica. En tal caso, se tienen tantas propiedades singulares y exclusivas, bien distintas unas de otras, cuantas son las partes en las que se ha dividido el inmueble, en forma tal que cada porción pertenece *iure propietaris*, distintamente y por entero al respectivo propietario. Enseñó el jurisconsulto romano: *si deviset fundum regionibus, tacita sic partem tradidit pre didiso... non est pars fundi: quod et in podest dici, si dominus,*

XXXV El autor no precisó esta cita.

parieti medio modificato, unan in duas diviserit: nam et hic pro duabus dominus accipi debet (L.6. 1 *Dig. Communia pesedierum tamb. Urb*).

La cuestión, dice Visco, la ha abordado la jurisprudencia en una sentencia inédita del Pretor de Quartu S. Elena, (del 20 de marzo de 1955 pronunciada en el caso Olla Vs. Prina) en la que se ha dicho: "Los artículos 562 del Código civil y las disposiciones del Decreto-Ley de 15 de enero de 1934 (N° 56) prevén y reglamentan la hipótesis de la pertenencia de una misma casa a diversas personas, y de semejantes disposiciones de la ley se debe llegar a la conclusión que, para nuestro derecho constitutivo, la copropiedad forzosa, reglamentada en la ley, con relación a algunas partes del inmueble (muros maestros, techos, corredores, puertas, pozos, cisternas, letrinas, escaleras, etc.) no puede concebirse y no puede encontrar aplicación sino limitadamente a aquellas casas divididas por pisos, en sentido horizontal, no solo, sino que la concepción de un condominio forzoso sobre un inmueble perteneciente a distintos propietarios por partes divididas y claramente delimitadas no en sentido longitudinal, sino en el vertical, constituye verdadera y propiamente una herejía jurídica".[XXXVI]

En sentido absolutamente antitético, continúa Visco, se ha pronunciado el Pretor de Feltre (en la sentencia inédita de 13 de febrero de 1951 dictada en el caso de Teasauro contra Tizian, en el cual he sido llamado para dar mi opinión). Dice el Pretor: "La parte actora ha tenido en cuenta la tesis, considerada en algunos juicios, y además acreditada, según la cual las normas del citado artículo 1117 se refieren esencialmente a las casas divididas en planos horizontales y aquellas construcciones que están verticalmente divididas por un simple cancel de madera, mientras que no se aplican cuando el edificio está dividido por un muro interno vertical, de los cimientos al techo, de manera que se forman dos cuerpos de construcción distintos y autónomos. Tal distinción no parece arbitraria, porque no existe en la ley, ni se deduce de los trabajos preparatorios relativos. El legislador, al reglamentar esta particular forma de comunidad forzosa, usó una terminología amplia, estableciendo el principio general que la escalera de un edificio es comunidad por pisos, o porciones de pisos, constituye una propiedad común para todos los dueños; tal principio no consiste en la interpretación restrictiva sostenida por la parte actora, que contrasta con las normas de la hermenéutica. La actora afirma ser la exclusiva propietaria de la escalera y de la balaustrada en litigio, sin gravamen de servidumbre o de otro derecho en favor del acusado. Pero el juez cree que no puede en el caso hablarse

---

[XXXVI] El autor no precisó esta cita.

de servidumbre, sino de condominio fundado sobre la presunción *Juris tantum* del artículo 1117, el cual dispone que son objeto de propiedad común de los propietarios de los diversos pisos o porciones de pisos de un edificio si lo contrario resulta del título además de la escalera, el terreno sobre el que se encuentran el edificio, los cimientos, los muros maestros y las otras partes comprendidas en una enumeración ejemplificativa. Tal presunción encuentra fundamento en el vínculo de accesoriedad indivisible que liga al suelo, los muros maestros, los cimientos, etc., con el edificio y en el fin que es del uso y goce común. Vínculo y fin resultan aún más evidentes y connaturales en el caso especial, en el que las habitaciones de los contendientes constituían en el pasado una habitación única que ha sido dividida en dos, Juresuccessionis, en seguida de la muerte acaecida en 1914, de Tizzian Giuseppe que era el único propietario. (Omissis).

No considerada y considerada equivocada esta tesis, porque la redacción misma usada por el legislador en la que habla de "edificios divididos en pisos" y de "escalera que sirve a los respectivos pisos", deja claramente comprender que se refiere solamente a los edificios en sentido horizontal. Por otra parte, es notable que en estos inmuebles falta aquella autonomía funcional que, por el contrario, está garantizada en los edificios contiguos que tienen en común un muro perimetral, pero que tienen distintas entradas, escaleras y techo (este último puede aún ser comunicado, pero esto no tiene importancia para los fines de la presente cuestión).

La doctrina más autorizada está de acuerdo con esta opinión, (por ejemplo: Feretti-Griva y Guidi) y aun la jurisprudencia de la Corte de Casación ha tenido ocasión de pronunciarse en este sentido: 7 de abril de 1937 en "Foro it", 1937, I, 236: 20 de julio de 1937 en "Giur. it". 1937 I. I, 94: 4 de enero de 1940, en "Mass, Giu. it", 1940, 153; y más recientemente con la sentencia de 18 de mayo de 1949, en "Mass. it" 1949, 305, sosteniendo que: "Cuando un edificio está dividido en distintas partes y el muro perimetral interno separa verticalmente, de los cimientos al techo los dos cuerpos de construcción, de tal modo que se forman dos entidades autónomas, no puede hablarse de condominio, en el sentido querido por el Código [...].

Podría sin embargo darse el caso de que una construcción esté dividida en dos alas, pertenecientes a propietarios distintos y que tengan en común solo el zaguán y la entrada. Esta situación está comprendida en la hipótesis contemplada por el artículo 61 de las disposiciones de aplicación del nuevo Código civil que habla de la formación de condominios separados, lo que excluye la aplicabilidad de las normas sobre condominio en las relaciones entre las dos alas de construcción, porque en este caso no tenemos una propiedad dividida en sentido horizontal sino en sentido vertical.

No se trata de condominio sino de propiedades adyacentes, como observa Guidi ("Il Condominio Nel Nuovo Codice Civille", página 17), partiendo del concepto que "mientras las propiedades simplemente adyacentes, aun cuando se apoyen de un lado sobre un mismo muro, forman cada una, una entidad, sólo es una cosa subsistente por sí misma, las propiedades sobrepuestas o de cualquier forma unidas, forman todas en conjunto una sola entidad, una casa.

Se comprende que esta división no es tan estricta como para excluir todo derecho sobre los muros verticales, porque allí están los conductos y tubos que van del subsuelo a la terraza o al techo, pero se trata siempre de accesorios, mientras que la parte principal está dividida efectivamente por líneas horizontales.

En su redacción definitiva, nuestra Ley de 2 de diciembre de 1954,[XXXVII] al igual que las leyes de Bélgica, Italia y España, no hace ninguna referencia expresa al problema que nos ocupa, por lo que consideramos que son aplicables a nuestro derecho los comentarios de Poirier y Visco que hemos transcrito con anterioridad.

Esta solución es, a nuestro juicio, la más acertada, puesto que, según lo que hemos expuesto en el curso de este estudio, aun en los países en los que la ley admite expresamente la posibilidad de constituir el régimen de "condominio" sobre construcciones de una sola planta.[XXXVIII]

[XXXVII] Esta ley estuvo vigente hasta el 31 de diciembre de 1972. El 28 de diciembre de 1972 se publicó una nueva Ley sobre el régimen de propiedad en condominio de inmuebles para la capital.

[XXXVIII] Estos comentarios se hicieron a la luz de la Ley sobre el régimen de propiedad y condominio de los edificios divididos en pisos, departamentos, viviendas o locales, publicada el 15 de diciembre de 1954. Actualmente, y tal como lo reconoce el maestro Manuel Borja en su artículo "Las relaciones privadas. La evolución del derecho civil (1968-1977)", ya es posible constituir condominios de varios pisos.

Ley sobre el régimen de condominio para el Estado de Guanajuato

[Publicado originalmente en *El Foro*,
núm. 40, enero-marzo de 1963.]

Con fecha 30 de diciembre de 1961,[XXXIX] entró en vigor en el estado de Guanajuato la ley que reglamenta el régimen de propiedad y condominio en dicha entidad. La nueva ley viene a modificar y reglamentar al artículo 1014 del Código Civil para el Distrito y Territorios Federales,[XL] del año 1884, vigente en el estado de Guanajuato en virtud del decreto de 13 de abril de 1894.

Aunque el estado de Guanajuato no es de aquellos que tienen mayor densidad demográfica en la República Mexicana, la topografía de algunas de sus poblaciones, y muy especialmente de su capital, nos hace evocar las ciudades medievales en donde tuvo su origen la propiedad horizontal. Física y materialmente, los únicos casos de división horizontal de la propiedad que podemos encontrar en nuestra patria antes de la segunda mitad del siglo XX se encuentran en ciudades en las que lo accidentado del terreno obligaba a los dueños de los inmuebles a vender los diferentes "vientos" de una casa. Es en relación con un bien ubicado en el estado de Guanajuato que nuestra Suprema Corte de Justicia conoció por primera vez de un litigio tocante a condominio.

Además, y este hecho a nuestro juicio justifica ampliamente la existencia de la ley, las necesidades de la vida social contemporánea imponen al legislador la obligación de reglamentar el derecho de propiedad de tal manera que pueda cumplirse con el ideal de la distribución de la riqueza.

No es nuestra intención emitir juicio valorativo sobre la ley que se publica, para lo cual somos los menos indicados por haber integrado, en unión del señor licenciado Enrique Mancera Massieu, la comisión

---

[XXXIX] Actualmente es la Ley de Propiedad en Condominio de Inmuebles para el estado de Guanajuato.

[XL] Actualmente es el Código Civil para el estado de Guanajuato.

que por encargo del señor licenciado Juan José Torres Landa, gobernador del estado de Guanajuato, formuló el proyecto que sirvió de base a la ley.

El análisis detallado del contenido del ordenamiento que se publica a continuación lo reservamos para otra ocasión y sólo queremos, por el momento, dar una idea de conjunto y poner en relieve las ideas directrices de la ley.

Para la formulación del proyecto que sirvió de base a la norma actualmente en vigor, la comisión redactora tomó en consideración las leyes que sobre la materia rigen en España, Portugal, Francia, Venezuela, Guatemala y Cuba, así como el código italiano de 1942, pero muy especialmente tuvo a la vista los preceptos de la Ley de 2 de diciembre de 1954, que reglamenta el "régimen de propiedad y condominio en los edificios divididos en pisos, departamentos, viviendas o locales", en el Distrito y Territorios Federales, y el anteproyecto que para la formulación de la ley vigente en el Distrito Federal elaboró el señor licenciado Gustavo R. Velasco, ilustre Rector de la Escuela Libre de Derecho.

La Ley del estado de Guanajuato rompe con el sistema que se observa en la totalidad de las leyes que reglamentan la materia en el territorio de la República Mexicana, consistente en considerar a los preceptos legales que establecen los derechos y las obligaciones de los diferentes propietarios, como supletorios de la voluntad de los particulares, los cuales pueden eludir su vigencia mediante estipulaciones consignadas en la escritura constitutiva del régimen, en el reglamento de condominio y administración del edificio, y aun en los documentos en los que conste la compraventa de alguna de las unidades privativas. Siguiendo la inspiración de la Ley española de 21 de julio de 1960, en la Ley para el estado de Guanajuato se establece, en términos generales, la imperatividad de las normas legales y sólo en los casos particulares en los que se estimó que no reportaría ningún perjuicio a la comunidad la modificación de lo dispuesto por la ley, se establecieron normas de carácter supletorio de la voluntad.

Al reformarse el texto del artículo 1014 en el estado de Guanajuato, hubo de conservarse su incorrecta ubicación dentro del mencionado ordenamiento legal, pues obviamente se consideró más perjudicial el trastorno que acarrearía la alteración en la enumeración de los preceptos del Código civil.

La adición al texto del artículo 734 resuelve el problema, tan debatido en el derecho extranjero, tocante a la posibilidad de efectuar una partición dividiendo un edificio en locales separados. Se siguieron en este punto las ideas de René Savatier y Edith Kischinewsky-Broquisse, (Les Sociétés de construction et la copropieté des immeubles divisés par étages ou par appartements, Librairies Techniques, París, 1958) así como el texto de la Ley española de julio de 1960.

Para reglamentar la institución, la nueva Ley divide la materia en los capítulos siguientes:

1. De la constitución, reformas y extinción del régimen de condominio. Se enumeran en la Ley, a título ejemplificativo, algunos de los supuestos en los que puede originarse la propiedad horizontal, estableciéndose el concepto general de la institución en el texto reformado del artículo 1014.[XLI]

Con toda claridad se establece que, para que un edificio pueda ser sometido al régimen reglamentado, es indispensable que conste cuando menos de dos plantas, eliminándose así la pretensión tan frecuente de aplicar el régimen de condominio en un sentido distinto al de la división de un solo edificio por planos horizontales, pretensión que encuentra en los más de los casos su origen en el deseo de burlar las disposiciones locales en materia de fraccionamientos de predios urbanos.

En este mismo capítulo se enumeran los requisitos que deberá contener toda escritura en la que se haga constar la constitución de un régimen de condominio, y se consagran normas precisas acerca de su modificación e inscripción en el Registro Público de la Propiedad, así como para su extinción.

2. De los bienes propios. Por lo que toca a la naturaleza jurídica de la institución regulada, la ley en examen considera, como la inmensa mayoría de las legislaciones y de la doctrina de todo el mundo, que en el condominio coexiste una propiedad sobre la unidad privativa con una copropiedad sobre los bienes comunes del edificio, desechándose al efecto toda teoría sensacionalista, sin razón lógica ni fundamento técnico.

[XLI]   Artículo derogado el 11 de septiembre de 2012.

La propiedad del departamento se limita debido a las "relaciones de vecindad", atendiendo a la función social de esta institución jurídica y considerando que, de acuerdo con el artículo 27 de la Constitución General de la República, el legislador en todo momento tiene el derecho de imponer a la propiedad privada las limitaciones y modalidades que juzgue pertinentes.

Se consagró el derecho del tanto en favor del inquilino por considerar que en esta forma la ley cumple con mayor amplitud su fin social, difusor de la propiedad. En caso del incumplimiento de la preferencia por el tanto, la ley concede al inquilino el derecho de retracto que es el que con más eficacia salvaguarda sus derechos. Se prohíbe al propietario del piso alto sobre elevar el edificio y al de la planta baja hacer excavaciones en el terreno, solucionando así con precisión un problema ampliamente debatido en la doctrina extranjera. En caso de gravamen en conjunto de un edificio sujeto al régimen de condominio, se consagra la divisibilidad de la hipoteca rompiéndose el sistema seguido por el Código civil vigente en el estado de Guanajuato.

3. **De los bienes comunes.** Al regular la existencia de los bienes comunes, siguiendo en esto el criterio de la Ley portuguesa de 14 de octubre de 1955, se consideró que existen partes del edificio que deben ser siempre objeto de propiedad colectiva, en tanto que otras partes sólo en ausencia de la voluntad de los interesados deberán considerarse como de propiedad común. De acuerdo con la ley podrán existir bienes comunes sólo para algunos de los titulares de unidades privativas. Se considera el carácter accesorio que tienen los bienes comunes respecto de las partes privativas y se establece la imposibilidad del ejercicio de la acción *comunni dividundo* en relación con los bienes sujetos a copropiedad. Se establecen normas claras y suficientes para determinar la forma en la que deben contribuir los distintos propietarios para la atención y reparación de los bienes y servicios comunes.

4. **Del reglamento de condominio y administración.** Se indica la necesidad de elaborar un reglamento de condominio y administración, con carácter supletorio de la Ley sobre el régimen de condominio, optándose así por un sistema intermedio entre las leyes que, como en el Distrito Federal, subordinan las disposiciones legales a las estipulaciones del reglamento y aquellos otros ordenamientos que, como la nueva Ley española de 1960, no exigen la redacción de un reglamento para el fun-

cionamiento de la institución. La comisión redactora del proyecto que sirvió de base a la ley, consideró indispensable la elaboración de dicho reglamento, puesto que la primera, por extensa y detallada que fuere, no podría ni por asomo analizar y resolver todos los problemas que pueden presentarse en cada edificio sujeto al régimen de condominio, y pensó por otra parte que no puede dejarse libremente a la voluntad de las partes la reglamentación de los derechos y obligaciones de los distintos dueños de las unidades privativas del edificio, tanto más cuanto que en la inmensa mayoría de los casos el reglamento está elaborado exclusivamente por la persona o personas que constituyen el régimen, y los futuros adquirientes de los locales deberán sujetarse forzosamente a sus estipulaciones. Para las modificaciones al reglamento de condominio y administración se sigue un criterio más flexible que el que se observa en la Ley para el Distrito Federal, pues se establece la posibilidad de reformar sus preceptos mediante un acuerdo tomado en asamblea por una doble mayoría de votos, considerando para ello el porcentaje del valor, que en relación con la totalidad del edificio, representan las personas que proponen la modificación, y además considerando, por persona, el número de propietarios que desean la reforma.

5. **De la asamblea y del administrador**. Se reglamenta con amplitud todo lo concerniente a la asamblea de propietarios, tomando como base la experiencia que se ha tenido en la Ciudad de México, en relación con la convocatoria, quorum, votaciones y decisiones de la asamblea. Por lo que se refiere al administrador, se precisan sus facultades y obligaciones, distinguiendo claramente su doble función de ejecutor de las decisiones de la asamblea y de representante de los propietarios de las distintas unidades privativas.

6. **De las controversias**. En la Ley de Guanajuato, siguiéndose en términos generales la Ley del Distrito Federal, se reglamenta la materia, señalando la vía sumaria para la tramitación y decisión de las cuestiones motivadas por el régimen de condominio.

7. **Del seguro, destrucción, ruina y reconstrucción del edificio**. Se establece la necesidad de asegurar los edificios sujetos al régimen de condominio que regula la ley, cuando menos contra los riesgos de incendio y explosión, pues se estimó de vital importancia la contratación del seguro, que evita un gran número de problemas que pudieran suscitarse con motivo de la ruina o destrucción total o parcial del edificio.

Análisis del efecto de la condición suspensiva sobre la obligación y sobre el negocio jurídico que le da origen

[Publicado originalmente en *Estudios Jurídicos en Homenaje a Manuel Borja Soriano*, México, Porrúa, 1969.]

Al escribir estas líneas en homenaje a mi abuelo don Manuel Borja Soriano, quiero cumplir, aun cuando sea en muy pequeña escala, con un deber de elemental gratitud contraído desde mis tiempos de estudiante.

No es el lugar para recordar los beneficios que en todos los órdenes recibí de él, quiero tan sólo en esta ocasión mencionar brevemente los motivos de mi gratitud por lo que se refiere a mi formación como jurista.

Se iniciaba la segunda mitad de este siglo cuando ingresé como estudiante a la Facultad de Derecho de la Universidad Nacional Autónoma de México. Mi abuelo, para entonces, era ya un hombre de edad avanzada, pues contaba en esa época ochenta años. Su posición —como jurista de renombre y como profesionista acreditado—, aunada a su brillante claridad mental que con los años había llegado a su más completa madurez, le hacían un hombre abrumado de trabajo que vivía bajo el continuo asedio de quienes, con amable insistencia, le planteaban problemas jurídicos, viendo en él al maestro siempre dispuesto al diálogo amistoso.

El privilegio de ser su nieto y el especial cariño con que siempre me distinguió pronto me colocaron en primera fila entre quienes acudían a sus luces para esclarecer dudas y afinar conceptos. Recuerdo, con gratitud inmensa, cómo sin ser obstáculo sus agobiantes ocupaciones, ni el abismo entre su sabiduría y mi ignorancia, con paciencia inagotable disipaba mis dudas, contestaba mis objeciones y, sobre todo, me hacía reconsiderar mis planteamientos que, digámoslo caritativamente, eran en ocasiones obscuros o imprecisos.

Concluida la carrera mi abuelo continuó siendo mi maestro en la más amplia acepción de la palabra, pues de él aprendí no sólo una disciplina concreta, una rama del derecho, sino a pensar como jurista. A pesar de las deficiencias del suelo, la semilla era óptima. En los momentos difíciles de estudios, pruebas, exámenes, trabajos y oposiciones para llegar a ser notario y profesor titular de la Facultad de Derecho, su ayuda y aliento fueron inapreciables.

No quiero alargar más estas líneas de gratitud enumerado razones, que serían siempre incompletas, por las cuales debo reconocimiento a don Manuel Borja Soriano, baste tan sólo, la declaración expresa de que mi mayor ambición como jurista es la de cultivar la ciencia del derecho con la sabiduría, probidad, generosidad y cariño con que la cultivó mi abuelo.

INTRODUCCIÓN

El Derecho civil en general, y particularmente los temas comprendidos dentro de la teoría general de las obligaciones, tienen un interés que excede con mucho los límites de una simple rama del derecho. El derecho civil, por ser derecho común, contiene las bases, los fundamentos, los principios que soportan la técnica jurídica y que necesariamente han de aplicarse a todas las disciplinas reguladoras de la conducta humana.

El tema que hemos escogido para desarrollar en esta obra de homenaje a uno de nuestros más insignes civilistas pertenece precisamente a este campo y, por lo mismo, su importancia trasciende al marco de lo que estrictamente podría considerarse Derecho civil, para incidir en las demás ramas del derecho en las que pueden producirse actos condicionales.

Un estudio completo de la condición presenta un panorama atractivo a la investigación. Muchos son sus aspectos susceptibles de profundizarse para delimitar campos, aclarar conceptos o simplemente para lograr una mejor comprensión de sus efectos. ¿Qué debe entenderse por condición?, ¿qué figuras afines deben diferenciarse de la condición en sentido estricto?, ¿cuál es la diferencia entre la *condicio facti* y la *condicio juris*?, ¿entre la obligación condicional y la eventual?, ¿existe distingo substancial entre la condición suspensiva y la resolutoria?, ¿el efecto retroactivo es esencial a las obligaciones condicionales? Todos son temas de gran interés para la doctrina contemporánea.

Dentro de este estudio, que por su naturaleza debe ser de proporciones reducidas, sólo trataremos un problema concreto que parece dividir la doctrina mexicana contemporánea: el efecto de la condición suspensiva sobre la obligación, y sobre el negocio jurídico que le da origen.

El funcionamiento de la condición suspensiva y sus efectos sobre la obligación condicionada y sobre el negocio jurídico que puede darle origen, constituye un tema que preocupa *ab antiguo* a los civilistas y sobre el que la doctrina ha elaborado distintas teorías que estudiaremos dividiéndolas en tres grupos:

1) Tesis que hacen depender de la realización de la condición la existencia misma de la voluntad y consecuentemente el nacimiento del negocio jurídico; 2) Teorías que consideran que de la condición no depende la voluntad, sino lo querido, o sea, el efecto del negocio jurídico, o si se quiere, el contenido preceptivo y el resultado práctico del negocio; o en otras palabras, que de la condición suspensiva no depende el surgimiento del negocio jurídico, sino la existencia de las obligaciones que normalmente deben resultar de él; y 3) Opiniones que conceptúan la condición como un mecanismo que sólo interfiere en la efectividad de las obligaciones que, desde luego, nacen del negocio jurídico las cuales, aunque existentes, no son exigibles hasta en tanto no se realiza la condición.

Dentro de los grupos enunciados distinguiremos opiniones con diferentes matices, pero que a nuestro juicio coinciden en los puntos sustanciales. Para exponer con orden las distintas teorías elaboradas y poder obtener las conclusiones resultantes, juzgamos imprescindible iniciar nuestro estudio con un breve análisis de la estructura del negocio jurídico, pues sólo así resultarán comprensibles las opiniones diversas sustentadas por la doctrina para explicar el mecanismo de la condición y su influencia sobre las obligaciones y sobre los negocios jurídicos que pueden darles origen.

De acuerdo con lo hasta aquí expuesto indicamos en seguida el programa de nuestro trabajo: empezaremos por un breve esquema con la estructura del negocio jurídico, a continuación, expondremos las diferentes teorías elaboradas para explicar el mecanismo de la condición, agrupándolas en los tres grupos que antes hemos mencionado, señalaremos la tesis que a nuestro juicio se adopta en el Código civil y, por último, manifestaremos la conclusión obtenida de nuestro estudio.

I. LA ESTRUCTURA DEL NEGOCIO JURÍDICO

Un tema, que no por ser ampliamente conocido debe desecharse, es el relativo al análisis de la estructura del negocio jurídico. La correcta visión de cómo se forma y produce sus efectos un acto jurídico, ayudará en mucho a entender cómo opera sobre él y sobre las obligaciones que puede engendrar la condición suspensiva.

Por ser una exposición de carácter elemental y sólo encaminada al fin antes señalado, prescindiremos de analizar las diferencias doctrinales que existen entre lo que los tratadistas italianos y españoles denominan "negocio jurídico" y lo que la doctrina francesa conceptúa como "acto jurídico", pues consideramos que, en términos generales, uno y otro concepto pueden servir de base para la exposición que desarrollaremos. Por otra parte, y para una mayor claridad de nuestro trabajo, en ocasiones nos referiremos sólo a los contratos, asentando desde ahora que *mutatis mutandis* lo expuesto será también aplicable a los actos o negocios jurídicos que no tienen carácter contractual.

Borja Soriano,[18] en su *Teoría general de las obligaciones*, afirma que Bonnecase define el acto jurídico diciendo que "es una manifestación exterior de voluntad, bilateral o unilateral, cuyo fin directo es engendrar, fundándose en una regla de derecho, en contra o en provecho de una o de varias personas, un estado, es decir, una situación jurídica general y permanente o al contrario, un efecto de derecho limitado que conducen a la formación, a la modificación o a la extinción de una relación de derecho". Contrayéndonos a la materia de las obligaciones, podemos definir el acto jurídico diciendo que "es una manifestación exterior de voluntad que se hace con el fin de crear, transmitir, modificar o extinguir una obligación o un derecho y que produce el efecto deseado por su autor, porque el derecho sanciona esa voluntad".[19]

Luigi Cariota Ferrara, profesor en la Universidad de Nápoles, define el negocio jurídico como "manifestación de voluntad que se dirige a un fin práctico y que el ordenamiento civil tutela, teniendo en cuenta también la responsabilidad del o de los sujetos y la confianza de los demás"[20] afirmando que "efecto del negocio es el cambio de la situación jurídica preexistente, y que ésta se concreta siempre en una relación jurídica, que resultará o constituida o modificada o extinguida".[21]

La ley y la doctrina mexicana reconocen como elementos de existencia del acto jurídico al consentimiento y al objeto, y en ocasiones a la solemnidad;[XLII] reconocen, además, como requisitos de validez, a la capacidad de las partes, al consentimiento exento de vicios, a la forma cuando ésta se requiera y a la licitud en el objeto motivo o fin".[22]

La ausencia de un elemento esencial trae como consecuencia la inexistencia, mientras que la falta de alguno de los requisitos de validez acarrea sólo la nulidad de este, ya sea absoluta o relativa.[23]

Cuando falta un requisito de validez, el acto jurídico es ineficaz en el sentido de que no produce los efectos que le son propios o, al menos, no los produce de una manera definitiva y perfecta.

> Se ha pensado por ello [enseña Federico de Castro] abandonar el término invalidez y sustituirlo por el de "ineficacia estructural". También se ha propuesto conservar para ésta el nombre de invalidez y reservar el de ineficacia para la "ineficacia funcional"; en cuyo caso se comprendería en esta última, además de la que nazca con el negocio (carácter condicional), a la que resulta de circunstancias sobrevenidas (p. ej., imposibilidad).[24]

La doctrina no parece muy preocupada de estas disquisiciones terminológicas y usa, al igual que nuestra ley, el término invalidez para referirse a las consecuencias del acto afectado de nulidad.

Al lado de los elementos de existencia y validez del negocio jurídico, Giuseppe Stolfi,[25] y el propio Cariota Ferrara colocan los requisitos de eficacia, que:

> son los que tienen relevancia solamente para la eficacia del negocio, de modo que su falta únicamente suspende o resuelve tal eficacia. El negocio, por consiguiente, si falta un requisito de eficacia, o no produce efectos o los produce

---

XLII   El Código Civil para el Distrito Federal no contempla a la solemnidad como elemento de existencia. Para abundar sobre este tema, sugiero consultar mi ensayo "El testamento como acto solemne", publicado en el número 2 de la Revista Mexicana de Derecho, editada por el Colegio de Notarios de la Ciudad de México.

de modo efímero y caduco, en el sentido de que más tarde desaparecen tales efectos. El concepto de "ineficacia" [...] abraza lo mismo a la no producción inicial de efectos, que a la posterior destrucción de los ya producidos[26] [...]los otros requisitos, ya que son de existencia o de validez, tienen relevancia no sólo y directamente para la eficacia, sino para la existencia y la validez y, por consiguiente, también para la eficacia.[27]

Cariota Ferra continúa con su exposición:

Los requisitos de eficacia pueden ser voluntarios [...] o legales [...] según que se exijan por la propia voluntad del declarante [...] o de los declarantes [...], o bien por el ordenamiento jurídico. Unos y otros, aunque procedentes de diversa fuente, tienen en común la característica de tener relevancia sólo para la eficacia del negocio. Por tal característica los requisitos de eficacia sean legales o voluntarios, se distinguen netamente de los elementos constitutivos, esenciales, y de los requisitos de validez, que generalmente son legales pero que también pueden ser [...] voluntarios.[28]

Más adelante, afirma:

La eficacia del negocio jurídico puede depender de elementos que han añadido las partes al negocio[...] las partes, en determinados casos concretos, quieren conseguir el resultado práctico sólo de un cierto modo o si se verifican ciertas circunstancias [...] Requisitos voluntarios de eficacia son y no pueden sino ser aquellos de los que, de cualquier manera, depende la eficacia del negocio y, por consiguiente, la producción o la conservación de los efectos de este [...] Los requisitos voluntarios de eficacia pueden perfectamente configurarse como autolimitaciones de la voluntad y estas pueden también considerarse coincidentes con aquellos [...] los requisitos voluntarios de eficacia tienen, precisamente, el doble carácter de depender de la propia voluntad de las partes y de limitar la fuerza que la declaración tendría, operando sobre la eficacia de esta (p. ej. condición). Por otro lado, con las autolimitaciones que limitan la voluntad en su valor y, por consiguiente, tienen influencia sobre la existencia del efecto, no pueden agruparse todos aquellos pactos o cláusulas destinados a añadir o a ampliar los efectos del negocio, o a regularlos o, de cualquier manera, restringirlos cuantitativamente.[29]

De la doctrina sucintamente expuesta en las líneas anteriores se puede inferir que la formación o la efectividad de un negocio jurídico puede interrumpirse en diferentes momentos. En el proceso de su formación, si se afecta a uno de los elementos esenciales que se han señalado, en este caso, el acto jurídico no nacerá sino hasta el momento en que el elemento substancial exista. Pueden también suspenderse simplemente las consecuencias del acto jurídico, esto es, sus efectos y aun cuando dicho acto exista y sea válido, sus consecuencias no se producirán hasta en tanto no se llene el requisito de efectividad.

Conviene aquí resaltar algo que, no por ser elemental, debe soslayarse: los efectos del acto o negocio jurídico son precisamente producir derechos y obligaciones, por lo que, si se afirma que un determinado negocio existe, pero no produce sus efectos, equivale a decir que los derechos y las obligaciones que pueden nacer de dicho negocio están aún en suspenso, no han nacido.

Trazada a grandes rasgos la estructura funcional del acto jurídico, pasaremos a exponer las diferentes teorías formuladas para explicar en qué momento del proceso formativo o de eficacia del negocio jurídico interfiere la condición.

II. TESIS QUE HACEN DEPENDER DE LA REALIZACIÓN DE LA CONDICIÓN LA EXISTENCIA MISMA DE LA VOLUNTAD

Como esbozábamos en la introducción de este trabajo, para explicar el mecanismo de la condición suspensiva y sus efectos sobre el negocio jurídico, así como las obligaciones que de él pueden resultar, existen diversas opiniones. Hemos formado un primer grupo con las tesis que consideran que de la condición depende la existencia misma de la voluntad.

En las opiniones de los autores que reunimos dentro de este primer grupo podemos observar diferentes matices, pero todas las teorías coinciden en estimar que la condición afecta la voluntad que debe formar el negocio jurídico, y en consecuencia se afecta con la condición la existencia misma del negocio. Para los autores que sostienen esta opinión, el negocio jurídico condicional quedaría detenido en el proceso de su formación, y al estar afectado uno de los elementos esenciales (la voluntad), el acto jurídico llegaría a perfeccionarse hasta el momento en el que se cumpliera la condición interpuesta.

Siguiendo a Windscheid podemos agrupar estas teorías en los siguientes apartados:

1. Algunos autores como Ludwig Arndts, Philipp Eduard Huschke, Hermann Fitting y Joseph Unger[30] sostienen que la existencia misma de la voluntad es la que está puesta en duda mediante la condición, y afirman que el movimiento de la facultad volitiva no crea de inmediato una voluntad, una fuerza productiva, sino que la crea con la cooperación de

una cierta circunstancia que es la realización del acontecimiento incierto señalado como condición.

2. Otra opinión concede que, en la declaración condicionada de voluntad, se quiere efectiva y actualmente, pero que en caso de deficiencia de la condición no se quiere. Lo anterior se explica de varias maneras:

2.1. Se admite una doble voluntad, una afirmativa para el caso de cumplimiento de la condición y una negativa para el caso de deficiencia de esta, tal es la tesis sostenida por Franz Adickes.[31]

2.2. Alois von Brinz[32] enseña que, si existe o no actualmente una voluntad, eso lo decide el futuro; si la condición se realiza, existe al tiempo de la declaración de voluntad una voluntad, si no se realiza, no existe voluntad: la voluntad no existe sin el cumplimiento de la condición, pero, si ésta se realiza, existe antes que ella.

3. Según la opinión de Eduard Hölder, en la declaración condicionada de voluntad viene a expresarse una voluntad actual, la voluntad de la declaración, pero es dudoso si existirá la voluntad negocial (del contenido o de los efectos).[XLIII]

Ninguna de las teorías expuestas nos parece satisfactoria y compartimos la opinión de Luigi Cariota Ferrara, en el sentido de que dichas teorías:

> deben rechazarse en cuanto niegan una verdad sustancial: una voluntad dirigida al resultado práctico o (según la teoría general del propósito jurídico) a los efectos jurídicos, existe desde el principio, pues, en otro caso, la circunstancia (condición) que se realiza posteriormente, sería, por sí sola, la productora de las consecuencias jurídicas, es decir, sería el hecho jurídico; además, admitir una doble voluntad es mero artificio: ni siquiera puede imaginarse una voluntad suspendida o futura, porque ello convertiría en suspendido o futuro el negocio, cuando lo que puede imaginarse suspendida es sólo la calificación o consideración jurídica del mismo.[33]

En sentido semejante se expresa con razón Emilio Betti, para quien:

> la voluntad como, en general, todo el supuesto concreto del negocio de que aquella es un elemento permanece siendo lo que es: un hecho pasado y, como tal, inmodificable. Lo que pende, incierto y dudoso, no es, por tanto, la voluntad (que se ha decidido al negocio y, de hecho, lo ha engendrado), sino únicamente,

---

[XLIII]   El autor no precisó esta cita.

la regulación de intereses que constituye el contenido preceptivo del negocio. El valor vinculante de tal contenido está circunscrito a que se verifique o, respectivamente (si se trata de condición resolutoria, atendiendo a la hipótesis que se suele considerar más probable), a que no se cumpla la hipotética previsión.[34]

El propio Betti afirma que el proceso volitivo se cierra con la conclusión del negocio condicional y que la voluntad de realizar el acto agota su función con el cumplimiento de este, y como todo hecho perfecto, no puede estar expuesta a desaparecer en subordinación a una contingencia futura.

Valoradas en las líneas anteriores, las opiniones del primer grupo y desechadas por las razones expuestas, debemos concluir como un primer punto que aun cuando se condicione un negocio jurídico, este se forma y existe desde el momento en que se ha expresado la voluntad de otorgarlo, y que por lo mismo existe desde ese momento; la condición no interfiere en la formación del negocio jurídico. Manuel Albaladejo escribe que, "en tal caso se dice, por brevedad, que el negocio es condicional, pero realmente no es el negocio, sino la producción de sus efectos la que se halla *sub condicione*".[35]

III. TEORÍAS QUE CONSIDERAN QUE DE LA CONDICIÓN DEPENDEN LOS EFECTOS DEL NEGOCIO JURÍDICO

El segundo grupo de opiniones, admitiendo como válida la conclusión a que hemos llegado en el apartado anterior, esto es, que aun cuando medie condición el negocio jurídico se perfecciona antes del cumplimiento de esta, e independientemente de su realización, afirma que lo subordinado al cumplimiento de la condición es sólo el efecto del negocio jurídico, o sea, la producción de los derechos y obligaciones a los que normalmente puede dar origen.

En el pensamiento de los autores que incluimos en este segundo grupo existen también diferencias incidentales sobre la manera de enfocar el problema. Algunos juristas, al analizar el efecto de la condición, lo hacen considerando tanto su repercusión sobre el negocio jurídico, como su influencia sobre las obligaciones que de él pueden derivarse y consideran que, si bien existe el acto jurídico (causa eficiente de la obligación), no existen aún de manera perfecta y normal los efectos de este, o sea los derechos de obligaciones que del negocio jurídico pueden derivarse. Otros tratadistas se limitan a observar el efecto jurídico que la condición puede producir en la formación de la obligación, y señalan que hasta en tanto no se cumpla la condición, la obligación condicionada no existe o al menos no existe de manera perfecta.

Analicemos estas ideas, haciendo en primer término una relación histórica y de derecho comparado y, a continuación, una exposición del mecanismo de esta perspectiva.

i. Análisis histórico y de Derecho comparado

Justiniano, en las *Instituciones*,[36] enseña que "la estipulación se hace bajo condición, cuando la *obligación* está subordinada a algún acontecimiento incierto, de suerte que la *estipulación debe tener efecto* si tal cosa llega o no llega [...] De la estipulación condicional nace solamente *una esperanza de obligación* y el estipulante transmite esta esperanza a sus herederos si muere antes del cumplimiento de la condición". Del texto transcrito podemos observar lo siguiente: 1. se admite que la estipulación se ha verificado, y en consecuencia existe; 2. se afirma que la estipulación debe tener efecto si se cumple la condición; y 3. se establece que de la estipulación condicional nace de momento sólo una esperanza de obligación.

Ciñéndose al texto de las Instituciones, Carlos Máynez[37] asienta comentándolas:

> La condición [...] es una modalidad que se agrega a un acto, o a una disposición de un acto, con el fin de mantener en suspenso la eficacia del acto o de la disposición [...] La condición, pues, produce el efecto de suspender, hasta el momento en que se cumpla, la eficacia del acto al cual se agrega. Así, cuando se une a un acto que tiene por objeto crear un derecho (condición llamada suspensiva) este derecho sólo existirá si la condición llega a cumplirse [...] Hasta entonces [...] todo queda en *statu quo*; pero después del cumplimiento de la condición el efecto del acto es, en general, retroactivo.

Ihering, en su obra sobre *El Espíritu del Derecho romano*, nos habla de que:

> desde el punto de vista de la técnica, la obligación condicional presenta un interés particular. Nos ofrece un espectáculo único en el antiguo derecho, el del nacimiento sucesivo del acto jurídico. En efecto, mientras que la obligación a término nace instantáneamente [...] la obligación condicional se encuentra hasta el

acaecimiento de la condición, en un estado de formación, de devenir. El derecho protege este estado (podría casi compararlo desde este punto de vista al del hijo concebido), prohíbe todo impedimento que pudiera afectar el curso pacífico de su desarrollo. El nacimiento del hijo, puede decirse, dura desde su concepción hasta su entrada al mundo: igualmente, el nacimiento del acto jurídico condicional se desarrolla desde su formación, hasta el acaecimiento de la condición. Este nacimiento llena, no un momento, sino todo un intervalo de tiempo.[38]

Entre nuestros romanistas, Guillermo Floris Margadant, en su *Derecho privado romano*,[39] considera que:

La condición es un acontecimiento futuro de realización incierta, del cual depende la entrada en vigor o la cancelación de los efectos de un acto jurídico. En el primer caso, hablamos de condición suspensiva; en el segundo, de condición resolutoria [...] en caso de una condición suspensiva, ¿cuál es la situación jurídica *pendente condicione*? Entre el momento del establecimiento de la condición y el momento de su cumplimiento (*condición impleta*), o de la seguridad de que no se cumplirá (*condición defecta*), el interesado en el cumplimiento de la condición no tenía más que una expectativa, una *spes obligationis*.

Ortolán, comentando las *Instituciones*, pero ampliando su enseñanza con textos del *Digesto*, afirma:

Cuando tiene lugar una estipulación condicional, ¿existe desde ese instante un vínculo de derecho?, ¿un acreedor y un deudor?, ¿o hasta el cumplimiento de la condición no hay nada de todo eso? Esta es una dificultad a resolver más en las palabras que en las cosas. Bajo un punto de vista, la promesa está subordinada a la condición, de tal suerte que si la condición falta el promitente no deberá nada y se considerará que jamás ha debido nada, se puede decir con el texto que, en tanto que la condición está en suspenso, la obligación objeto de la promesa no existe y hay solamente una esperanza de obligación (*tantum spes est debitum iri*) o en términos técnicos, ni el *dies cedit* ni el *dies venit* tienen aún lugar: *ubi sub condicione (quis stipulatus fuerit) neque cessit, neque uenit dies tendente adhuc condicione*) [...] bajo otro punto de vista, al contrario, no se puede negar que una vez que la estipulación condicional y la promesa se han realizado, el promitente se encuentra menos libre que antes, se encuentra ligado, bajo la duda es verdad de que se produzca un acontecimiento futuro e incierto, pero está ligado bajo esta posibilidad. Así, los jurisconsultos romanos no dudan en decir que el estipulante es acreedor: *eun qui stipulatus est sub condicione, placet, etiam pendente condicione, creditorem ese* [...] En fin, es muy importante considerar que el derecho resultante de la estipulación condicional se encuentra adquirido, tal como es, es decir eventual, en el instante mismo que se estipula.[40]

De las muchas opiniones que hemos mencionado, podemos concluir que la idea del Derecho romano era considerar como existente la estipulación (causa de la obligación), pero inexistente al posible derecho que de ella podría nacer, o al menos poder considerar a este como una simple esperanza de que en el futuro se tendría.

El Derecho francés antiguo mantuvo el criterio romano, y uno de sus más autorizados expositores Robert-Joseph Pothier, ilustre comentarista de las *Coutumes D'Orleans*, examinando el problema exclusivamente desde el punto de vista de la obligación condicionada y no desde el del acto jurídico que puede darle origen, asienta que: "una obligación condicional es aquella que está supeditada por la condición bajo la cual ha sido contratada, la cual no ha sido cumplida aún [...]".[41] Y más adelante: "el efecto de la condición es suspender la obligación hasta que la condición se cumpla [...] hasta entonces no hay nada debido; sino que solamente hay esperanza de que sea debido".[42]

En el mismo sentido que Pothier se expresan Jean Domat en su obra *Les loix civiles*[43] y Philippe Antoine Merlin en su *Répertoire universel et raisonné de jurisprudence*.[44] El Código Napoleón, haciendo también abstracción de la fuente, considera que "la obligación es condicional cuando se la hace depender de un acontecimiento futuro e incierto"[45] y que "la obligación contratada bajo una condición suspensiva es aquella que depende de un acontecimiento futuro e incierto [...] y que no puede ser ejecutada más que después del acontecimiento".[46]

Comentando los preceptos del napoleónico, Planiol sostiene que "mientras la condición está pendiente, se puede decir que la obligación que suspende no existe; se tiene solamente la esperanza de verla nacer un día",[47] en tanto que la generalidad de los intérpretes del Código francés de 1804 piensa que no sólo hay una esperanza de obligación, sino que existe ya un derecho para el acreedor,[48] el cual se califica a veces de eventual[49] y en ocasiones de derecho en germen.[50]

Son de resaltarse las tesis de Jean-Charles Florent Demolombe, Charles Toullier y Jean-Baptiste Duvergier, quienes ponen claramente de manifiesto que aun cuando la obligación no ha nacido de manera perfecta, el contrato que la origina sí existe, y genera el derecho eventual.[51] Por otra parte, Baudry-Lacantinerie y Barde, Henri Boeuf, Francois Laurent y Charles Beudant critican la redacción del artículo 1181 del Código Napoleón, pues reputan inexacta la expresión de que la obligación "no puede ser ejecutada más que después del acontecimiento", sosteniendo que lo que está en suspenso no es la ejecución de la obligación, sino su existencia misma.

Es ampliamente conocida la singular influencia que el Código Napoleón ejerció en las legislaciones latinas del siglo XIX, y no debe extrañarnos que la mayoría de los países latinos hayan adoptado textos similares a los del Código francés. Así, el italiano de 1865 consideraba que "es condicional la obligación, cuya existencia o resolución depende de un acontecimiento futuro e incierto"[52] y que: "es suspensiva la condición que hace depender la obligación de un acontecimiento futuro e incierto [...]".[53] Sus comentaristas, después de establecer su concordancia en lo fundamental con el Código Napoleón,[54] coinciden con la idea de que la obligación no nace, al menos de manera perfecta, hasta en tanto no se cumple la condición.[55]

De entre los comentaristas del Código italiano de 1865 se destaca, por lo que se refiere al tratamiento del tema que nos ocupa, Nicolás Coviello, quien su *Manuale di Diritto Civile Italiano* señala:

> Mientras está pendiente la condición suspensiva el negocio jurídico existe, pero no está perfecto, es decir, no produce todavía los efectos jurídicos de que es capaz; lo que no existe son los derechos y obligaciones que de él derivan porque no han nacido aún, pero deben nacer. Por eso no puede decirse que estando pendiente la condición, tan sólo hay una expectativa de derecho. No, en realidad existe un derecho, pero no es el que se tendría al verificarse la condición, existe un derecho a la obtención de aquel derecho y tiene también él un valor patrimonial.[56]

El proyecto de Código de las obligaciones y de los contratos, elaborado el año de 1927 por ilustres juristas franceses e italianos, al ocuparse de las obligaciones condicionales, preceptúa que: "la obligación es condicional cuando su existencia o su resolución dependen de un acontecimiento futuro e incierto",[57] y que: "la condición suspensiva es aquella de la que se hace depender la existencia de la obligación".[58] De la simple lectura de los textos transcritos puede apreciarse que los redactores del proyecto franco italiano se ocuparon de la obligación condicional considerándola sólo en sí misma, y haciendo abstracción de la fuente en la que pudiera originarse. La redacción del texto no admite duda sobre su alcance, pero las palabras de dos de los más ilustres miembros de la comisión redactora del proyecto, Henri Capitant y Ambroise Colin, esclarecen cualquier duda que pudiera presentarse sobre su interpretación. Afirman Colin y Capitant que, mientras la condición no se realiza, es decir, que sea *pendente condicione*, una incertidumbre pesa sobre la suerte del acto que de ella depende. En tanto que la condición suspensiva no se realiza:

> […] no se sabe si el acto jurídico producirá el efecto querido. Sin embargo, este acto está formado; todos los elementos necesarios para su constitución (consentimiento, si se trata de un contrato, capacidad, objeto, causa) se han reunido, pero las partes han subordinado la suerte de las obligaciones por nacer de este acto a la llegada de un acontecimiento futuro e incierto […] el que ha prometido bajo condición suspensiva no puede más que retirar la promesa que ha hecho. El futuro acreedor tiene desde ahora ya un derecho: no es aún el derecho de crédito puesto que este no nacerá más que si la condición se realiza, pero es el derecho a ser considerado entonces como acreedor. Y este derecho, este germen de derecho como dicen a menudo los autores, no es eventual, posee ya un valor patrimonial y produce inmediatamente consecuencias importantes.[59]

La similitud del proyecto franco italiano con nuestro Código de 1928 es evidente. En efecto, el artículo 1938 de nuestro ordenamiento civil dispone que "la obligación es condicional cuando su existencia o resolución dependen de un acontecimiento futuro e incierto"; el 1939 estipula que: "la condición es suspensiva cuando de su cumplimiento depende la existencia de la obligación". Por esto, Borja Soriano, con sobrada razón, asienta que el origen de los preceptos legales mexicanos transcritos se encuentra en el mencionado proyecto.[60]

Podemos observar que, tanto el proyecto franco italiano como nuestro código vigente, contemplan el problema sólo desde el punto de vista de la obligación condicionada, sin hacer mención de su causa eficiente, esto es, del negocio jurídico que puede originarla. En cambio, el Código alemán, que inició su vigencia con el siglo que corre, al regular la condición se refiere sólo al acto jurídico, sin referencia expresa a la obligación condicionada.

El artículo 158 del BGB[XLIV] dispone que: "cuando un acto jurídico ha sido consumado bajo una condición suspensiva, la eficacia de este acto […] se realiza al mismo tiempo que la condición". Andreas von Tuhr explica que "el negocio es condicional cuando de un acontecimiento futuro e incierto depende la iniciación o la permanencia de sus efectos, y no solamente el alcance de ellos o el momento en que comienza".

[XLIV] Abreviatura del término Bürgerliches Gesetzbuch, que en nuestra lengua significa "código civil".

Añade que "del acontecimiento futuro no depende la voluntad de las partes, sino el efecto jurídico que se produce en virtud de ella, pero por brevedad y sin peligro de equívocos, puede hablarse de negocios condicionales".[61]

Siguiendo con Andreas von Tuhr, leemos que: "en la condición suspensiva los efectos del negocio deben producirse sólo con el cumplimiento de la condición".[62] Y más adelante, continúa: "la condición es un acontecimiento incierto, de manera que mientras no está cumplida existe un estado de pendencia, esto es, una expectativa en favor de quien debe recibir un beneficio del negocio o especialmente un derecho".[63] De igual forma, explica: "del contrato con eficacia personal, sujeto a condición suspensiva, desde el principio nace una relación crediticia, pero no un crédito, y, por consiguiente, ni una pretensión del acreedor ni una obligación del deudor".[64] Además, von Tuhr menciona que: "cuando el objeto del negocio condicional es un derecho sobre la cosa ajena, este nace solamente con el cumplimiento de la condición".[65]

En términos semejantes a von Tuhr, se expresan Enneccerus,[66] Henrich Dernburg,[67] Karl Larenz,[68] así como los comentaristas franceses del Código alemán.[69]

El Código italiano de 1942, recogiendo las ideas apuntadas establece: "las partes pueden subordinar la eficacia o la resolución del contrato o de un pacto, a un acontecimiento futuro e incierto".[70]

Ugo Natoli,[71] explicando el alcance del precepto mencionado, enseña que:

> el Código civil de 1865 se ocupaba de la condición en sentido técnico, dictando la reglamentación de algunos tipos especiales de obligaciones y construyendo al lado de las obligaciones a tiempo determinado (artículos1172 a 1176), alternativas (artículos 117 a 1183), solidarias (artículos 1184 a 1201), divisibles e indivisibles (artículos 1202 a 1208) y con cláusula penal (artículos1209 a 1217), la categoría de las obligaciones condicionales (artículos 1157 a 1171).

Y continúa:

> De tal modo la condición, como el término, la solidaridad, la alternativa, la divisibilidad y en menor grado la cláusula penal, aparecían a primera vista como simples modalidades del contenido de la obligación. Pero esta apariencia caía frente a la definición que de la obligación condicional daba el artículo 1157, según el cual debía entenderse como tal aquella cuya existencia o resolución dependía de un acontecimiento futuro e incierto. La definición llevaba en efecto

a concluir que la condición no podía agotarse en una explicación del contenido de la obligación, respecto al tipo puro y simple, sino que actuaba tal vez más profundamente, poniendo en duda la misma existencia de la relación obligatoria.

Añade:

Sin embargo, estudiando el fenómeno "condicional", en especial por lo que toca a la primera de las hipótesis contempladas en el citado artículo 1157 del Código civil de 1865, esto es, a la condición suspensiva, la doctrina, después de haber distinguido netamente la obligación de su fuente, ha como es sabido, comprobado que la condición, por cuanto implica una función decisiva sobre la existencia (nacimiento o subsistencia) de la relación obligatoria se inserta en realidad, en la economía del caso en cuestión del que ella deriva, representa, esto es, un elemento del negocio jurídico causal y no de la obligación que no es más que una consecuencia.[72]

Y sigue:

Haciendo propios estos resultados, el nuevo Código civil ha eliminado las llamadas obligaciones condicionales del número de las obligaciones especiales (artículos 1277 a 1320) y ha reservado a la condición un puesto aparte en la disciplina del contrato, que entre los negocios jurídicos es aquí al que el código dedica una expresa reglamentación. Sistematización que representa un indudable progreso técnico que contribuirá ciertamente a la más recta comprensión del instituto.[73]

En el mismo sentido que Natoli, y comentando el texto del Código italiano de 1942, se expresan Messineo,[74] Emilio Betti,"[75] Trabucchi,[76] Barassi,[77] y Cariota Ferrara,[78] quienes distinguiendo entre la obligación y su fuente consideran que el nacimiento perfecto de la obligación condicionada sólo tiene lugar una vez que se ha verificado el acontecimiento futuro e incierto.

ii. Estructura jurídica del acto concertado bajo condición suspensiva

Concluida la exposición anterior, en la que hemos procurado dar un panorama histórico y comparativo de las legislaciones y doctrinas que consideran que de la condición dependen los efectos del negocio jurídico, y que por lo mismo las obligaciones condicionales no nacen de manera perfecta sino hasta que la condición se verifica, pasaremos a analizar la estructura jurídica del negocio condicionado, de acuerdo con los autores que sostienen la tesis de que nos venimos ocupando.

Emilio Betti, en su *Teoría general del negocio jurídico*, afirma que la condición es "una disposición de la parte, que enlaza por un nexo hipotético el precepto del negocio a una determinada previsión, para suspender o resolver, al producirse, la regulación de intereses establecida".[XLV]

> La estructura lógica del negocio condicional es la de un juicio hipotético doble y alternativo. Al modo que en un juicio hipotético se afirma una cierta proposición como consecuencia de una premisa dada, análogamente, en el negocio condicional se hace surgir o se revoca (según que la condición sea suspensiva o resolutoria) una determinada regulación de intereses, como consecuencia de una hipotética previsión. El juicio hipotético es doble y tiene carácter alternativo, porque para el caso de que la previsión contemplada no se produzca se dispone la consecuencia opuesta; es decir, que el orden prescrito a los intereses en cuestión no tenga lugar o, respectivamente, cese en su efectividad (el esquema lógico es el siguiente: "si se produjera la previsión x, tendrá lugar —o bien, cesará— una regulación y; si la previsión no se produjese, tal regulación no tendrá vigor o, respectivamente, no cesará de tenerlo".)[79]

El propio Betti sostiene que el nacimiento de la nueva relación está vinculado por el derecho a un supuesto de hecho complejo del que el negocio constituye ciertamente el elemento fundamental, pero no el único. Dicho supuesto consta de —negocio + hecho elevado a condición—.[80] Windscheid observa que el movimiento de la facultad volitiva produce la base sobre la que la condición hará surgir la producción de los efectos jurídicos, pues de otra manera la circunstancia sobreviniente no encontraría nada que poder elevar a fuerza productora, y von Tuhr explica que: "el *factum* del negocio bajo condición suspensiva se desarrolla sucesivamente; depende de la declaración de voluntad de las partes y de que se produzca el acontecimiento que ellas pusieron como condición. Como quiera que después de la emisión de las declaraciones, la eficacia del negocio sólo depende del cumplimiento de la condición, las partes quedan vinculadas por sus declaraciones".[81]

Una vez explicado el mecanismo de operación de la condición suspensiva sobre la obligación condicional y sobre el negocio jurídico que le da origen, conviene hacer resaltar la situación existente durante la pendencia de la condición. Manuel Albaladejo sostiene que:

> Mientras que la condición está pendiente los efectos del negocio no se producen, si es suspensiva [...] Cuando la condición se cumple se producen los efectos del

---

[XLV]   El autor no precisó esta cita.

negocio, si era suspensiva [...] Incumplida la condición, dichos efectos definitivamente no se producirán, si era suspensiva.[...] Esto es lo que, en síntesis, se puede
afirmar; pero es preciso ahondar en la cuestión, para perfilar[...] ciertos efectos
provisionales (distintos de los normales del negocio) que se producen *antes* del
cumplimiento de la condición.[82]

Y continúa: "Una vez celebrado el negocio, mientras que la condición pende, aquél vincula a las partes o es irrevocable en los términos
en que lo sería si fuese puro".

Y añade:

Siendo aún ineficaz el negocio en orden a la producción de sus efectos normales,
y consistiendo estos en la adquisición, modificación o extinción de derechos u
otras situaciones jurídicas, no se producen todavía aquellas; sin embargo, tienen
lugar una serie de efectos previos, que (como decíamos) no son los propios del
negocio, sino que persiguen asegurar que si la condición llega a cumplirse se
producirán estos, evitando que *pendente condicione* se frustre la posibilidad de
los mismos.

Más adelante, menciona:

Se discute cuál es la verdadera naturaleza de la situación creada por el negocio,
antes de que la condición se cumpla. En particular, en cuanto al que adquirirá
derechos en el caso de tal cumplimiento, se le considera ya titular, bien de un
derecho condicional, bien de un derecho eventual, bien de un derecho al derecho, bien de una expectativa de derecho. Debiendo advertirse que no siempre los
autores que defienden una u otra cosa, utilizan tales diferentes terminologías para
expresar conceptos verdaderamente diferentes. Por nuestra parte, habida cuenta
de que el derecho definitivo no se adquirirá sino cuando la condición se cumpla
[...] creemos preferible hablar de que la celebración del negocio crea una expectativa de producción de los efectos de este, atribuyendo pues al adquirente
eventual una expectativa de adquisición.

La exposición de Albaladejo constituye, desde nuestro punto de vista, un buen resumen de la situación que prevalece hasta en tanto se
cumple con la condición, y coincidimos plenamente con su observa-
ción, en el sentido de que aun cuando los autores utilizan diferentes
términos para designar al derecho del acreedor, no siempre estos expresan conceptos verdaderamente diferentes, por lo que a nuestro juicio pueden emplearse indistintamente. Vale afirmar expresamente, aun
cuando a nuestro parecer es evidente, que lo que se diga del derecho
del acreedor condicional repercutirá en la obligación del deudor bajo
condición; si el crédito es condicional, o eventual, la deuda también lo

será, si el acreedor tiene un "derecho en germen", el deudor lógicamente tendrá una "obligación en germen", y si del acto condicional nace tan sólo una "expectativa", ésta lo será tanto para la deuda como para el crédito.

No dejamos de reconocer que los términos antes empleados pueden aparecer a primera vista con un dejo de imprecisión, y aun cuando desde un punto de vista práctico en nuestro derecho positivo la cuestión no tiene mayor trascendencia, en virtud de que la ley regula en forma clara y amplia el alcance de los derechos y deberes de quienes se han obligado condicionalmente, es conveniente precisar, hasta donde sea posible, qué debe entenderse por "expectativa", resumiendo en este término las diferentes connotaciones que se han dado al derecho del acreedor o a la obligación del deudor durante la pendencia de la condición.

Siguiendo la exposición de Ugo Natoli, podemos afirmar que, según un primer modo de ver, "la expectativa del adquirente condicional representaría una situación de derecho subjetivo incompleta, que se perfeccionaría con la realización de la condición. Así se habla de derecho condicional o condicionado".[83]

Francesco Ferrara, en su *Tratado de Derecho civil italiano* sostiene esta tesis en los siguientes términos:

> El nacimiento del derecho está ligado a la existencia de un hecho jurídico. Este hecho puede ser simple o complejo, según resulte de uno o más elementos. En el hecho complejo la pluralidad de los elementos puede verificarse de un modo simultáneo o sucesivo. En el segundo caso se tiene un desenvolvimiento gradual del estado de hecho constitutivo del derecho: los momentos de hecho se suceden en tiempos separados, realizándose poco a poco y en correspondencia se tiene un estadio de evolución del derecho. Cuando varios elementos del hecho se han realizado, se tiene una probabilidad cada vez más fuerte del nacimiento del derecho, a medida que se acerca a la fase del completamiento del "hecho constitutivo". Pero es siempre incierto que el derecho nazca.
>
> De todas maneras, entre derecho y no derecho, existe el derecho "en devenir", en su estadio de formación. Este estadio evolutivo se caracteriza por una incertidumbre o pendencia: no se sabe si en verdad el "hecho" jurídico se completará haciendo surgir el derecho, o si por el contrario quedará trunco, a medio camino; pero como ya se han acumulado materiales para la existencia del derecho, surge una expectativa sobre la existencia futura de él.
>
> Esta expectativa puede ser más o menos determinada y concreta, comenzando por una vaga y genérica esperanza, pasando por una probabilidad concreta y fundada, hasta llegar a una titularidad cierta, en la que la ejecución está diferida. Existen pues diversos grados de expectativa: pero en esta generalidad el concepto

pierde importancia jurídica, es necesario pues restringirlo y precisarlo. Se pueden distinguir tres fases:

I. Esperanzas o probabilidades genéricas de adquisición. Estas no tienen importancia jurídica. La probabilidad indeterminada de adquirir un derecho que puede corresponder de igual modo a cualquiera se resuelve en la posibilidad de conseguir un efecto jurídico. Así, la posibilidad de recibir donaciones o de llegar a ser heredero antes de la apertura de la sucesión. Aunque el aspirante sea llamado heredero en un testamento, o sea, heredero legítimo, él no tiene una expectativa sobre el patrimonio del de *cujus*; porque este puede cambiar sus disposiciones o perder el patrimonio, frustrando la esperanza de quien contaba con ello. Lo mismo puede decirse de la esperanza del que propone la adquisición de un derecho, sobre si su proposición será aceptada.

2. Expectativa de derecho. Aquí la probabilidad de adquisición se funda sobre un hecho adquisitivo ya en parte realizado, aunque sea incierto si se completará. Sin embargo, esta posibilidad fundada está reconocida por el orden jurídico y produce ya efectos, si bien diversos del derecho definitivo.

3. Derechos ciertos, pero actualmente no exigibles (derechos a término). La certidumbre del efecto del negocio jurídico importa ya la titularidad presente del derecho.

Ahora no nos ocuparemos, ni de la primera especie, esperanzas y eventualidades indeterminadas que no tienen valor jurídico, ni de las últimas, que son ya derechos existentes, si bien de ejecución diferida, restringiendo nuestro estudio a la categoría intermedia, de las "expectativas de derecho".

La expectativa de derecho es la espera de una adquisición de derecho que tiene por fundamento un estado de hecho en parte realizado, pero aún no completo; y como no se sabe si el estado de hecho se realizará por entero en el futuro, subsiste una incertidumbre objetiva, una indecisión entre el ser o no ser del derecho: la relación está "en suspenso, en pendencia" [...] Solamente más tarde se sabrá cuando el hecho se verifique o falte, si el derecho habrá surgido desde el origen o si no existió, dándose al requisito de hecho integrativo una eficacia "declarativa", pero mientras la incertidumbre dura, las dos alternativas sobre el ser o no ser del derecho se balancean.

[...] Entretanto lo que es característico de la expectativa de derecho, es que ella produce de inmediato un efecto provisional preliminar, ciertamente distinto del que se tiene con el surgimiento del derecho definitivo, y de distinta naturaleza, pero bastante para demostrar que la expectativa del derecho está reconocida como jurídicamente relevante [...].

Examinemos ahora los casos más importantes de expectativa:

I. Derechos condicionales. Durante la pendencia de la condición, existe una expectativa jurídicamente protegida, la cual no puede ser frustrada arbitrariamente por las partes, impidiendo que la condición se verifique, bajo pena de considerarse la condición como cumplida (1169). El titular puede ejercitar todos los actos que tiendan a conservar su derecho (1171). La expectativa pasa a los herederos (1170). Por otra parte, el enajenante no puede disponer del derecho ya transmitido *sub condicione,* sin que el acto de disposición esté sujeto a resolverse (1976) [...][84]

En sentido semejante a Ferrara se expresan los juristas italianos Messineo[85] y Betti,[86] los alemanes Windscheid[87] y von Tuhr[88] y los franceses Henri, León y Jean Mazeaud.[89] Queremos resaltar de la exposición de Ferrara el hecho de que, al lado de la expectativa, reconoce la existencia de un derecho actual, pero con contenido diverso del de la obligación condicionada, tesis que es también sostenida con gran claridad por Coviello,[90] Betti,[91] Albaladejo[92] y Baudry-Lacantinerie.[93] Natoli complementa el concepto que antes hemos expuesto con una tesis respecto al carácter de la expectativa, afirmando que esta representa "una verdadera y propia situación de derecho subjetivo, que se instaura sobre el presupuesto del interés a la realización de los efectos dependientes del cumplimiento de la condición". Y añade: "como en toda otra situación de derecho subjetivo, existe un típico contenido de facultades, en cuanto el titular de la expectativa puede, en pendencia de la condición, realizar actos conservatorios a fin de impedir la dispersión y el deterioro del objeto del negocio".

Ugo Natoli escribe que:

> Tal facultad no es parte del derecho que derivará del cumplimiento de la condición y que podrá aun no surgir, si no se verifica. Sino que es un derecho autónomo que presupone la pendencia de la condición y dura lo mismo que esta. No es un derecho sobre el objeto, un derecho real, ni un derecho de crédito que tienda a obtener la prestación de la otra parte, sino un verdadero y propio derecho potestativo que permitirá a su titular alcanzar un determinado efecto (conservación del objeto) independientemente de la actividad del otro sujeto, el cual está obligado a soportar la actividad del primero y se encuentra, por tanto (bajo este perfil) en una típica situación de sujeción.[94]

Los conceptos expresados nos llevan a considerar una serie de posibles cuestiones relacionadas con la expectativa.

1. Valor patrimonial de la expectativa. De la disposición condicional, hemos dicho nace ante todo una expectativa del adquirente, la cual al cumplirse la condición deviene en el derecho definitivo. La eficacia plena de la disposición condicional se realiza sólo con el cumplimiento de la condición, pero aun mientras la condición se cumple existe como hemos dicho, una expectativa la cual sin duda tiene valor patrimonial; Andreas von Tuhr[95] manifiesta que en cuanto tenga valor patrimonial

el derecho a que da lugar, la expectativa debe considerarse como un elemento del patrimonio del titular condicional. El valor patrimonial de la expectativa se determinará según el valor del derecho futuro, de su seguridad y de la probabilidad de que la expectativa se realice. Considerando ese valor, en principio, la expectativa que surge del negocio jurídico condicional puede transferirse por causa de muerte, de manera que, si la condición se cumple después de la muerte de su titular, el derecho nace en favor del heredero. La expectativa que deriva del negocio sujeto a condición es enajenable. Con ello, su titular dispone, ante todo, de la expectativa, pero también mediatamente del derecho futuro que surgirá de la misma. En virtud de la enajenación, al cumplirse la condición ese derecho no hace en favor del titular originario de la expectativa sino de aquel al cual la transmitió. El crédito condicional es cesible. El cesionario adquiere la expectativa que corresponde al cedente; al cumplirse la condición, de ella nace el crédito a su favor. En rigor, como quiera que el crédito nace en favor del cesionario, el cedente nunca ha sido acreedor.

2. Irrevocabilidad del negocio condicional. En virtud de que, como se ha afirmado el negocio jurídico, existe desde el momento en que las partes lo celebran, desde ese mismo momento será irrevocable (salvo que el acto sea de suyo revocable, por ejemplo, el testamento) y por lo mismo los otorgantes no podrán volverse atrás en lo pactado.[96]

3. Legislación aplicable. La legislación aplicable, en caso de cambio entre el momento de la celebración del contrato y el del cumplimiento de la condición, será la existente al otorgarse el contrato, pues este es el momento en el que las partes conciertan el vínculo jurídico, y además por el efecto retroactivo generalmente atribuido a la condición, en el momento de verificarse el acontecimiento futuro e incierto del cual se hacen depender los efectos del acto, se reputará que los derechos y obligaciones que de él pueden surgir, existen desde el momento de la celebración del negocio jurídico.[97]

4. Capacidad. La capacidad de los contratantes deberá estimarse al tiempo de la celebración del negocio jurídico, pues será entonces cuando otorguen su consentimiento.[98]

5. Pago de lo indebido. El que cumple antes de que se realicen la condición con la prestación a la que se ha obligado condicionalmente,

realiza un pago de lo indebido y por lo mismo puede exigir la devolución de lo entregado.[99]

IV. TESIS QUE CONCEPTÚAN LA CONDICIÓN COMO UN MECANISMO QUE SÓLO INTERFIERE EN LA EFECTIVIDAD DE LAS OBLIGACIONES QUE DESDE LUEGO NACEN DEL NEGOCIO JURÍDICO

Una tercera opinión en relación con los efectos de la condición sobre la obligación condicionada y sobre el negocio jurídico que le da origen es la que sostiene que una vez realizado un negocio condicional no solamente nace este, sino también produce su efecto normal de crear derechos y obligaciones, quedando sólo en suspenso la eficacia o exigibilidad de la obligación.

La estructura lógica de este modo de pensar sería la siguiente: una vez concertado un negocio jurídico, éste tendría plena existencia y produciría inmediatamente derechos y obligaciones para las partes que en él hubieren intervenido, inmediatamente los sujetos adquirirían el carácter de acreedor y de deudor, y tratándose de actos traslativos de dominio, quien hubiere adquirido condicionalmente se haría desde luego del bien objeto del negocio jurídico. El efecto de la condición se limitaría a impedir el cumplimiento o exigibilidad de la obligación y por lo mismo el acreedor no podría constreñir a su deudor para que efectuara la prestación a la que desde luego estaría ya obligado, ni el propietario podría exigir a su causa habiente la entrega del bien enajenado.

Paul Frédéric Girard, en su *Manual Elémentaire de Droit Romain,*[100] sin distinguir con precisión entre la obligación y su fuente, abriga fuertes dudas sobre la interpretación correcta de los textos del Derecho romano y su opinión oscila entre negar la existencia de la obligación antes del cumplimiento de la condición y el afirmar que lo suspendido por la condición es sólo la exigibilidad de la obligación, la cual ya ha nacido.

Hans Kelsen, en su obra *El contrato y el Tratado,* afirma, hasta donde es posible escrutar su pensamiento, esta tercera opinión, manifestando que:

> En lo que atañe al ámbito de validez temporal de la norma contractual, es decir, al principio y al fin de la fuerza obligatoria de la convención, hay que advertir que

el comienzo de la fuerza obligatoria de la convención o de la validez de la norma contractual coincide con la terminación del procedimiento contractual. En el momento en que la convención queda concluida, la norma contractual entra en vigor y la convención adquiere fuerza obligatoria. Tal fuerza obligatoria se manifiesta desde luego en el hecho de que [...] las disposiciones de la convención, es decir, de la norma contractual, no pueden ser abrogadas o modificadas si no es de acuerdo con el procedimiento prescrito por el orden jurídico, o sea a falta de disposiciones en contrario, por otra convención concluida por las mismas partes contratantes. Ello presupone que la norma creada por la convención se encuentra ya en vigor. Significa, además, que las partes contratantes están obligadas por la norma contractual a ejecutar lo convenido. Pero no que estén obligadas a ejecutarlo inmediatamente. Puede ocurrir que la ejecución quede en suspenso por una condición o por un término. La condición es un acontecimiento futuro de realización incierta, mientras que el término es un acontecimiento futuro de realización cierta. La condición o el término pueden ser fijados por el orden jurídico o por la convención misma. En este caso, la norma contractual entra también en vigor en el momento en que la convención queda concluida, es decir, antes del momento en que la condición o el término se realizan, pues si la norma contractual no estuviera ya en vigor, su disposición concerniente a la condición o al término no sería obligatoria ni podría adquirir nunca tal carácter. Lo que la condición o el término suspenden no es la obligación (la obligación de ejecutar la condición) o la fuerza obligatoria de la convención o norma contractual, sino la ejecución de la obligación. La obligación de ejecutar la convención existe desde que la convención queda, concluida (o lo que es igual) desde que entra en vigor la norma convencionalmente creada. Si concluyo el día de hoy un contrato obligatorio por el cual me obligo a pagar dentro de un año o al realizarse tal o cual condición, una suma de dinero en un lugar determinado, quedo obligado desde hoy. ¿Obligado a qué? A pagar la suma convenida. ¿A pagarla dónde? En el lugar indicado. ¿A pagarla a quién? A la persona con quien ha contratado. Ello significa que desde hoy quedo obligado a ejecutar el contrato, pues si tengo la menor obligación, no puedo quedar obligado a otra cosa que no sea a ejecutar el contrato. Sin embargo, no estoy obligado a ejecutarlo hoy; pero sí estoy obligado desde hoy a ejecutarlo en el término de un año o en el momento en que la condición se realice. Si la condición dejase en suspenso mi obligación, no me encontraría todavía obligado por el acto de la conclusión del contrato y (hasta la realización de la condición o del término) no habría contrato obligatorio, es decir, válido. Por esta razón no es correcto distinguir en el caso de una condición suspensiva una fuerza obligatoria negativa consistente en que las partes contratantes no pueden escapar unilateralmente al imperio de la convención, y una fuerza obligatoria positiva que consiste en la obligación de ejecutar la convención. La condición suspensiva no suspende la fuerza obligatoria del contrato, que no es otra cosa que su obligatoriedad. Se trata simplemente de una condición de ejecución que, por otra parte, sólo se refiere al tiempo.[101]

Se ha pretendido incluir entre los autores que sostienen esta opinión a Ludwig Enneccerus,[102] quien sostiene que:

Llamamos condición a la limitación añadida a una declaración de voluntad en virtud de la cual un efecto jurídico o su cesación se hace depender de una circunstancia incierta para el saber humano [...] El negocio suspensivamente condicionado, conforme a la intención de las partes, debe ser eficaz sólo con la llegada de la condición [...] en tanto pende la condición es incierto si el negocio es eficaz; no surge todavía el efecto querido. No obstante, el negocio condicional es ya vinculante en virtud de la voluntad de las partes. No es susceptible de revocación, del mismo modo que no lo sería en el caso de no estar sujeto o condición.[103]

Igualmente se ha pensado[104] que los traductores de la obra de Enneccerus, Pérez González y Alguer sostienen que, en el negocio condicional, las obligaciones de las partes que en él intervienen surgen desde luego, y que lo condicionado es sólo la efectividad de dichas obligaciones. La base de esta afirmación es el siguiente texto:

Condición suspensiva o inicial es aquella de la que depende que se produzca el efecto; resolutoria o final, aquella de que depende la cesación. La primera condiciona el nacimiento de un efecto jurídico, la segunda su extinción [...] En rigor, como dice el texto, no hay dos clases de condición, sino que la diferencia está más bien en la naturaleza de lo condicionado: la entrada en vigor del efecto jurídico (en la llamada condición suspensiva) y la cesación del mismo (en la llamada resolutoria).[105]

Pensamos que no es posible incluir a Enneccerus, Pérez González y Alguer entre quienes sostienen la tesis de que nos venimos ocupando, puesto que estos autores, como se desprende de la lectura de los párrafos antes transcritos, nunca afirman que la obligación o su correspondiente derecho existen desde que se celebra un acto condicional, sino que, en virtud de la condición una declaración de voluntad, queda subordinada para la producción de sus efectos jurídicos a la realización de una circunstancia incierta para el saber humano o que el negocio suspensivamente condicionado debe ser eficaz sólo con la llegada de la condición.

A nuestro entender, la confusión estriba en no distinguir la obligación de su fuente que es, en las palabras de Enneccerus, la declaración de voluntad o el negocio jurídico. El sostener que un determinado negocio jurídico no produce efectos, equivale a asegurar que las obligaciones que de él deben nacer no existen, pues es evidente que la producción de obligaciones es precisamente el efecto del negocio jurídico. Lo anterior queda corroborado con la afirmación del propio Enneccerus de que en tanto pende la condición el que tiene un derecho condicional en virtud del negocio bajo condición, tiene ya una expectativa asegurada, dirigida a los efectos jurídicos que se esperan con el cumplimiento de la condición. Esta expectativa es transmisible *mortis causa* [...] y alienable, siempre que se trate de un derecho transmisible por herencia y alienable [...] En resumen, la expectativa del titular condicional es tratada como un derecho en todos los aspectos conocidos y, por esto mismo, hay que considerarla también como derecho. La hemos de construir, pues, como una expectativa (pendiente), o sea, como un derecho a adquirir *ipso jure*, al cumplirse la condición, el crédito, la propiedad, la herencia, el legado.[106]

Pérez González y Alguer comparten la tesis de Enneccerus y claramente afirman que: "el negocio bajo condición suspensiva engendra, pues, un derecho que pende del cumplimiento de la condición, un derecho que cabe calificar de derecho condicional, un derecho sin más particularidad que la resultante de su adjetivación. Es, por tanto, una expectativa sin más posibilidades de frustración que las contenidas en la probabilidad del incumplimiento de la condición".[107]

Por lo que hace a la opinión de Kelsen, expuesta en su obra *El contrato y el tratado*, consideramos que es distinta de la tesis de Enneccerus y que por lo mismo no es posible pensar, como se ha supuesto,[108] que se inspiró en las ideas del profesor de Marburg. La brevedad del texto de Kelsen, y su falta de exposición amplia sobre el tema, lo cual es explicable dada la naturaleza de la obra en la que está expresada, dejan la duda de si al hablar de que el contrato condicional es ya vinculante y de que el comienzo de la fuerza obligatoria de la convención coincide con la terminación del procedimiento contractual, se refiere a los efectos provisionales conservatorios del derecho, que como hemos expresado tienen una naturaleza distinta a la obligación condicional, o si por el contrario, está aludiendo a la obligación condicionada, aun cuando nos inclinamos a esta segunda interpretación. Como quiera que sea, no consideramos acertada la tesis de Kelsen pues pensamos que la realización de la condición no es un problema exclusivamente de tiempo sino más bien de incertidumbre. El transcurso del tiempo, aun cuando necesariamente el acontecimiento que constituya la condición ha de ser futuro, no es lo fundamental en el acto condicionado, sino la incertidumbre acerca de si el acontecimiento se verificará o no. La exigencia de que el acontecimiento condicionante sea futuro es sólo para asegurar su incertidumbre, pues tratándose de un hecho pasado su existencia sería cierta desde el momento de la celebración del acto y lo único que podría ser dudoso es el conocimiento del hecho acaecido por alguna de las partes contratantes. Lo esencial en la condición es que el acto del cual se hacen depender los derechos y obligaciones de las partes sea incierto, esto es, que se tenga duda sobre si se realizará o no. Si se sabe que necesariamente el hecho debe acontecer, este no constituirá una condición, sino un término, en el cual el problema si es exclusivamente de tiempo. En resumen, no compartimos la opinión de Kelsen por no estar de acuerdo en que el caso de la condición exista solo un problema de tiempo, a nuestro parecer existe fundamentalmente un problema de incertidumbre.

La tesis de quienes consideran que en el negocio jurídico condicional no solamente surge éste, sino además las obligaciones que de él pueden derivarse, las cuales no son exigibles, no nos parece convincente, pues estimamos ilógico considerar deudor al que se ha obligado condicionalmente.

En efecto, si alguien declara obligarse sólo si acontece determinada circunstancia futura e incierta, no puede afirmarse que desde hoy está ya obligado y que sólo la exigibilidad de la prestación queda en suspenso, sino que debe considerarse que la obligación sólo será cierta en la medida en que se cumpla la previsión hipotética con la que se ha enlazado la voluntad, en otras palabras, el deudor condicional sólo podrá llamarse obligado en la medida en la que se realice el acontecimiento futuro e incierto, hasta entonces sólo existe la posibilidad de quedar obligado, la expectativa de una obligación, que como es lógico está protegida por el derecho.

Por otra parte, si admitimos que la obligación surge desde el momento en que se efectúa el acto condicional, tendríamos, por congruencia, que afirmar que si la condición no se cumple la obligación queda destruida, esto es, existiría la obligación, la cual quedaría extinguida con el no cumplimiento de la condición. Este razonamiento nos parece artificioso y reñido con las reglas de la lógica, puesto que a nuestro juicio la no realización de la condición suspensiva no tiene el efecto de extinguir una obligación, sino simplemente terminar con una situación de incertidumbre surgida del negocio condicional.

Por todo lo que hemos expuesto hasta este momento en el curso de nuestro trabajo, consideramos que, desde un punto de vista de técnica jurídica, la única solución aceptable doctrinalmente es la que afirma que, una vez realizado un negocio jurídico condicional, éste existe, pero que aún no se han producido sus efectos propios, o sea, no han surgido todavía de él de manera perfecta los derechos y las obligaciones que le son propios, existen tan sólo, por una parte, una expectativa, y por otra, un derecho actual, radicalmente distinto de aquél que constituye el objeto normal del acto jurídico, tendiente a proteger la expectativa.

V. DERECHO MEXICANO

En forma clara, que no admite lugar a duda, en nuestro artículo 1939, se afirma que la condición es suspensiva cuando de su cumplimiento depende la existencia de la obligación,[109] y en consecuencia con esta disposición, la doctrina ha venido sosteniendo que, hasta el momento en que la condición se cumple, solamente existe una esperanza de obligación, o con menor severidad y mayor acierto, como lo hace Borja Soriano, que hasta que se verifica el acontecimiento futuro e incierto al que se ha subordinado la obligación, esta no existe de una manera perfecta,[110] y que si bien el acreedor tiene más que una esperanza, es decir, tiene un derecho, este no es más que un derecho condicional, o bien, un derecho al derecho. La exposición de motivos del Código de 1870 acepta esta última opinión cuando afirma:

> Lo dispuesto en el artículo 1454 (semejante al artículo 1338 del Código de 1884, y con el cual concuerda la segunda parte del artículo 1942 del Código de 1928), se funda en que si bien es cierto que antes de cumplirse la condición, no se puede decir propiamente obligado el deudor, también lo es que mientras hay esperanza de que la condición se cumpla, existe por lo menos un principio de obligación por parte del deudor, que consiste en la guarda y conservación de la cosa para poderla entregar, llegado el caso. Este principio de obligación supone necesariamente en el acreedor el derecho que le concede dicho artículo.[111]

El antecedente inmediato de nuestro artículo 1939 que, como hemos dicho, se encuentra en el proyecto franco italiano, refuerza esta opinión y las ideas de Colin y Capitant que antes hemos transcrito y que explican el pensamiento de los redactores de nuestro código. Manuel Borja Soriano,[112] Manuel Gual Vidal,[113] Benjamín Flores Barroeta y Rafael Rojina Villegas,[114] entre otros tratadistas mexicanos, sostienen la opinión manifestada.

Frente al texto de la disposición 1939 y a la doctrina sucintamente expuesta en las líneas precedentes, y ampliamente tratada en el Capítulo III de nuestro trabajo, se ha desarrollado recientemente una opinión desfavorable a la tesis de quienes piensan que la condición suspensiva impide el nacimiento perfecto de la obligación condicionada, y al texto mismo del Código civil, sosteniendo las ideas expuestas en el capítulo IV de este trabajo, y en consecuencia que la condición suspensiva no impide la existencia inmediata de la obligación sino sólo su eficacia o exigibilidad, definiendo en consecuencia la condición suspensiva como "el acontecimiento futuro de realización incierta del cual depende la eficacia o exigibilidad de la obligación".[115]

Ernesto Gutiérrez y González, autor de la definición ya citada, asienta en su *Derecho de las obligaciones* los siguientes conceptos que fundan su definición: "este concepto difiere del clásico y de lo establecido en el código, pues se afirma que la condición suspensiva impide sólo la exigibilidad de la obligación, y el concepto clásico establece que se impide el nacimiento del derecho de crédito, lo cual es una diferencia de esencia entre ambos conceptos".[116] Y añade más adelante: "es de gran importancia y trascendencia jurídica determinar si la condición suspensiva suspende la existencia o sólo la eficacia de la obligación, pues según se adopte una u otra postura, se obtendrán resultados jurídicos diversos".[117]

Gutiérrez y González, después de exponer las opiniones de Ortolán, Pothier y Planiol, a las que llama clásicas, afirma lo siguiente: "por mi parte sostengo, siguiendo las ideas de Enneccerus y Kelsen, confirmadas por argumentos personales para el derecho mexicano, que la obligación sujeta a condición suspensiva ya nació y existe como cualquiera otra obligación, no sujeta a modalidad, con la variante de que está en suspenso su exigibilidad".[118]

Ya hemos expresado anteriormente que consideramos poco afortunadas las opiniones de Kelsen, y que estimamos que la opinión de Enneccerus es sustancialmente distinta de la del profesor austriaco, por lo que resulta inútil referirnos a esas opiniones en este lugar, en el que sólo nos ocupamos de los argumentos que para el derecho mexicano ha esgrimido el profesor Gutiérrez y González.

Estima Gutiérrez y González que existe una contradicción irreductible entre los artículos 1939 y 1942, pues el primero determina que la condición suspensiva suspende el nacimiento de la obligación, en tanto que el segundo dispone: "En tanto que la condición no se cumpla, el deudor debe abstenerse de todo acto que impida que la obligación pueda cumplirse en su oportunidad. El acreedor puede, antes de que la condición se cumpla, ejercitar todos los actos conservatorios de su derecho", y agrega: "¿cómo es posible que, si la obligación conforme al artículo 1939 aún no existe, el acreedor puede, antes que la condición se cumpla, ejercitar actos conservatorios de su derecho?".

Más adelante, menciona: "o no es posible ejercitar actos conservatorios de un derecho que aún no nace y está equivocado el artículo 1942, o el artículo 1939 es el equivocado y el derecho ya nació junto con la obligación. Sin duda que el correcto es el 1942 y el equivocado el 1939". Y después: "pero además, ¿por qué el 1942 establece que el deudor está en la necesidad de abstenerse de todo acto que impida que la obligación pueda cumplirse en su oportunidad, y no estipula que la obligación pueda nacer en su oportunidad? Porque eso sería lo congruente con el sistema de que la condición suspende el nacimiento".[119]

A la primera de las interrogaciones de Gutiérrez y González podríamos contestar transcribiendo los argumentos sostenidos por quienes explican la protección al derecho eventual, o expectativa, del acreedor condicional, los cuales hemos expuesto en líneas anteriores, y a las que nos remitimos, subrayando tan sólo que no es necesario admitir la existencia de la obligación condicionada "como cualquiera otra no sujeta a modalidad" para justificar el otorgamiento que la ley hace al acreedor condicional de la posibilidad de efectuar actos conservatorios, pues los derechos conservatorios encuentran su causa eficiente en el contrato, que como se afirma existe aun cuando la obligación condicionada no haya surgido aún. Aunque la obligación no exista de manera perfecta, hay la posibilidad de que llegue a existir, existe un principio de obligación, que el derecho no puede dejar de proteger y por eso otorga al acreedor condicional los medios necesarios para hacerlo.

La doctrina italiana encuentra el fundamento de lo antes expuesto en lo que denomina "deber de corrección", el cual, en palabras de Betti, "supone una actitud de consideración hacia los intereses ajenos y consiste, propiamente, en la abstención de actos que puedan ocasionarles daño o perturbación".[120] Insistimos una vez más en que los derechos y obligaciones que nacen para quienes realizan un acto condicional, antes de que se cumpla la condición, tienen un contenido diverso al de la obligación condicionada, que configura el contenido propio del negocio. Así, por ejemplo, en un contrato de compraventa que se hubiera celebrado condicionando sus efectos, el vendedor no tendría ninguna de las obligaciones típicas de dicho contrato y especialmente no se habría transmitido la propiedad, ni se habría adquirido la obligación de entregar la cosa vendida, sino condicionalmente, esto es, sujetas a la realización del acontecimiento futuro e incierto estipulado como condición. Mientras la condición no se hubiere cumplido, el propietario de la cosa seguiría siendo el vendedor, aun cuando si se cumple la condición, en función del efecto retroactivo, se reputará dueño al comprador desde el momento en que se concertó el contrato. Mientras no se cumpla la condición, el comprador condicional podrá ejercer los actos conservatorios tendientes a impedir que, una vez realizada la condición, el vendedor esté imposibilitado de cumplir con sus obligaciones. Las obligaciones típicas del vendedor, las cuales quedan condicionadas, serán de dar, en tanto que el contenido de la obligación "de corrección", que le impedirá efectuar actos que puedan perjudicar al comprador, será de no hacer. Del ejemplo puesto se desprende que el contenido de las obligaciones condicionales, y de las que nacen de inmediato para impedir que los acreedores condicionales se vean defraudados, son de contenido radicalmente diverso.

Por lo que hace a la segunda de las interrogaciones de Gutiérrez y González, debemos aclarar que el artículo 1942 de nuestro código habla de que el deudor debe abstenerse de todo acto que impida que la obligación pueda cumplirse en su oportunidad y no menciona que el deudor debe abstenerse de todo acto que impida que la obligación pueda nacer, porque precisamente lo que trata de garantizar al acreedor es el cumplimiento de la obligación y no el nacimiento de la misma.[XLVI]

En efecto, el nacimiento de la obligación se producirá fatalmente en el momento en que se cumpla la condición, y si el deudor impide voluntariamente que esta llegue a efectuarse, la condición se tendrá por cumplida según dispone el artículo 1945 del Código; en consecuencia, no es de temerse que el deudor realice actos tendientes al no cumpli-

---

[XLVI]   Según Fausto Rico, el acreedor y deudor no pueden unilateralmente desligarse de la obligación, aun cuando no se haya verificado la realización de la condición, ya que se atentaría contra el derecho potencial del acreedor. (*Tratado Teórico-práctico de derecho de obligaciones*, México, Porrúa, 2015).

miento de la condición, y consecuentemente al no nacimiento de la obligación, y en el supuesto que llegare a realizarlos, su conducta estará sancionada de la manera prevista en el artículo 1945. Lo que representa un peligro para el acreedor condicional, es que su deudor realice actos que impidan el cumplimiento de la obligación una vez que esta haya nacido, o sea, después de haberse realizado la condición. De poco serviría al acreedor tener un deudor si el cumplimiento de la obligación es imposible.

A nuestro juicio no existe contradicción alguna entre los artículos 1939 y 1942: uno determina con claridad la situación de la obligación condicionada y el otro establece los medios para que el acreedor condicional pueda asegurar su expectativa y no se vea defraudado una vez que se realice el hecho condicionante de la obligación.

Un segundo argumento aducido por Gutiérrez y González para impugnar la tesis que sostenemos, consiste en afirmar que el Código de 1928 suprimió de su el artículo 1339 del Código de 1884, que preceptuaba que el deudor podría repetir lo que hubiere pagado durante la pendencia de la condición, considerando que la razón del legislador para suprimir esa norma fue el que "se dio cuenta de que pagar una deuda sujeta a condición suspensiva, no es un pago sin causa, puesto que la obligación existe".[121]

No compartimos la crítica expresada ya que consideramos ciertamente que el que cumple antes de que se realice la condición con la prestación a la que se ha obligado condicionalmente, realiza un pago de lo indebido, y por lo mismo puede exigir le devolución de lo entregado. Aun cuando nuestro código no haya reproducido lo dispuesto al respecto en el texto del artículo 1339 del de 1884, que regulaba expresamente la situación, podemos sin duda alguna afirmar, con Borja Soriano, que: "el caso de que tratamos está comprendido en el artículo 1883 del Código de 1928, según el cual: cuando se reciba alguna cosa que no se tenía derecho a exigir y que por error ha sido indebidamente pagada, se tiene obligación de restituirla".[122] Según nuestro criterio, el Código no reprodujo el texto del artículo 1939 del ordenamiento civil de 1884 para evitar una repetición inútil, puesto que de nada serviría afirmar expresamente que el deudor puede repetir lo que hubiere pagado antes del cumplimiento de la condición, si se ha establecido en forma general que cuando se reciba alguna cosa que no se tenía derecho de exigir, y que por error ha sido indebidamente pagada, se tiene la obligación de restituirla.

Indudablemente en el caso que estudiamos, el deudor condicional entrega por error al presunto acreedor algo que no tenía derecho a exigir, pues mientras no se cumpla la condición, no ha nacido aún en forma perfecta la obligación. Lo que se diga sobre un germen de derecho, una expectativa o un derecho eventual no debe enturbiar la percepción de la substancia del fenómeno. Mientras no se cumpla la condición, no se es acreedor a que se solvente la obligación, y no existiendo un crédito no podrá pagarse válidamente. La obligación eventual no puede servir de causa eficiente al pago, porque como hemos visto, no es más que un principio de obligación que debe ser considerada, en cuanto a su alcance y contenido, por las menciones que a ella hace la ley sin que, como es lógico, exista precepto legal alguno que considere válido el cumplimiento de una obligación condicional. Nuestra opinión es congruente con la doctrina que se ha ocupado del caso, y a la que nos hemos referido antes.[123]

Gutiérrez y González hace notar que nuestro ordenamiento emplea en ocasiones términos que parecen contradictorios con el texto del artículo 1939, así en el artículo 1942 habla de "acreedor y deudor" refiriéndose a la deuda condicional, en el artículo 1947, al regular la consecuencia de una obligación contraída bajo la condición de que un acontecimiento no se verifique en un tiempo fijo, afirma que esta será exigible si pasa el tiempo sin verificarse, y así mismo en el artículo 1948, que cuando las obligaciones se hayan contraído bajo condición suspensiva, y pendiente esta, se perdiere, deteriorare el bien objeto del contrato, si la cosa se perdiere sin culpa del deudor, "quedará extinguida" la obligación, y si se deterioró por su culpa, el acreedor podrá optar entre la "resolución" de la obligación, o su "cumplimiento", con la indemnización de los daños y perjuicios en ambos casos.

Pensamos que cuando se afirma que la obligación condicionada quedará extinguida si la cosa se pierde sin culpa del deudor, se refiere a la obligación eventual, al principio de obligación, a la expectativa que surge con motivo del negocio jurídico concertado bajo condición suspensiva. Y que cuando hace mención de la posibilidad de exigir el cumplimiento de la obligación (tanto en el artículo 1947 como en la fracción IV del 1948), lo hace considerando que, una vez que nace la obligación, la consecuencia inmediata es su exigibilidad, ya que en ese momento nada se interpondrá para hacerla efectiva. Es cierto que el legislador no hace en los textos citados una mención expresa de todos los pasos que técnicamente son necesarios para la exigibilidad, pero no está obligado a hacerlo, pues un ordenamiento jurídico no es un tratado de derecho, en un código no hay necesidad de referirse a cuestiones que quedan a la doctrina, y el intérprete debe aplicar los textos no con un criterio puramente gramatical, sino haciendo una interpretación jurídica.

Juzgamos que para poder desentrañar el sentido de los artículos 1942, 1947 y 1948, hay que realizar una interpretación sistemática, relacionando el texto por interpretar con otras disposiciones legales relativas al mismo objeto, debiéndose suponer que todas estas disposiciones deben ser coherentes.[124] Por otro lado, los antecedentes de nuestro Código no dan lugar a duda sobre el tema que comentamos.

Una última objeción del profesor Gutiérrez y González a la tesis que hemos venido sosteniendo es la derivada de lo dispuesto en el artículo 2216, que determina: "aun cuando la obligación anterior esté subordinada a una condición suspensiva, solamente quedará la novación dependiente del cumplimiento de aquélla, si así se hubiere estipulado".

La novación, señala Gutiérrez y González, es una forma de extinguir obligaciones que precisa como elementos la existencia de una obligación, una obligación nueva, una diferencia esencial entre la primera y segunda obligaciones, y el *animus novandi*. Este autor se pregunta: ¿cómo iba a poderse novar una obligación que aún no ha nacido si se aplica el criterio del artículo 1939?

Creemos que cuando nuestra ley civil exige para la novación la existencia de una obligación, no requiere que esta sea pura y simple, sino que puede considerarse como tal a la obligación, aun cuando no sea perfecta, aun cuando tenga el carácter de eventual o condicional, de una mera expectativa.[XLVII]

Como hemos establecido anteriormente, del negocio jurídico sujeto a condición se produce un principio de obligación, además de derechos

---

XLVII   Artículo 2217.- "Si la primera obligación se hubiere extinguido al tiempo en que se contrajere la segunda quedara la novación sin efecto. En este sentido si no había nacido la obligación original, tampoco ha lugar la novación".

y obligaciones que, aunque distintas de la condicionada, representan créditos y deudas a cargo de quienes las han concertado. Al novarse la obligación condicional, de acuerdo con la doctrina de nuestro Código, se extinguen los derechos eventuales y asimismo los derechos existentes tendientes a garantizar los derechos del acreedor condicional, con lo que se cumple el requisito señalado por el artículo 2213.

Por otra parte, como también ya hemos explicado, la expectativa que surge del negocio condicional tiene un valor patrimonial, y esto justifica la posibilidad de que se la considere para ser sustituida por una nueva, aun cuando esta última no tenga el carácter de condicional.

Así, por ejemplo, si me he obligado a pagar $100,000.00 en el caso de que mañana llueva, y estando en época de lluvias considero probable el que la condición se cumpla, puedo perfectamente interesarme en la posibilidad de cambiar mi obligación condicional por la de pagar hoy $10,000.00 sin que mi nueva obligación quede sujeta a ninguna modalidad. El interés que tengo como deudor y el que puede tener mi acreedor son manifiestos. No habría obstáculo lógico para la novación y por esto es que el derecho acepta la norma de la lógica.

Sólo nos queda hacer mención de la utilidad práctica que el profesor Gutiérrez y González encuentra a su teoría, afirmando lo siguiente: "utilidad práctica de que la condición suspensiva suspenda la exigibilidad, no el nacimiento de la obligación".

Y más adelante:

Todo lo expuesto en el apartado anterior quedaría en mera especulación de laboratorio jurídico, si no tuviera reflejos en la vida práctica. Por ello, apunto algunos de los ángulos verdaderamente prácticos de esta tesis:
a) Suponiendo un contrato de compraventa sujeto a condición suspensiva, si se aplica el criterio equivocado de que la obligación no ha nacido, resultará que si el "deudor" dispone de la cosa vendida antes de que se realice la condición, quedará sujeto para con el acreedor-comprador, sólo al pago de daños y perjuicios si es que la condición se cumple. Pero no se le puede exigir nada más, pues dispuso de la cosa antes de que la obligación de transmitir la cosa hubiere nacido; dispuso de lo que aún era suyo.
En cambio, si se considera que la obligación ya nació y sólo no es exigible, las consecuencias son otras: si el deudor dispone de la cosa antes de que la condición se cumpla, y esta se realiza, como ya la obligación había nacido, el deudor dispuso de cosa ajena, pues ella ya era del comprador, sólo que aún no tenía derecho a que se le entregara. En este caso el acreedor podrá ejercitar:
1. Su acción reivindicatoria, para recuperar la cosa de cualquier detentador.

2. Pedir la nulidad de la enajenación que hubiere hecho su deudor, pues este dispuso de cosa ajena.

3. Acusar al deudor de abuso de confianza, pues la cosa que enajenó ya no era suya; era un simple depositario de la cosa.

Véase esto en un ejemplo: Juan vende a Pedro su casa, pero se sujeta la operación a la condición suspensiva de que para el día último del año llueva. Antes de que llegue el día último del año, Juan ignorando la operación que celebró con Pedro, vende la casa a Jorge. Llega el día último del año y llueve, realizándose así la condición, que permite a Pedro exigir su obligación, o según la tesis clásica, que hace nacer la obligación. ¿Conforme al criterio clásico qué derecho tiene Pedro? Tiene sólo el derecho a pedir de Juan una indemnización por daños y perjuicios, ya que, ante el hecho ilícito de este de haber vendido la casa, no podrá exigirle el cumplimiento del contrato, pues ya la cosa no está en el patrimonio de Juan; tampoco podrá ejercitar la acción pauliana, ni los demás derechos que se apuntaron para la víctima del hecho ilícito. Tiene sólo el derecho a pedir de Juan la indemnización por daños y perjuicios, pues evitó que la obligación se cumpliera en su oportunidad, pero la venta que hizo a Jorge es perfecta, pues le vendió una casa que era de él, ya que no estaba aún obligado respecto de Pedro, pues al estar sujeta a condición suspensiva su obligación, todavía no nacía. En cambio, si se aplica el criterio correcto, resulta que al llegar el día último del año y llover, Pedro podrá exigir a Juan la entrega de la cosa, y este al no poderlo hacer, Pedro ejercitará una acción de nulidad para destruir el acto de venta a Jorge, ya que se le vendió cosa ajena propiedad de Pedro; podrá también ejercitar la acción reivindicatoria, y privar a Jorge de la cosa, el cual a su vez intentará el saneamiento por evicción frente a Juan o, finalmente, Pedro podrá acusar en la vía penal a Juan de abuso de confianza, porque dispuso de una cosa ajena de la cual tenía la custodia pero no la disposición. Con esto se percatará el lector de la trascendencia de aplicar correctamente esta tesis, pues no se reduce a un mero problema académico.

b) También tiene gran importancia en el caso de riesgos, y con relación a los contratos traslativos de dominio, pues si un contrato de este tipo se sujeta a condición y la cosa perece antes de que esta se cumpla, si se aplica la idea clásica, la cosa perecerá para el que debe trasmitir el dominio, y en cambio si se aplica la tesis correcta, la cosa perecerá para el adquirente si la condición se cumple.

Queremos observar que en el ejemplo trascrito aparentemente se olvida que el principio de la retroactividad de las condiciones se encuentra expresamente establecido por nuestro derecho y que, por lo mismo, no tiene relevancia el que se considere que del acto jurídico condicional nace sólo una esperanza de obligación, un derecho eventual, o bien, una obligación no exigible, ya que en todos los casos el resultado será idéntico, debiendo estimarse, una vez cumplida la condición, que la obligación nació y produjo efectos desde el momento en que se realizó el acto jurídico que le dio origen. En consecuencia, si la condición se cumple, sea cual sea la tesis que se acepte, deberá estimarse que en el ejemplo propuesto se vendió cosa ajena y que el que compró en primer término, aun cuando la venta sea condicional, podrá ejercer las acciones y hacer valer los derechos que señala Gutiérrez y González.

No hay que perder de vista que la cuestión que nos ocupa sólo debe plantearse suponiendo que la condición está pendiente de cumplimiento, y si ésta ha sido la hipótesis que se ha planteado en el ejemplo, éste resulta también poco feliz, puesto que de ser exacto se demostraría más de lo sostenido en teoría, ya que se demostraría no sólo que *pendente condicione* existe la obligación, sino que ésta produce efectos. Debe tenerse presente que la transmisión de la propiedad es un efecto del contrato de compraventa tal y como lo es la obligación de entrega de la cosa vendida, pues ambas circunstancias constituyen el cumplimiento de obligaciones del vendedor, poco importe que en ocasiones la transmisión de la propiedad sea automática, siempre es un efecto del contrato. Resulta pues inexplicable como puede afirmarse en el ejemplo antes transcrito que "como ya la obligación había nacido, el deudor dispuso de cosa ajena pues ella ya era del comprador, sólo que aún no tenía derecho a que se le entregara".

VI. CONCLUSIÓN

De lo que hemos expuesto en el curso de nuestro trabajo, podemos concluir lo siguiente:

1. Si enfocamos la solución a través del negocio jurídico, debemos afirmar que éste existe, aun cuando no produce de momento sus efectos propios, brevemente, no es eficaz.

2. Si se analiza la cuestión desde el punto de la obligación (que es el efecto del negocio jurídico) debe afirmarse que ésta no existe de manera perfecta, sino hasta que se realiza la condición.

3. Borja Soriano, planteándose el problema desde el ángulo de la obligación, sostiene en consecuencia, y con absoluta razón, que ésta no nace de manera perfecta sino hasta que la condición se cumple.

4. Del negocio jurídico condicionado nace un derecho eventual, tal y como lo enseña Borja Soriano, y para proteger este derecho eventual surgen derechos y obligaciones, puras y simples, pero de contenido diverso al de la obligación condicionada, derechos autónomos que encuentran su fuente en el negocio jurídico ya existente.

El contrato atípico: su concepto, clasificación y disciplina jurídica

[Publicado originalmente en *El Foro*, núm. 19, julio-septiembre de 1970.]

I. EL PRINCIPIO DE LA AUTONOMÍA DE LA VOLUNTAD Y EL CONTRATO COMO FUENTE GENERAL DE LAS OBLIGACIONES.

El derecho de las obligaciones, durante el siglo XIX aparece denominado por el principio de la autonomía de la voluntad. Su raíz es de esencia individualista y liberal. Sus ligas con la filosofía del siglo XVIII, y con la teoría política y económica del liberalismo, son manifiestas. La técnica jurídica de esa época construye sus sistemas e instituciones tomando como cimiento la idea de que la voluntad humana, por sí misma y sin necesidad de más elementos, es susceptible de producir efectos de derecho. En el contrato, afirma Planiol, la voluntad de las partes forma la obligación: es la fuerza creadora de ella y quien determina, a la vez, su objeto y su extensión; el legislador no interviene sino para sancionar la obra de las partes, dándole una acción, o para vigilarla, estableciendo límites a su libertad por medio de prohibiciones y de nulidades.[125]

Emmanuel Gounot escribe que "por otra parte, es posible obligarse con quien uno quiere y para todo lo que se quiere; todo lo que se ha querido libremente es justo. Las voluntades que contratan no tienen que plegarse a una justicia superior, sino que ellas mismas crean lo justo. La ley suprema consiste, pues, en que la voluntad de los individuos se cumpla".[126]

El medio que el derecho proporciona para la expresión de la voluntad es el contrato, sus límites se amplían desmesuradamente para dar cabida al mayor número posible de actos voluntarios y sólo la fuerza de los hechos obliga a introducir, como categoría accesoria, la de ciertas obligaciones que sin participar del todo de la naturaleza contractual deben reputarse nacidas *quasi ex contractu.*[XLVIII] La idea del contrato es un concepto omnipresente, mediante ella se explican no sólo ya las realidades del derecho privado sino también las del público. La euforia del contrato conoce, en el siglo XIX, su máximo apogeo.

En los días que vivimos el derecho de las obligaciones corre por otros cauces. Sin haberse abandonado, en principio, la doctrina de la autonomía de la voluntad de su campo de aplicación se ve restringida considerablemente y a través del concepto de orden público el legislador impone, día con día, nuevas limitaciones al ejercicio de la voluntad de los particulares. La perspectiva social del derecho ha sustituido a la concepción individualista.

La técnica adecúa sus sistemas al nuevo concepto filosófico y social, por otra parte, el papel de la voluntad en la producción de derechos y obligaciones ocupa un sitio menos relevante, aunque más sólido. Sólo realizando un supuesto previsto por la ley la voluntad humana puede lograr la producción de efectos de derecho.[127]

Se deslindan los campos, las fuentes de las obligaciones se multiplican y el ámbito del contrato se reduce, se habla frecuentemente de su decadencia, aunque en rigor sólo se contempla un fenómeno de asentamiento en sus justos límites. En contraste con lo que sucede en otras fuentes de las obligaciones,[128] la noción de contrato permanece como un medio general de obligarse, y así quienes desean por mutuo acuerdo producir a su cargo derechos y obligaciones no tienen que ceñirse a los moldes de aquellos tipos especiales que las leyes regulan, sino que pueden libremente pactar y estructurar el contenido de sus convenciones, sin más límites que el orden público.[129] En este sentido puede afirmarse que el enunciado clásico del principio de la autonomía de la voluntad ("todo lo que no está prohibido, está permitido") tiene en el derecho moderno plena vigencia.

En nuestro sistema jurídico, la libertad de contratación abarca tanto la celebración de los contratos (libertad de contratar) como la libre estructuración del contenido de estos (libertad contractual).[130] Se consagra la libertad para otorgar contratos o dejar de hacerlo y se faculta a las partes para que, dentro de los límites señalados por la ley, establezcan

---

[XLVIII] Cuasicontrato.

libremente las cláusulas que han de formar el contenido de sus estipulaciones.

Sentado el supuesto de la libertad en la estructuración de las convenciones nos encontramos ya en el umbral del tema que desarrollaremos esta noche: el contrato atípico, su concepto, clasificación y disciplina jurídica.

II. NOTA HISTÓRICA

Antes de analizar el concepto mismo del contrato atípico, y sin proponernos hacer un estudio detallado de su evolución desde el Derecho romano hasta el moderno, sólo queremos recordar algunos puntos salientes de esta evolución, que sirvan para explicar mejor la posición del problema en nuestros días.

Álvaro d'Ors, ilustre romanista, destaca la notoria diferencia entre la moderna noción del contrato como acuerdo de voluntades sobre una prestación lícita, y el concepto de contrato romano, o mejor, la falta de concepto, ya que para la mentalidad casuística de la jurisprudencia romana de la época clásica no había contrato, sino una serie de distintos contratos, una serie de tipos contractuales específicos cuya teoría general la ciencia jurídica romana nunca se preocupó en construir.[131]

Sin embargo, el problema de las formas contractuales anómalas no fue ignorado por los juristas romanos, los *contractus incerti* o *negotia nova* corresponden, en términos generales, a lo que hoy llamamos contrato atípico. Pero el reconocimiento jurídico de efectos para tales contratos sólo se dio mediante una evolución realizada a través de los años. De un estado en el que se considera que la convención no es un contrato propiamente dicho y que en consecuencia, sólo produce obligación natural, se evoluciona hasta reconocer primero una acción que permitió obtener la devolución de lo entregado cuando no se obtenía la ejecución de la contraprestación (tal es el caso de la *condictio causa data causa non secutia*[XLIX]) después, una condena de daños y perjuicios a través de

---

[XLIX]   Acción por prestación cumplida y ante prestación no observada. Acción para el caso de enriquecimiento proveniente de una prestación realizada en atención a una causa lícita y futura que no ha llegado a cumplirse.

la *Actio Dolo* y por último, mediante la generalización de acciones *in factum*, el otorgamiento de la *Actio Praescriptis Verbis*[L] que permitió exigir el cumplimiento de la obligación.

Es importante resaltar que, dentro del sistema romano, los contratos innominados, para quedar sujetos a la evolución señalada, debieron ser bilaterales, pues sólo con esta idea se explican las acciones concedidas. Álvaro D'Ors afirma que "Postclásica es la formación de la categoría general, Postclásico el empleo de la nueva acción como acción general, y absolutamente espuria es, en todo caso, esa clasificación *do ut des, do ut facias, facio ut des, facio ut Iacias*[LI] que hoy hace las delicias de nuestros estudiantes".[132]

En sus respectivos orígenes, pacto y contrato se distinguen por una diferencia esencial: al paso que el contrato daba lugar a una acción, el pacto sólo producía una excepción. Por eso los romanos pudieron decir que *ex nudo pacto, actio non nacitur*.[LII] Pero pacto y contrato tenían una misma alma: la *conventio*, el *consensus*. Muchos pactos consiguieron pronto fuerza obligante en contra del principio que se las vedaba; tales son los pactos abyectos, pretorios y legítimos que, aun cuando en teoría eran simples excepciones a la regla, en la práctica alcanzaron gran difusión. De esta suerte aun cuando por arcaísmo se mantenía la diferencia entre pactos y contratos, ambas teorías tendieron a confundirse, hasta el punto de que la definición de contrato que nos da Teófilo es, en realidad, traducción de una antigua definición del pacto:

El contrato es el acuerdo y el consentimiento de dos o más personas relativo a un mismo objeto con el fin de crear una obligación y de vincular una persona a otra.

[L]   Acción de palabras prescritas que se concede a la parte que ha cumplido con su prestación contra la otra parte del contrato para tutelar las obligaciones nacidas de los contratos innominados. El objeto de esta acción es reclamar la contraprestación debida o una indemnización.

[LI]   Los contratos innominados, esto es, sin nombre especial, se caracterizaban en la antigua Roma del siguiente modo: "do ut des" (te doy para que me des); "do ut facias" (te doy para que me hagas); "facio ut des" (te hago para que me des), y "facio ut facias" (te hago para que me hagas).

[LII]   Del simple pacto no nace acción.

La doctrina bizantina que reconocía que la voluntad, la convención, era la madre de los contratos, ya en las puertas de la nueva concepción, no supo pasar adelante. Los legistas medievales, apegados a la letra del *Corpus iuris*, tampoco supieron dar un paso decisivo en el proceso de esta evolución. El impulso vino dado por el derecho canónico y por las costumbres mercantiles.[133]

La doctrina canónica proclamaba abiertamente que la infracción de un compromiso contraído constituye un pecado grave y que, por ello, todo pacto produce una acción: la llamada *conditio ex canone*.[LIII] Por otro lado, los usos mercantiles tampoco respetaron la antigua división entre pacto y contrato, atendiendo a la equidad más que a los formalismos del derecho.

Merced a estos dos influjos, la doctrina fue admitiendo la eficacia de todo pacto, de toda convención, su idea parece ya clara en Pothier, de él pasó al Código Napoleón y de este a los nuestros, que como todas las legislaciones modernas, acogen esa noción general del contrato, aunque conserven al lado de ella una serie de figuras contractuales típicas que no son en realidad más que posibles contenidos del contrato genéricamente concebido.[134]

III. EL CONCEPTO DE CONTRATO ATÍPICO

Hecha la introducción histórica, debemos confrontarla con los nombres usuales con los que se designan los contratos que no reciben una regulación legal específica. La expresión "Contrato innominado" usada generalmente por los tratadistas del siglo pasado, y por un buen número de autores contemporáneos, corresponde filológicamente al concepto de contrato sin nombre, lo cual se amolda en el sistema clásico del Derecho romano. No quiere esto decir que quienes emplean el término aludido acepten esta liga, pues bien aclaran que el concepto moderno de contrato innominado desborda su acepción gramatical y debe entenderse, jurídicamente, como aquel contrato que no encuentra una reglamentación expresa en el derecho positivo. Con esta idea corresponde el concepto de contrato innominado aun a aquellos contratos que, teniendo un nombre, no encuentran regulación legislativa. El *nomen iuris* no es determinante,

---

[LIII]　　Requisito establecido en él.

el concepto no está vinculado con él, sino con la reglamentación legal. Así, las arras, la anticresis, la enfiteusis, etcétera, aun cuando tienen un nombre por el hecho de no estar reguladas por nuestras leyes vigentes, deben ser considerados como innominados. Puede darse el fenómeno contrario, es decir, el de contratos regulados que no reciban *nomen iuris*. La discordancia entre la connotación gramatical y la jurídica que se observa en la expresión tradicional ha llevado a un buen número de autores modernos a abandonar el término y a sustituirlo por el de "contrato atípico"; esta expresión, aun cuando es más certera que la de innominado, tampoco satisface plenamente, a nuestro juicio, las exigencias de una expresión correcta. Aun cuando a primera vista pueden aparecer como sinónimos los términos contrato atípico y contrato no regulado, estimamos que no lo son, pues la determinación tipo, la tipificación legal, sólo implica la fijación de elementos, la determinación del concepto, pero no su reglamentación. Podemos perfectamente concebir la existencia de un contrato respecto del cual la ley precise sus elementos, determine su concepto, pero no establezca su régimen jurídico. Podríamos decir de él que es un contrato típico, pero no regulado.

No obstante lo anterior, como al definir al contrato atípico los autores que emplean el término precisan claramente su concepto como no regulado, juzgamos sin mayor trascendencia el problema del nombre y pensamos que, precisada claramente su connotación jurídica, podemos sin reserva emplear los términos contrato innominado, contrato atípico y contrato no regulado, como expresiones jurídicamente sinónimas.

Lo importante, lo fundamental, es precisar el concepto, la denominación es secundaria. En un sentido genérico (pues más adelante veremos cómo en el ámbito de los contratos atípicos hay lugar para distinciones) podemos decir con Messineo[135] que el contrato atípico o innominado "es aquel para el cual la ley (código o leyes complementarias) no ha predispuesto una particular disciplina jurídica".

IV. LOS LÍMITES DE CONTRATO ATÍPICO

Definido el concepto, nos falta precisar su campo. No faltan autores que, como Dualde[136] y Fubini,[137] amplían el ámbito de los contratos innominados en proporciones desorbitadas. Observando Fubini que pocos son los contratos que presentan todos los caracteres del contrato tipo, y que en mayor o menor medida todos o casi todos se desvían de él, concluye que el problema del contrato atípico puede extenderse a la disciplina de casi todos los contratos. Los fines prácticos, empíricos, perseguidos por las partes difícilmente se adecúan a los modelos especiales que para los contratos típicos señala la ley. Joaquín Dualde, por su parte, resalta el hecho irrefutable de que las fronteras existentes entre los diversos contratos previstos por la ley resultan en ocasiones desdibujadas, y que al intérprete se presenta con frecuencia el problema de ubicar correctamente dentro del molde legal un determinado contrato. Partiendo de estos datos, Dualde nos habla de materia contractual única y de una génesis de los contratos lograda mediante el desarrollo y modificación de algunos tipos originarios. De tal planeamiento, el profesor español deriva la conclusión de que el régimen de un cierto contrato no puede quedar reducido a las normas que para el mismo dicta la ley, sino que en todo caso han de aplicarse, en mayor o menor medida las reglas de otros varios.

Más claras y definidas nos parecen las orientaciones de Francesco Messineo. Para este autor, "puede darse el caso que, al lado de una prestación que caracteriza a un contrato nominado, se encuentre (al mismo tiempo) un elemento contractual, que, perteneciendo a otra figura contractual, también nominada, quede como absorbido por el primero y por lo mismo no pueda ser elemento característico. Aquí el contrato no deja de ser nominado, el elemento adicionado no ejercita ninguna influencia modificadora; el tipo queda fundamental sin cambio".[138]

No dudamos en suscribir las ideas de Messineo que colocan, a nuestro juicio, problema del contrato atípico en sus justos límites, respetan la seguridad contractual y otorgan un sentido a las distinciones del legislador al regular los diversos tipos contractuales.

Hemos ya definido y limitado el concepto jurídico de contrato innominado o atípico, y en relación con su concepto no nos queda sino determinar un dato, que sin ser de suyo estrictamente jurídico sí tiene influencia en el establecimiento de su normativa: la tipicidad social.

V. LA TIPICIDAD SOCIAL

Emilio Betti[139] distingue entre "tipicidad legislativa", que es aquella que tiene por base una esquematización fijada mediante calificaciones técnico-legislativas y es individualizada por la obra de la legislación, y de otro lado la "tipicidad social", que es aquella que tiene por base las concepciones dominantes en la conciencia social de la época en los varios campos de la economía, de la técnica y de la moral, y es individualizada por la obra de la doctrina.

Messineo[140] añade que la tipicidad social puede ser individualizada también por la jurisprudencia, a lo cual agrega Jordano[141] que también puede serlo por la costumbre (usos sociales o jurídicos). Pero es evidente que estamos ya en un plano extralegal. Para determinar si un cierto acto constituye un contrato típico o atípico sólo debemos considerar la tipicidad legislativa y no la social, esta representará utilidad para el jurista solamente cuando se trate de determinar, en ciertos casos, el régimen jurídico del contrato atípico.

VI. CLASES DE CONTRATOS ATÍPICOS

Dentro de los contratos que no tienen una especial reglamentación en la ley, podemos distinguir varias hipótesis.

Messina[142] y Rubino[143] señalan como una primera categoría la de los contratos atípicos puros, en ella caben aquellos contratos que presentan un contenido absolutamente original que no puede considerarse como una desviación de algún contrato típico. La tipicidad sería completa.

Fubini[144] y Planiol[145] declaran que a su entender no podía presentarse ningún contrato de esta clase, porque se necesitaría imaginar un negocio cuyo contenido cayese fuera de la vida real, o bien pensar en un negocio puramente formal. Aceptando la dificultad señalada por estos autores creemos que debe admitirse esta clasificación, al menos como criterio conceptual.

El propio Messina propone como un segundo grupo el de aquellos contratos, que sin ser típicos presentan semejanza con algún otro que sí recibe una regulación legal. Tal es el caso de aquellos contratos que, separándose sustancialmente de un determinado tipo, constituyen un contrato autónomo, pero que por su origen presentan semejanza sólo con el tipo que les sirve de antecedente.

Por último, una tercera categoría estaría constituida por aquellos contratos atípicos que toman sus elementos de diversos tipos regulados por la ley. Aquí nos encontramos ante el caso de los contratos llamados mixtos. Esta terminología es generalmente aceptada, aunque no faltan notables disensiones como las de Fubini[146] y Betti.[147]

Mario Rotondi define el contrato mixto como aquel que "resulta de la combinación de elementos propios de otros contratos ya disciplinados, a cuyas normas puede recurrirse".[148] Rubino lo define como "contratos unitarios derivados de la combinación de varias prestaciones disciplinadas por la ley pero bajo tipos diversos, o de prestaciones legales y extralegales y probablemente también de solas prestaciones extralegales, teniendo cada una, empero, virtud denotativa del tipo";[149] y Antonio Aguilar Gutiérrez, uno de nuestros mejores tratadistas, lo define como "aquel contrato unitario formado de la combinación de elementos o prestaciones típicas de diversos contratos nominados, y que se caracterizan por perseguir una finalidad económica-jurídica diversa de la perseguida por estos contratos".[150]

De los conceptos mencionadas debemos destacar los siguientes conceptos: 1. El contrato mixto es un contrato unitario.[151] Esto lo distingue de las uniones de contratos minuciosamente analizadas por Enneccerus y estudiadas por nuestros tratadistas; y 2. el contrato mixto es una especie de los contratos atípicos. Aunque algunos autores como De Gennaro[152] los considera como *tertium genus*[LIV] entre los nominados y los innominados, creemos con Cariota Ferrara[153] que esto no cabe. Tampoco tiene sentido, a nuestro juicio, afirmar que los contratos mixtos pueden ser típicos, pues en este caso no presentaría ninguna utilidad el concepto. La razón de ser del análisis del contrato mixto es determinar su régimen jurídico, y si este está ya dado por la ley la razón carece de valor.

De Gennaro,[154] Schreiber y Enneccerus subdividen a su vez el contrato mixto en diferentes clases. Entre estas divisiones se encuentran particularmente difundidas en nuestro medio las de Enneccerus, que

---

LIV   Denominación que se aplica para caracterizar una posición distinta entre dos clásicas y, al parecer, irreducibles o únicas.

no analizaremos esta noche por pensar, con Fubini,[155] que este estudio analítico (más formal que de fondo) produce confusión más que ventaja. Una vez precisadas las clases del contrato innominado pasemos a analizar su regulación.

VII. EL RÉGIMEN JURÍDICO DE LOS CONTRATOS ATÍPICOS

La regulación del contrato atípico se encuentra establecido en nuestro derecho positivo por un solo artículo, el 1858, que ordena: "Los contratos que no están especialmente reglamentados en este código, se regirán por las reglas generales de los contratos, por las estipulaciones de las partes y, en lo que fueren omisas, por las disposiciones del contrato con el que tengan más analogía de los reglamentados en este ordenamiento".

El origen de este precepto es difícil de determinar con absoluta certeza. Nuestros códigos de 1870 y 1884 no contenían un artículo semejante, e Ignacio García Téllez en sus concordancias se limita a expresar que es nuevo, sin aclarar su origen. Colocándonos en el terreno de las conjeturas, nos parece acertada la hipótesis de Antonio Aguilar Gutiérrez,[156] según la cual nuestros legisladores de 1928 se inspiraron al elaborar el artículo 1858 en un texto de Manuel Mateos Alarcón, según el cual:

> Los contratos nominados se rigen por las reglas especiales que les consagra la ley y por los principios comunes a todos los contratos; y que los llamados innominados se rigen por las cláusulas y condiciones que de común acuerdo se imponen los contratantes y en su defecto, por las reglas comunes a todos los contratos y por las de los nominados con las cuales tengan mayor analogía, por cuyo motivo el mismo código no sanciona expresamente la distinción de que nos hemos ocupado.[157]

Existe entre ambos textos una innegable coincidencia, con la salvedad anotada por el propio Aguilar Gutiérrez en el sentido de que, a diferencia de la legislación civil, que remite en primer lugar a las reglas generales de los contratos y sólo después a las estipulaciones de las partes, el autor que citamos da la preeminencia a la voluntad de los otorgantes.

El párrafo de Mateos Alarcón reviste importancia por su singularidad, ya que otros autores de la época como Francisco de P. Segura y Esteban Calva en sus *Instituciones de Derecho Civil* se limitan a observar de una manera muy superficial el problema, asentando que las leyes españolas siguieron en la división y nomenclatura de los contratos a la legislación romana y de aquí el que se distinguiese entre contratos nominados e innominados, explicando a continuación que dicha clasificación es insubsistente y, sin ahondar más en ella, la consideran como algo simplemente ingenioso.[158]

El precepto de nuestro Código civil reviste claridad gramatical y lógica, y su interpretación debe considerarse sólo en el punto de determinar su aplicación a las diferentes clases de contratos innominados. Analicemos a continuación este problema.

a) Régimen jurídico de los contratos atípicos puros. Para este tipo de contratos, de acuerdo con el mencionado artículo 1858 del Código civil, el orden normativo será el siguiente: l. Las reglas generales de los contratos establecidas en el libro cuarto de nuestro Código civil. 2. La autorregulación de intereses establecida por las partes, dentro de los límites del orden público fijados por la ley. Esta posibilidad legal de la autodisciplina resolverá en muchos casos, por sí sola, la normación del contrato atípico; 3. En todo aquello que no haya sido previsto por las partes los contratos atípicos con tipicidad social, se regirán por las normas o criterios sentados por los usos, jurisprudencia, o doctrina y, para aquellos que no la tienen, o que teniéndola esta es deficiente, debe seguirse para su regulación el criterio de la analogía *iuris*, extrayendo la normación del grupo o familia de contratos típicos más afín al contrato de que se trate, siempre que dicha disciplina sea apropiada a su naturaleza y no le repugne. Suponiendo que el contrato atípico no tenga semejanza directa con ninguno de los reglamentados en la ley no será aplicable al caso el tercer párrafo del artículo 1858 y sólo podrá ser buscada una analogía *iuris*, como hemos señalado.

b) Régimen jurídico de los contratos atípicos impropios. Dentro del grupo de los contratos atípicos impropios debemos hacer una distinción, considerar primero aquellos que sólo guardan semejanza con un contrato regulado, y después a los contratos mixtos. Tratándose del primer grupo tendrán plena vigencia las disposiciones del artículo 1858 y en consecuencia se aplicarán los criterios antes señalados, con la particularidad de que con prioridad a la analogía *iuris* se deberá proceder a buscar la norma aplicable usando el procedimiento de la analogía *legis* o directa, es decir, procurando construir la disciplina del contrato acudiendo a la de aquella figura contractual más semejante. Sólo en segundo término habrá de recurrirse a la analogía *iuris*.

Sobre las reglas antes señaladas parece haber consenso en la doctrina, pero donde surge la discusión es a propósito del segundo grupo que hemos señalado, es decir, de los contratos atípicos impropios de carácter mixto. A tal punto es debatible esta materia que un buen número de autores prefiere no tomar partido en la contienda y abandonar exclusivamente al arbitrio judicial la resolución del problema, sin señalar criterios ni dar orientaciones que sirvan de base para que el juez resuelva esta cuestión. Con buen juicio, Rojina Villegas[159] rechaza esta postura para el derecho mexicano y no dudamos en compartir su tesis.

Desechadas pues estas teorías, analizaremos las principales corrientes doctrinales sobre la materia, que podemos reducir a tres: teoría de la absorción, teoría de la combinación, y teoría de la aplicación analógica.

1. Teoría de absorción. Históricamente ocupa el primer sitio entre las tesis que pretenden determinar la naturaleza legal de los contratos mixtos, la denominada teoría de la absorción. Aunque no recibe una formulación teórica completa sino hasta el año de 1908, en el que Philipp Lotmar[LV] escribe su monografía sobre el contrato de trabajo, puede decirse que este autor no introdujo ningún principio nuevo, sino que sólo dio forma a una tendencia de origen remoto consistente en no reconocer, más que en casos excepcionales, contratos innominados.

Según esta teoría, dado un determinado contrato de contenido complejo, deberá indagarse cuál es el elemento, la prestación prevalente, y cuáles las prestaciones accesorias; hecho lo cual, el contrato entero quedará sujeto a las reglas relativas al tipo legal al que pertenece la prestación principal.

Para esta tesis, como bien destaca De Gennaro,[160] no existen los contratos mixtos. La aplicación del principio nos conduce fuera de su campo manteniéndonos dentro de la esfera de los tipos legales de contrato ya que, añade, si es posible realizar la absorción de una prestación, ello significará que no estamos frente a un contrato mixto, sino a un convenio único y simple, normalmente nominado.

[LV]   El autor no precisó esta cita.

La teoría de la absorción presenta aplicaciones recogidas aún por nuestros legisladores. El artículo 2250 de nuestro código prescribe que: "Si el precio de la cosa vendida se ha de pagar parte en dinero y parte con el valor de otra cosa, el contrato será de venta cuando la parte de numerario sea igual o mayor que la que se pague con el valor de otra cosa. Si la parte en numerario fuere inferior, el contrato será de permuta". En dicho artículo encontramos una clara aceptación de la tesis de la absorción.

Con habilidad, comenta Troplong,[161] dicho artículo, copiado por nuestros códigos sobre la falsilla del Napoleónico sosteniendo la justicia de esta norma, porque en la duda debe hacerse triunfar al contrato más noble. Privilegio éste de la dignidad, como comenta Fubini.[162]

Joaquín Dualde,[163] con claridad, combate la teoría de la absorción a la que considera empírica, afirmando de sus postulados que son: "como si un público compuesto de cien hombres y noventa y nueve mujeres dijéramos es un público compuesto de hombres".

Schreiber considera que la teoría de la absorción es una derivación del error en que incurrieron los escritores de la Edad Media al entender la absorción formal del sistema procesal romano como una absorción material.[164] Duramente criticada por la doctrina la tesis de la absorción, esta ha sido (en el ámbito de la teoría) abandonada por los juristas, pero frecuentemente aplicada en la práctica por quienes procuran soslayar el problema de la regulación de los contratos mixtos.

Federico de Castro escribe:

> Los asesores legales prefieren a la aventura de lo nuevo y desconocido, el logro del fin deseado mediante la inserción de cláusulas, pactos y condiciones que adapten al efecto propuesto una determinada figura de las tipificadas por la ley. Proceder permitido mientras que con él no se extralimite el esquema negocial, y que el resultado práctico perseguido no sea extraño al tenido en cuenta por la ley o contrario a la finalidad de ésta.[165]

Como reacción frente a la tesis de la absorción, surgen las teorías de la combinación y de la aplicación analógica, que examinaremos en seguida.

2. Teoría de la combinación. Conforme a la teoría de la combinación (escribe Aguilar)[166] deberá procederse a la aplicación directa y combinada de las normas legales correspondientes a cada una de las presta-

ciones que integran el contrato mixto. Las normas que regulan todo elemento legal son especiales al mismo elemento, independientemente del contrato nominado en que figuran, de modo que lo siguen, aunque este se separe o se una a los elementos legales de otros contratos. La aplicación de la norma es directa, no analógica.

En la teoría de la combinación se establece, para decirlo en palabras de Messineo,[167] un "alfabeto contractual" y una verdadera "dosificación de normas". La analogía con el procedimiento químico de la descomposición de cuerpos en elementos simples y de la posterior combinación de los diversos elementos hasta dar lugar a cuerpos compuestos es evidente. Para exponer esta teoría, Messineo dice: "Así, por ejemplo, en la compraventa se pueden distinguir los elementos 'precio', 'transferencia de la propiedad', 'obligación de entregar', 'obligación de garantía', etcétera, y a cada uno de estos elementos corresponderán otras tantas normas o grupos de normas separables de las demás". Höeniger, quien se inspira en las teorías de Rümelin, es considerado el iniciador de la doctrina. Él señala agudamente la necesidad de cuidar que:

> las normas que van a combinarse no sean incompatibles unas con otras, advirtiendo que la incompatibilidad surge, frecuentemente, no entre las normas referentes a cada prestación en particular, sino entre las relativas a la naturaleza del contrato entero, es decir, las que versan sobre la formación, validez, nulidad, prescripción, etcétera. Por tanto, como no pueden éstas ser aplicadas a la vez, en caso de conflicto sobre elementos esenciales del contrato [...] debe aplicarse la norma más rigurosa, la que exija formalidades más solemnes, pues debe tenerse en cuenta que, por lo general, el mayor rigor de la norma ha sido establecido por razones de orden público.[168]

La teoría preconizada por Höeniger fue aceptada y matizada, durante la primera mitad del siglo XX, por un buen número de autores alemanes e italianos, entre los que destacan Messina,[169] Cariota Ferrara[170] y, sobre todo, Gino De Gennaro, quien en su conocida obra *Los Contratos Mixtos* y en su posterior monografía sobre "Las Cajas de Seguridad", sostiene con singular acopio de razones el sistema de la combinación. Entre nuestros autores, Antonio Aguilar Gutiérrez, quien sin duda ha elaborado el trabajo más completo y profundo sobre el tema, no vacila en sumarse a los partidarios de esta doctrina, afirmando que es la que "respeta mejor la voluntad de las partes y permite la consideración de los contratos mixtos como integrantes de una categoría de contratos y no como meras especies de contratos innominados".[171]

No obstante, el innegable avance que representa la teoría de la combinación en relación con la de la absorción no han faltado críticas certeras que muestren sus inconvenientes. Fubini, en su estudio publicado el año 1931, refutaba ya la tesis de Höeniger aduciendo que sería demasiado simple entender que la tutela de los contratos mixtos deba decidirse separando los diversos elementos y atribuyendo a cada uno los efectos que para el mismo están establecidos en el correspondiente contrato nominado, haciendo prevalecer unos sobre otros sólo en cuanto pueda surgir conflicto entre ellos. Pocas soluciones aporta esta opinión, que no penetra en la esencia del negocio. Es cierto que la teoría de la combinación respeta en mayor grado la verdadera posición del problema, ya que con ella se trata de mantener la importancia que las partes han atribuido a cada uno de los elementos del contrato, procurando la creación de un todo orgánico. Mas en la práctica también esta doctrina resulta insuficiente, de un lado, por ser imposible la fusión de los singulares elementos en un negocio único; de otro, porque si se quieren aplicar a éste las normas de los contratos particulares, sería imposible afirmar resueltamente la aplicabilidad de tales normas, ya que aún con la limitación de que éstas no se contradigan entre sí, su aplicación material llevaría a desconocer aquello que constituye el negocio complejo, es decir no la pluralidad de contratos, sino el contrato único, con una única finalidad empírica.

En el mismo sentido que Fubini, Isidoro La Lumia pone de relieve la dificultad de aplicar la teoría de la combinación, haciendo notar que se necesitarían fijar las normas que corresponden a las partes especiales de los negocios típicos reconocidos y la ley, agrega, no observa a las partes mismas en sí, es decir aisladamente consideradas, sino en cuanto entran en un todo: el contrato. Por ello, para este autor, siendo los contratos mixtos organismos unitarios, no pueden ser descompuestos en sus elementos, ni aplicarse las normas relativas a cada uno de estos.

Francesco Messineo[172] rechaza la teoría, a la que llama "quimismo contractual", considerándola artificiosa y falaz. La premisa en la que descansa es falsa, dice Messineo, no es verdad que los elementos del contrato nominado estén yuxtapuestos uno al lado del otro, están, al contrario, compenetrados y como soldados uno con otro en unidad orgánica: el contrato no es una suma, es una síntesis. Lo mismo sucede con las normas que regulan al contrato, no se refieren a cada elemento sino al contrato por entero y quedan modificadas por la circunstancia de formar parte de la disciplina de uno o de otro contrato. Así, por ejemplo, el elemento "precio" y las normas relativas al precio son de contenido diverso, según que se trate de compraventa, de contrato estimatorio, de suministro, de reporto, de subarrendamiento, etcétera, y ateniéndose a la teoría de la combinación, al elemento "precio" debería corresponderle siempre, en cualquier contrato, una norma o un grupo de normas de contenido constante.

3. Teoría de la aplicación analógica. Un tercer criterio para establecer el régimen legal de los contratos innominados (menos ambicioso, pero más serio, al decir de Messineo) es el de la aplicación analógica de cada una de las normas particulares relativas al contrato o contratos nominados con los que se manifiesta afín el contrato mixto por disciplinar. No se trata ya, como en la teoría de la combinación, de hacer una aplicación directa de las normas, ni de otorgar autonomía e independencia a las prestaciones reguladas por el derecho positivo a propósito de ciertos contratos. Se trata simplemente de buscar la *ratio iuris* de disposiciones dictadas para un contrato regulado afín. En esta búsqueda ha de tenerse muy presente el fin práctico del contrato mixto para lograr la unidad y vinculación indispensables entre las normas que pretendan aplicársele.

Fue Otto Schreiber quien a principios del presente siglo defendió esta teoría, oponiéndola tanto a la de la absorción preconizada por Lotmar, cuanto a la de la combinación que, unos cuantos años antes, había expuesto Höeniger. Antonio Aguilar Gutiérrez escribe que:

> Schreiber no admite la existencia (presupuesta por la teoría de la combinación) de una relación abstracta entre los varios elementos de hecho regulados por la ley y las normas legales, afirmando que para que estas se apliquen es necesario que aquellas se presenten en la misma reunión orgánica prevista en la ley, y lejos de considerar que los tipos legales de contrato tienen un carácter y un valor abstractos, dice que la ley ha previsto simples ejemplos concretos de contratos y que sus normas son decisiones sólo para casos concretos, no debiendo aplicarse por ende, cuando los casos prácticos no coincidan de manera perfecta, con los tipos previstos por la ley.[173]

Si, pues no existen diferencias entre contratos mixtos e innominados, es claro que a los primeros deben aplicarse también, las normas establecidas en la parte general de las obligaciones, así como aplicarse analógicamente las reglas del tipo legal al que más se asemejen, procurando satisfacer los intereses concretos perseguidos por los particulares y los fines de la ley.

Messineo[174] considera, acertadamente, que cuando se trata de contratos atípicos que tienen sin embargo tipicidad social los usos *praeter legem*,[LVI] deben considerarse para determinar las reglas a que han de sujetarse las partes contratantes. Esta opinión es del todo congruente con la tesis de Schreiber, pues sin duda entre las normas generales de los contratos está el que obliga como lo establece el artículo 1796 de nuestro código, no sólo a lo expresamente pactado, sino también a las consecuencias que, según su naturaleza, son conforme a la buena fe, al uso o a la ley.

La teoría de la aplicación a la lógica ha logrado la adhesión de un buen número de civilistas contemporáneos, Isidoro La Lumia, Ricardo Fubini,[175] Federico de Castro, Ludovico Barassi[176] y Emilio Betti[177] se acogen a sus postulados, y aun cuando con reservas y disensiones puede afirmarse que Joaquín Dualde[178] y Juan Bautista Jordano[179] siguen sus postulados.

Por lo que a nosotros respecta, no dudamos en aceptar esta teoría con una sola precisión que no afecta a su esencia. Según la exposición de Schreiber, siempre que un elemento nuevo se agrega a alguno de los tipos legales o se varía lo establecido en lo previsto por la ley, aunque la variación sea muy pequeña y casi imperceptible, estamos en presencia de un contrato innominado. De este modo nos encontraríamos frente a una proliferación de contratos atípicos que ya hemos rechazado al determinar el concepto de contrato innominado.

La teoría de la aplicación analógica, por otra parte, es la que a nuestro juicio acepta el derecho positivo mexicano en el artículo 1858 del Código civil vigente que ya hemos mencionado. La redacción de este precepto presenta una evidente semejanza con la tesis de Schreiber, agregando tan sólo nuestra ley que las estipulaciones de las partes tendrán rango superior a las disposiciones del contrato regulado con el que presenten analogía, elemento que coincide también con lo expuesto por el autor citado, que señala la necesidad de satisfacer los intereses concretos de los otorgantes.

Determinado el régimen jurídico del contrato atípico hemos concluido la materia que nos propusimos tratar: el contrato atípico, su con-

---

[LVI]   Fuera de la ley.

cepto, clasificación y disciplina jurídica. Volver la vista hacia este tema, al que no siempre se le presta la atención debida, no sólo es conveniente sino necesario, pues representa el aspecto dinámico de los contratos, con esta convicción lo hemos abordado. Si nuestras consideraciones, que temo hayan carecido de la claridad y del rigor necesarios, tuvieran la fortuna de sugerir el deseo de reflexiones más certeras, me sentiría profundamente satisfecho.[180]

Notas sobre la historia y el panorama de la legislación nacional en materia de propiedad y condominio en los edificios

[Publicado en *Revista de Derecho Notarial Mexicano*, núm. 38-40, México, 1970.]

Las presentes notas no tienen otra pretensión que la de servir de ayuda a los estudiantes del curso sobre Disciplinas Jurídicas básicas para el desempeño de la función notarial, en el que impartimos la cátedra de Derecho civil.

Por razones de tiempo, en la exposición de clase hemos tenido que reducir, sintetizando, la historia del régimen de propiedad y condominio en la República Mexicana, y sobre todo el panorama de la legislación sobre esta materia en los diferentes estados de la Federación. La deficiencia de la explicación oral, y lo reducido de su exposición, pretenden quedar subsanados con este trabajo, en el que se comprenden los textos de las disposiciones sobre la materia que han regido, o están en vigor, tanto en la Ciudad de México como en los demás estados de la República.

No hemos pretendido hacer en este estudio un análisis minucioso del régimen de propiedad y condominio en el país. Esta tarea está reservada para un trabajo más completo que pensamos realizar en la segunda edición de nuestra obra sobre "la propiedad de pisos o departamentos en derecho mexicano". Las notas que hoy publicamos sólo tienen por objeto presentar en forma ordenada y simple la historia del régimen de propiedad y condominio en nuestra patria, e informar someramente sobre el estado que guarda la legislación nacional en la materia, destacando las principales modalidades y diferencias que, en relación con la Ciudad de México, presentan las disposiciones legales en los distintos estados.

Nuestros apuntes están destinados al uso de los alumnos del curso sobre "Disciplinas jurídicas básica para el desempeño de la función notarial", pero pensamos que pueden ser de utilidad para todos aquellos que, como los notarios, tenemos la necesidad, por razón de ejercicio profesional, de conocer las leyes de los estados de la Federación.

A. Derecho precortesiano. Es difícil precisar el alcance y las características del derecho de propiedad dentro del sistema legal de las tribus indígenas antes de la llegada de los conquistadores españoles. En opinión de Kohler, "la propiedad raíz sólo se había individualizado respecto de las tierras de la nobleza, pues las otras eran comunales, de los pueblos, o más bien, tierras de las parcialidades, barrios o *calpulli*".

Con mayor severidad, uno de nuestros más doctos tratadistas de Historia del derecho, don Toribio Esquivel Obregón, niega que los habitantes de los pueblos indígenas tuvieran el carácter de propietarios, o al menos de copropietarios, de las tierras.[182] La tierra, afirma Esquivel Obregón, era sólo un instrumento de producción de tributos.[183] Entre los aztecas, enseña el mencionado tratadista, las tierras estaban divididas en tres clases: a) las de la corona *tecpantlalli*, que eran repartidas entre los altos servidores del monarca llamados *tecpanpouhqui* o *tecpantlaca*, gente de palacio, que las tenía en usufructo a cambio sólo de ofrecer al señor flores y pájaros en reconocimiento de señorío, cesando el servicio cesaba el usufructo; b) las tierras que el rey repartía *pitlalli* a los miembros de su familia, las que se transmitían por herencia al hijo mayor constituyendo un mayorazgo, al menos así lo entendieron los cronistas, o bien, a los guerreros que se distinguían por sus hazañas, estas tierras, podían venderse a otros próceres, no a un macehual, y también pasaban de padres a hijos. Los poseedores de estas tierras se llamaban *tequihua* estaban libres de tributo, pero debían estar siempre listos para cualquier servicio. Finalmente, algunos *pillalli* se daban a empleados públicos para su sustento y representación; c) las tierras destinadas al sostenimiento del culto, de los sacerdotes y construcción y reparación de los templos, se llamaban *teotlapan* o tierras de los dioses. Estas propiedades de los templos eran inalienables, constituyendo la mano muerta de los aztecas; d) las tierras de los calpulli o barrios de la ciudad, de ellas una parte era cultivada por los vecinos y sus productos destinados al mantenimiento del ejército, se llamaba *millchimalli*, tierra de guerra o de escudo, o *cacalomilpan*, o *cacalomilli*, tierra de los cuervos. El resto de estas tierras era distribuido entre los vecinos, a cada quien según sus necesidades y posibilidades de trabajo, o se daban en arrendamiento a terrazgueros que pagaban renta en producto de la tierra; algunas veces el arrendatario era otro barrio o pueblo. El derecho a obtener repartimiento y posesión del *calpulli* se perdía cuando el individuo dejaba de ser vecino del mismo, o cuando dejaba de trabajar su lote por dos años.[184] El régimen de propiedad arriba descrito, de acuerdo con datos que los autores suministran, no siempre tan precisos como sería deseable, y rara vez, excepto en Zurita, con el propósito de fijar conceptos jurídicos, sugiere las siguientes observaciones:

> Primera.- El llamado derecho de propiedad dependía en gran parte del arbitrio del soberano, no sólo en las tierras de la corona o *tecpantlalli*,[LVII] sino en las demás, pues fuera de las de Texcoco y Tlacopan y las de la pequeña isla asiento de Tenochtitlán, las demás eran de conquista en que el rey mandaba con poder absoluto, y ya que no despojara a los pueblos, porque esto habría dejado a la tierra sin quien la cultivase, sí gravaba a los poseedores con tributos que, sumados a los que se pagaban a los señores locales, prácticamente absorbían todos los productos del suelo, dejando a los que lo cultivaban lo indispensable para vivir en la pobreza. Segunda. Fuera de la propiedad perteneciente a la familia del rey y algunos grandes dignatarios, que podían enajenar sus tierras, propiedad un tanto precaria irrevocable, las otras tierras eran poseídas en común y el título para disfrutarlas provenía, no de un derecho individual, sino de la calidad de vecino y del hecho del trabajo. Tercera. Como los agraciados con la tierra, templos, miembros de la familia real, guerreros y dignatarios no iban a cultivarla personalmente, en lo que realmente consistía su derecho era en percibir de los cultivadores de esas tierras determinado tributo. De esta manera y en este caso la palabra "tierra" tenía aquí la misma acepción que en las leyes de Partida, es decir, una renta fincada en un pueblo o distrito, y tales concesiones hechas por los reyes mexicanos, eran verdaderas encomiendas. Los señores percibían el tributo por medio de agentes denominados calpixques, nombre que con toda propiedad pasó después a los cobradores de tributos puestos por los encomenderos españoles. Pero el encomendero de los tiempos de Moctezuma no tenía obligación alguna con relación a sus macehuales, a quienes, además, podía quitar la tierra. Cuarta.- El cultivo a mano, que era intenso alrededor de las poblaciones, dejaba sin beneficio y sin título grandes extensiones, quizá fértiles, pero sin dueño, porque los indios preferían cultivar una tierra pobre, pero cercana a su habitación… Quinta.- Los españoles, pensando a su modo, creyeron ver un derecho de propiedad entre los aztecas; en realidad ellos introdujeron esa institución y los indios consolidaron así una situación precaria e indefinida.[185]

Sin ahondar más en los detalles de la propiedad inmueble durante la época anterior a la llegada de Hernán Cortés, por considerarlos fuera del tema (de estas notas), basta afirmar que en ninguna de las obras que

---

LVII   En el Imperio azteca, conjunto de tierras que pertenecían al cacique y se destinaban al sustento de su palacio o de su gobierno.

se refieren a la materia hemos encontrado mención alguna a la posible constitución de regímenes de indivisión urbana en predios destinados a servir de habitación.

B. La época del Virreinato. Con la llegada de los españoles la idea de propiedad se aclara. El hecho de la conquista determina la aplicación de una nueva legislación en el territorio nacional, y el derecho de propiedad reviste los moldes clásicos de las instituciones del Derecho romano. La asimilación se opera imprimiendo a los conceptos recibidos modalidades y matices producto de la formación mental, social y económica de los pueblos receptores. Como enseña don Toribio Esquivel Obregón, "Los primeros años de la formación de nuestra nacionalidad nos presentan a lo vivo el cuadro interesantísimo de esa lucha de concepciones jurídicas, y el de la reorganización, sobre bases culturales propias del pueblo que se formaba de la fusión de los elementos en un principio antagónicos".[186]

Los monarcas españoles se preocuparon siempre por el respeto a la propiedad de los indígenas y en la legislación expedida se instauró sobre bases firmes la legalidad de la propiedad que estaba en manos de los indios.

La traza de las ciudades, a la usanza de las españolas, y la forma de construcción de los edificios civiles, tan distinta a la hasta entonces empleada por los pueblos indígenas, y tan semejante, en sus rasgos sustanciales, a la aplicada en Europa, hicieron que en materia de propiedad raíz urbana se planteara una nueva problemática jurídica que, por ser diversa, en poco o en nada afectaba a los antiguos usos y leyes.

Uno de los primeros documentos destinados a reglamentar la construcción en las ciudades y villas de la Nueva España fue el que el 13 de junio de 1573 dio el rey Felipe II con el nombre de "Ordenanzas sobre descubrimientos, población y pacificación de las indias", que en gran medida fue fundido en la "Recopilación de Leyes de Indias" y tuvo vigencia durante la época virreinal. En este documento, el rey disponía la forma en que habían de realizarse las trazas de las ciudades y villas. Don Toribio Esquivel Obregón resume claramente la forma de trazar las poblaciones en el siguiente párrafo:

> Escogido el lugar donde había de asentarse la población, con todas las reglas que, con relación a la higiene, defensa y facilidad de comunicaciones, se detallan, se procedía a hacer la traza, comenzando por la plaza mayor; si en la costa, había

de ser frente al desembarcadero; si en lugar mediterráneo, en medio de la población, había de ser un cuadro, con lo menos una vez y media de largo por lo que tuviere de ancho, "porque de esta forma es mejor para las fiestas de a caballo"; su tamaño, según la cantidad de vecinos, ni menor de doscientos pies de ancho por trescientos de largo, ni mayor de ochocientos por quinientos treinta y dos, siendo la mediana y de buena proporción de seiscientos pies de largo por cuatrocientos de ancho, mirando las esquinas a los cuatro vientos principales. De la plaza habían de salir una calle por cada costado y dos calles por cada esquina. Alrededor de la plaza y en las cuatro calles principales había de haber portales. Las calles en lugares fríos habían de ser anchas, y en los calientes angostas. Trazada así la población a "cordel y regla", se separaba el solar para la iglesia, que había de ser aislado: en la costa se había de edificar en forma que "en saliendo de la mar se vea, y su fábrica que en parte sea como defensa del mismo puerto". Se señalaba luego solar para la casa real, casa de concejo y cabildo, aduana y atarazana, cerca del templo, de manera que se puedan defender de unos a otros. El hospital para enfermedades no contagiosas se había de poner junto al templo y por claustro de él, y para las contagiosas en parte que los vientos pasando por él, no fuera a herir a la población. Las carnicerías, pescaderías y tenerías se habían de colocar en parte donde con facilidad pudieran limpiarse. Los solares de la plaza no habían de darse a particulares, sino dejarse para la iglesia, casas reales y propios de la población, donde habían de edificarse tiendas y casas para tratantes, con cuyas rentas se contaría para los gastos públicos, y estos edificios de la plaza eran los que primero se habían de construir, contando con la cooperación de todos los pobladores y con un moderado impuesto sobre las mercaderías. Los demás solares habían de sortearse entre los pobladores, quedando el resto para el rey, a fin de que los diera a nuevos pobladores, o dispusiera de ellos como le pareciere conveniente. Casi todas estas disposiciones subsistieron y forman parte de los títulos 5 y 7 del libro 4 de la *Recopilación de leyes de Indias*; pero por una ordenanza de 10 de abril de 1629, Felipe IV previno que en lo de adelante los virreyes, audiencias, gobernadores y demás ministros de las Indias, no podrían ya dar títulos de ciudades ni de villas a ninguno de los pueblos o lugares de españoles ni de indios, pues en lo sucesivo era tal facultad exclusiva del monarca.[187]

La amplitud del territorio y la traza de las ciudades, realizada con el sistema de las Ordenanzas de Felipe II, propició el crecimiento de las poblaciones horizontalmente y, en términos generales, no fueron frecuentes las divisiones de los predios ni el uso de sistemas de aprovechamiento comunitario de inmuebles urbanos.

Como excepciones a la situación antes enunciada, podemos encontrar casos aislados en los que el propietario de un predio construía no sólo sobre el solar de su propiedad sino también utilizando, en los planos superiores, otras edificaciones contiguas, comunicándose las construcciones en los pisos altos. Un ejemplo de este tipo de superposición de propiedades lo encontramos en la conocida casa del minero don

José de la Borda, edificada en la esquina de la segunda calle de San Francisco (hoy avenida Francisco I. Madero) y del Coliseo (hoy calle de Simón Bolívar), la cual se extiende, en los planos superiores, sobre las construcciones vecinas.

Otro caso de excepción fue el que se presentó en ciudades de provincia, tales como Taxco y Guanajuato, en las que la especial topografía del terreno permitió que, aprovechando los desniveles de las calles paralelas, se construyeran habitaciones superpuestas con acceso por distintas vías públicas.[188] En este último caso, los propietarios de las casas ubicadas sobre la calle de nivel más bajo permitían que otra persona construyera sobre la parte alta de su casa otra edificación, con salida hacia la calle de nivel más alto.

La situación jurídica de los dos inmuebles fue regulada contractualmente a través de servidumbres constituidas sobre el predio bajo, como sirviente, y a favor del predio alto como dominante. Este tipo de servidumbre tenía evidente semejanza con la servidumbre romana *oneris ferendi*.

C. México independiente. En 1821, al realizar don Agustín de Iturbide la Independencia, México continuó rigiéndose en materia de Derecho civil por la antigua legislación española. Manuel Mateos Alarcón, en su estudio sobre "La evolución del derecho civil mexicano desde la Independencia hasta nuestros días", publicado el año de 1911, enseña que:

> [...] al proclamarse y consumarse la Independencia de México, se hallaban vigentes las leyes del Fuero Real, las Siete Partidas, la Recopilación, la cual fue refundida en la Novísima Recopilación, y la Recopilación de Indias, legislación que necesariamente debió seguir rigiendo, porque la nación no estaba preparada para sustituirla por otra adecuada a la nueva forma de gobierno y a las instituciones políticas bajo las cuales debía ser regida.[189]

Dentro de este cuerpo de leyes se ha pretendido, por algunos autores, encontrar disposiciones tendientes a regular el condominio de los edificios por pisos,[190] aun cuando otras opiniones son desfavorables a esta suposición.[191]

En los primeros años del siglo XIX la legislación española fue complementada en México con diversas disposiciones particulares decretadas por los gobiernos de nuestro país, entre las que no se encuentra, en nuestra opinión, ninguna que sea aplicable al tema que nos ocupa.[192]

Una situación merece especial atención durante esta época. A partir de 1824 México adopta su primera constitución federal, en la que se concede a los estados de la Federación la facultad de legislar independientemente en materia civil. La Constitución de 1824 fue derogada y sustituida, en diferentes épocas, por constituciones que establecieron en ocasiones el sistema central y en otras el federal, pero a partir del 5 de febrero de 1857, el sistema de la Federación quedó definitivamente consagrado en nuestro derecho y desde entonces el país ha venido rigiéndose por dicho sistema.[193]

En las discusiones de la constitución aprobada en 1857, es de resaltarse la opinión de uno de sus más ilustres autores, don Francisco Zarco, en el sentido de que la materia civil debería reservarse a la Federación, suprimiendo la facultad de legislar en esta rama a los estados miembros.[194] No obstante esta opinión, la Constitución de referencia y la vigente de 1917 consideran como facultad de los estados el legislar sobre la materia civil.[195]

Durante los primeros años de nuestra vida independiente existieron algunos esfuerzos para realizar la codificación en materia civil. Tal vez el primero sea el realizado por la "Soberana Junta Provisional Gubernativa del Imperio" en el año de 1822. En efecto, la Junta mencionada, mediante decreto de fecha 22 de enero del año indicado, nombró varias comisiones para la formación de códigos con el propósito de auxiliar en lo posible los trabajos del Congreso y al efecto designó como miembros para la comisión encargada de redactar el Código civil a los siguientes señores: don José María Fagoaga, vocal de la Soberana Junta Provisional Gubernativa del Imperio y Oidor Honorario de la Audiencia Territorial de la Corte de México; don Juan Francisco Azcárate, vocal de la misma Junta Soberana; don José Hipólito Odoardo, fiscal de la misma Corte y Presidente de la Suprema Junta Protectora de la Libertad de Imprenta; doctor don Tomás Salgado, juez de letras de esta capital; licenciado don Miguel Domínguez, Regidor del Excelentísimo Ayuntamiento; licenciado don Benito José Guerra; licenciado don Juan Wenceslao Barquera, vocal de la Excelentísima Diputación Provincial; doctor don Antonio Cabeza de Baca, Cura de la Parroquia de San Miguel; y licenciado don Manuel Bermúdez Zozaya, Fiscal de la Libertad de Imprenta.[196]

Según la noticia de Manuel Mateos Alarcón, en el mes de noviembre del mismo año de 1822 se nombró otra comisión en la que figuraron

don José María Fagoaga y don Andrés Quintana Roo, a la que se enco-
mendó la formación de un Código civil. Dicha comisión, según lo hace
notar el propio Mateos Alarcón, no logró cumplir su cometido, sin duda
alguna a causa de los constantes trastornos políticos que tantos males
causaron a nuestra infortunada patria.[197]

Oaxaca promulgó en los años de 1827 a 1829 el primero que rigió
dentro de la República. En el libro segundo de este código, publicado
en 1828, se regulaba el régimen de condominio en términos similares
a los de la legislación francesa de 1804.[198] Sin embargo, la obra legislativa que dejó mayor huella en las codificaciones posteriores del país fue
el "Proyecto de un código civil mexicano" formado en el año de 1861
por el doctor don Justo Sierra, por instrucciones del presidente Benito
Juárez. En relación con el tema de este estudio, en el proyecto de referencia puede leerse el artículo 521 que fija:

> Artículo 521. Cuando los diferentes pisos de una casa pertenecen a distintos pro-
> pietarios, si los títulos de propiedad no arreglan los términos en que deben con-
> tribuir a las obras necesarias, se guardarán las reglas siguientes:
> 1a. Las paredes maestras, el tejado o azotea y las demás cosas de uso común
> estarán a cargo de todos los propietarios en proporción al valor de su piso.
> 2a. Cada propietario costeará el suelo de su piso. El pavimento del portal, puerta
> de entrada, patio común y obras de policía comunes a todos, se costearán a pro-
> rrata por todos los propietarios.
> 3a. La escalera que desde el portal conduce al piso primero se costeará a prorrata
> entre todos, excepto el dueño del piso bajo: la que desde el piso primero conduce
> al segundo se costeará por todos, excepto por los dueños del piso bajo y primero
> y así sucesivamente.[199]

Dicho precepto está colocado en el libro segundo, título V, "De las
servidumbres", capítulo II, "De las servidumbres legales". El proyecto
del doctor Sierra fue revisado por una comisión compuesta por los abogados Jesús Terán, José María Lacunza, Pedro Escudero y Echánove,
José Fernando Ramírez y Luis Méndez, que comenzó a funcionar en
1861.[200] Esta comisión continuó sus trabajos bajo el gobierno del emperador Maximiliano. Los libros primero y segundo del proyecto de don
Justo Sierra, revisado por la comisión antes indicada, se publicaron el
año de 1866 con el nombre de "Código civil del Imperio mexicano",
aun cuando no llegó a ser sancionado. En este, con ubicación en el
mismo libro, título y capítulo que su antecedente, figura el artículo 706,
que transcribe casi literalmente el artículo 521 del Proyecto del doctor
Justo Sierra con pequeñas adiciones.[201]

La influencia del proyecto de código del doctor Sierra se hizo sentir en la elaboración del "Código civil del estado de Veracruz Llave", mandado observar por el decreto 127, expedido el 17 de diciembre de 1868. Este, elaborado por el magistrado Fernando J. Corona, en su artículo 816 adopta el texto del artículo 521 del proyecto Sierra, con las pequeñas diferencias introducidas por el Código del Imperio.[202]

No obstante, la inclusión en algunas de nuestras leyes civiles de los textos que hemos mencionado, en los cuales se reglamenta la propiedad de casas por pisos, la realidad es que no se aceptó generalmente este sistema de propiedad. Un indicio claro de esta realidad lo tenemos en la Ley de 25 de junio de 1856 sobre desamortización de la propiedad raíz, la cual tuvo como objeto movilizar este tipo de propiedad, evitando la concentración en pocas manos de los bienes inmuebles. En esta ley, a pesar de su finalidad, no se previó la posibilidad de hacer la división de una casa en pisos o departamentos, y por el contrario, dado que se establecía en su artículo primero que: "Todas las fincas [...] urbanas [...] se adjudicarán en propiedad a los que las tienen arrendadas, por el valor correspondiente a la renta que en la actualidad pagan, calculada como rédito al seis por ciento anual"; por otra parte, en su artículo cuarto se consideró el caso de una casa alquilada a varias personas, disponiendo que: "Las fincas urbanas arrendadas directamente [...] a varios inquilinos, se adjudicarán, capitalizando la suma de arrendamientos a aquel de los actuales inquilinos que pague mayor renta, y en caso de igualdad, al más antiguo [...]".[203] Como puede apreciarse, en un caso en el que fácilmente pudo haberse dispuesto la adjudicación por departamentos, no se siguió este sistema sino que siguió entendiéndose como unidad el edificio entero.

D. Los códigos civiles de 1870 y 1884. El proyecto elaborado por don Justo Sierra, el *"código civil del Imperio mexicano"*, y los materiales de la Comisión Revisora del proyecto del doctor Sierra, fueron aprovechados en gran parte por una segunda Comisión formada por los abogados Mariano Yáñez, José María Lafragua, Isidro Montiel y Duarte y Joaquín Eguía Lis, quienes redactaron el Código Civil para el Distrito y Territorios Federales promulgado el 8 de diciembre de 1870, que empezó su vigencia el primer día de marzo de 1871.[204]

Las leyes de desamortización, si bien como se ha dicho no propiciaron la división horizontal de los predios, sí permitieron que muchas fincas, hasta entonces de un sólo dueño, fueran fraccionadas verticalmente y adjudicadas a distintas personas.[205] Por esta razón, el Código de 1870 reglamenta con mayor amplitud que sus antecedentes a la medianería, considerada como una servidumbre legal. La *Exposición de motivos del código* afirma que:

> Se establecieron las reglas convenientes para la servidumbre de medianería, que apenas es conocida en la legislación actual, y que es sin embargo, de mucha importancia en los predios urbanos. Entre nosotros es de grande utilidad, porque en consecuencia de la nacionalización de los bienes eclesiásticos, hoy pertenecen a distintos dueños muchas casas que antes eran de uno solo, lo cual da lugar a diferencias que la ley debe evitar, estableciendo reglas que señalen a cada propietario sus derechos y sus obligaciones respectivas.[206]

Entre las disposiciones de este Código de 1870 encontramos el artículo 1120, que reglamenta la propiedad de casas por pisos en los siguientes términos:

> Artículo 1120. Cuando los diferentes pisos de una casa pertenecieren a distintos propietarios, si los títulos de propiedad no arreglan los términos en que deben contribuir a las obras necesarias, se guardarán las reglas siguientes:
> 1. Las paredes maestras, el tejado o azotea y las demás cosas de uso común, estarán a cargo de todos los propietarios, en proporción al valor de sus pisos;
> 2. Cada propietario costeará el suelo de su piso;
> 3. El pavimento del portal, puerta de entrada, patio común y obras de policía comunes a todos, se costearán a prorrata por todos los propietarios;
> 4. La escalera que conduce al piso primero, se costeará a prorrata entre todos, excepto el dueño del piso bajo; la que desde el piso primero conduce al segundo, se costeará por todos excepto por los dueños del piso bajo y primero, y así sucesivamente.

Es de hacerse notar que el precepto antes transcrito, al igual que sus antecedentes en el "Código del Imperio", y en el proyecto del doctor don Justo Sierra, se encuentra colocado dentro del Libro II relativo a "Los bienes, la propiedad y sus diferentes modificaciones", en el título VI que reglamenta "Las servidumbres", capítulo V: "De la servidumbre de medianería".

Comentando el artículo antes citado, Manuel Mateos Alarcón en sus *Estudios sobre el Código civil del Distrito Federal*, asienta que: "Existe otra especie de comunidad, a la que impropiamente se le llama medianería, porque no separa dos predios pero que, como dice Danvila, participa del carácter de la verdadera medianería, en el sentido de que se aplica a las cosas comunes que no son susceptibles de división sin el consentimiento de todos los interesados". El autor prosigue: "la medianería a que aludimos es una especie de comunidad, que antes de ahora se ha designado con el nombre de servidumbre". Y más adelante dice: "en virtud de esa comunidad, cuando los diferentes pisos de un edificio pertenecen a diversas personas, existe una mezcla extraña de derechos de distinta naturaleza; de medianerías, y de servidumbres recíprocas, por lo cual cada uno es propietario exclusivo de un piso; pero ciertas partes del edificio, como las paredes maestras, el techo, etcétera, son comunes o medianeras, y cada una de ellas reporta servidumbres de diversas especies en provecho de las demás". Después, menciona: "para determinar los derechos y obligaciones de cada uno de los propietarios, hay que atender a lo que determinen sus títulos en que han de contribuir a las obras necesarias por las reglas siguientes, prescritas por el artículo 1120 del Código civil". Y comenta: "aunque el Código civil no lo declara expresamente, se deduce de la naturaleza misma del derecho de propiedad que cada uno tiene en el piso que le corresponde, que puede hacer en él todos los cambios que quisiere o estimare convenientes, a condición de que no cause perjuicio de los demás propietarios ni ponga en peligro la solidez del edificio".[207]

Manuel Rincón y Miranda, en su *Tratado de legislación de edificios y construcciones*, asienta que en el supuesto de que los distintos pisos de una casa pertenezcan a diferentes propietarios: "cada propietario tiene incontestablemente la propiedad separada, exclusiva y absoluta del piso que le pertenece y [...] las principales partes de la casa, tales como el suelo, los cimientos, las paredes maestras, escaleras, techos y obra de carpintería, que son útiles a los pisos, pertenecen a todos en común y son indivisibles..."[208]

El artículo 1120 del Código civil de 1870, a través del "Código del Imperio" y del "Proyecto de don Justo Sierra", encuentra su inspiración en el artículo 521 del "Proyecto de Código civil español de 1851", siendo su transcripción casi literal, agregando tan sólo palabras que no alteran sustancialmente su sentido.

Don Florencio García Goyena,[209] al comentar el artículo 521 del mencionado Proyecto de 1851, señala como concordancias los artículos 664 del Código francés, 451 de Vaud, 684 del sardo y 585 del napolitano. El artículo del proyecto español fue tomado en su mayor parte del artículo 664 del Código Napoleón, pero con ligeras modificaciones inspiradas, al decir de García Goyena, en el Código sardo y en las observaciones de Rogrón al Código Napoleón.

Resumiendo, el artículo 1120 del Código de 1870 reglamenta la materia inspirándose en última instancia en el Código Napoleón. Miguel S. Macedo escribe:

> En el mes de junio de 1882 el Ejecutivo encargó a una comisión compuesta de los señores licenciados don Eduardo Ruiz, Procurador General de la Nación, don Pedro Collantes y Buenrostro y don Miguel S. Macedo, que revisara el Código Civil del Distrito Federal y Territorio de la Baja California. Esa comisión se dedicó desde luego a sus labores y, en los meses de marzo y abril de 1883, dio cuenta al señor Ministro de Justicia, licenciado don Joaquín Baranda, del primer proyecto de reformas, que fue sometido a una nueva y detenida discusión presidida personalmente por el señor ministro, y durante la cual sufrió el proyecto diversas modificaciones, especialmente en lo relativo a sucesiones.
> Terminada la segunda revisión, el señor ministro de justicia remitió a la Cámara de Diputados el proyecto de Código civil, en 2 de mayo de 1883, como iniciativa del Ejecutivo [...].
> Recibida en la Cámara la iniciativa referente al código civil, pasó al estudio de la primera comisión de justicia, compuesta de los señores diputados licenciado don Justino Fernández, licenciado don José Linares y doctor don Ignacio Pombo que, unida a la comisión nombrada por el Ejecutivo, y siempre bajo la presidencia del señor ministro de justicia, emprendió una nueva y escrupulosa revisión del proyecto [...].
> En 28 de noviembre de 1883, la primera comisión de justicia presentó a la Cámara de Diputados el correspondiente dictamen consultando la aprobación del proyecto remitido por el Ministerio de Justicia con las reformas acordadas en la tercera revisión a que se ha hecho referencia [...]. En tal estado los trabajos, la diputación del Distrito Federal presentó a la Cámara de Diputados proyecto de ley para que se autorizara al Ejecutivo para reformar los códigos civiles [...] proyecto que fue aprobado por ambas Cámaras, expidiéndose el Decreto relativo el 14 de diciembre de 1883.
> Autorizado el Ejecutivo, y previas algunas conferencias a las que concurrieron las mismas personas que a la tercera revisión, y además el señor diputado licenciado Gumersindo Enríquez, quedó definitivamente acordado el texto del código reformado, que fue promulgado el 31 de marzo de 1884, aceptando el proyecto tal como se encontraba al ser presentado a la Cámara de Diputados por la primera comisión de justicia, sin otras reformas que las que aparecen hechas en los capítulos II, III, y IV, título XX, libro III".[210]

Por lo que toca a este Código de 1884, sólo hay que asentar que en su artículo 1014 reprodujo textualmente el artículo 1120 del Código de 1870, colocándolo en el mismo Libro, Título y Capítulo que este último.

E. El Código civil de 1928. La Secretaría de Gobernación encargó a los abogados Francisco H. Ruiz, Ignacio García Téllez, Ángel García Peña y Fernando Moreno, preparar un proyecto de código civil. La comisión así formada formuló un proyecto que, con el formato de un código fue publicado con fecha 25 de abril de 1928. Este proyecto, reformado por sus autores, después de haber tenido en cuenta las observaciones que se les habían hecho,[211] llegó a ser el código civil en vigor en el Distrito y Territorios Federales desde el primero de octubre de 1932, después de haber sido promulgado el 30 de agosto de 1928, por el presidente Plutarco Elías Calles, en virtud de las facultades que el Congreso de la Unión le había dado.[212]

El proyecto de 25 de abril de 1928 contiene el artículo 942, que no es sino una reproducción (con algunos cambios y adiciones sin mayor importancia) de los artículos 1120 del Código civil de 1870 y 1014 del de 1884. La única innovación digna de considerarse en este proyecto, tocante a la materia de que tratamos, es que, en lugar de colocar el precepto en el título referente a las servidumbres, tal y como lo hacían los códigos de 1870 y 1884, siguiendo en última instancia al proyecto de García Goyena y al Código Napoleón, lo colocan en el capítulo que se ocupa de la copropiedad, inspirándose tal vez en el Código español de 1888.

Es de hacerse notar que, aun cuando el proyecto mexicano de 1928 sigue al Código español en lo referente a la colocación del artículo dentro del cuerpo del código en el título de la copropiedad, no lo sigue en su texto, sino que se inspira en los artículos relativos de los mexicanos de 1870 y 1884.

El Código civil de 1928, ya en su redacción definitiva, contuvo un artículo, el 951, idéntico al 942 del proyecto, que se encuentra colocado en el mismo título en el que lo ubicaba este. Dicho artículo ordena:

Artículo 951. Cuando los diferentes pisos de una casa pertenecieren a distintos propietarios, si los títulos de propiedad no arreglan los términos en que deben contribuir a las obras necesarias, se observarán las reglas siguientes:
I. Las paredes maestras, el tejado o azotea, y las demás cosas de uso común, estarán a cargo de todos los propietarios en proporción al valor de su piso;
II. Cada propietario costeará el suelo de su piso;
III. El pavimento del portal, puerta de entrada, patio común y obras de policía, comunes a todos, se costearán a prorrata por todos los propietarios;

IV. La escalera que conduce al piso primero se costeará a prorrata entre todos, excepto el dueño del piso bajo; la que desde el primer piso conduce al segundo, se costeará por todos, excepto por los dueños del piso bajo y del primero, y así sucesivamente.

Ni los informes rendidos por la comisión a la Secretaría de Gobernación, ni la exposición de motivos, ni tampoco el libro del licenciado Ignacio García Téllez *Motivos, Colaboración y Concordancias del Nuevo Código Civil Mexicano,*[213] arrojan alguna luz sobre las razones que tuvieron los redactores del Código de 1928 para cambiar la ubicación del precepto dentro de este cuerpo legislativo.

El hecho de que el nuestro siguiera al español en cuanto a la colocación del artículo que comentamos, pudo haber inducido a nuestros tratadistas y tribunales a pensar de una manera semejante a la de los juristas españoles, ya que el argumento de la ubicación fue decisivo entre estos para estimar que la propiedad por pisos debía entenderse como una simple comunidad de bienes *proindiviso* y que debía prosperar la acción *comuni dividendo,* ejercitada por cualquiera de los llamados copropietarios. No obstante lo anterior, nuestros autores nunca sostuvieron criterio semejante, y consideraron a la propiedad por pisos, junto con la medianería (que también había sido trasladada del título de las servidumbres al capítulo de la copropiedad) como "copropiedades forzosas" en las que no podía hacerse valer el principio de que nadie está obligado a permanecer en la indivisión, consagrado por el artículo 939 del Código civil, con la salvedad de los casos en que por la misma naturaleza de las cosas o por determinación de la ley el dominio es indivisible.[214]

Durante muchos años, el artículo 951 no tuvo casi aplicación práctica, el régimen de condominio, en la realidad, continuaba siendo desconocido, y por lo mismo sin ninguna materialidad. Algunos juristas destacaron la importancia que podía representar el precepto antes indicado para una buena distribución de la propiedad raíz, y para dar eficacia a las disposiciones constitucionales en materia laboral, contenidas en el artículo 123 de la Constitución Política de los Estados Unidos Mexicanos. Tal es el caso del artículo del ministro Alfonso Francisco Ramírez publicado en la revista *La Justicia* con el título de "Casas colectivas". Desgraciadamente, este tipo de estudios no pasaron de reflejar los buenos deseos de sus autores para aplicar disposiciones legales, a todas luces convenientes, para impulsar la justicia social.

No es sino hasta la segunda mitad del presente siglo cuando comienzan a presentarse, en el Distrito Federal, los primeros casos de aplicación a la realidad de las disposiciones legales en materia de propiedad por pisos. Es en el año de 1953 cuando se inicia la construcción de dos grandes edificios situados en una de las principales avenidas de la capital, el Paseo de la Reforma, destinados a ser vendidos por departamentos. Corresponde a la compañía Condominio, Sociedad Anónima, el mérito de haber iniciado prácticamente la construcción de unidades en condominio, y al notario Jesús Castro Figueroa el de haber elaborado la primera escritura constitutiva de dicho régimen, que con el correr de los años ha llegado a ser de gran difusión sobre todo en la capital de la República.

F. La Ley de 2 de diciembre de 1954. Aun cuando bajo la vigilancia del texto original del artículo 951 del Código civil de 1928 era factible la constitución del condominio en los edificios, y de hecho algunos inmuebles fueron sometidos a ese régimen, la reglamentación legal de la institución era insuficiente (aunque no errónea, como alguien ha pretendido)[215] para la solución de los problemas suscitados con motivo de la propiedad por pisos. Urgía, pues, una reglamentación más amplia y explícita del dominio horizontal. Respondiendo a esta necesidad se dictaron el decreto de fecha 30 de noviembre de 1954, reformando el artículo 951 del Código Civil para el Distrito y Territorios Federales y la Ley de 2 de diciembre del mismo año, ambas disposiciones fueron publicadas en el Diario Oficial del 15 de diciembre de 1954.[216]

El año de 1953, el señor licenciado don Gustavo R. Velasco (ilustre rector de la Escuela Libre de Derecho) había formulado un anteproyecto de reformas al artículo 9511, el cual se adicionaría con 28 artículos del 951 A al 951 Z, reglamentándose así la institución; estos artículos estaban inspirados en las leyes sobre la materia de Bélgica,[LVIII]

[LVIII]   Ley del 8 de julio de 1924.

Brasil,[LIX] Italia, Chile,[LX] Francia,[LXI] España[LXII] Uruguay,[LXIII] Argentina[LXIV] y Alemania.[LXV] El anteproyecto del señor licenciado Velasco reformado y adicionado por la Secretaría de Gobernación, estuvo a punto de ser enviado a las Cámaras, sin embargo, al prevalecer la opinión de que debía ser estudiado con mayor detenimiento, fue aplazada su aprobación.

En septiembre de 1954, el mismo señor licenciado don Gustavo R. Velasco redactó un nuevo proyecto (constaba de cinco capítulos y 39 artículos) en el que su autor tomó en cuenta, además de las legislaciones consultadas para formular el anteproyecto mencionado con anterioridad, las de Cuba y Panamá, así como las observaciones que a su anteproyecto de 1953 habían formulado la Secretaría de Gobernación, el Banco Nacional Hipotecario Urbano y de Obras Públicas (hoy Banco de Obras y Servicios Públicos), la comisión de cooperación judicial, y el doctor don Manuel Borja Soriano. Este proyecto fue el que, con algunas modificaciones, presentó el Ejecutivo a la Cámara de Senadores el 22 de octubre de 1954.

El Senado de la República, en sus sesiones del 4, 9 y 10 de noviembre de 1954, se ocupó del proyecto de ley enviado por el presidente de la República, haciéndole algunas reformas en los puntos relativos a bienes comunes, derecho del tanto, y a la sanción impuesta al propietario que reiteradamente no cumple con sus obligaciones:

La Cámara de Diputados, en su sesión celebrada el 16 de noviembre de 1954 aprobó la minuta del proyecto de "Ley sobre el régimen de propiedad y condominio en los edificios divididos en pisos, departamentos,

---

[LIX]   Decreto del 25 de junio de 1928, modificado por Decreto del 8 de febrero de 1943 y ley del 5 de junio de 1948.

[LX]   Ley del 2 de agosto de 1937.

[LXI]   Ley del 30 de junio de 1938', con numerosas reglamentaciones y varias modificaciones posteriores

[LXII]   Ley del 26 de octubre de 1939.

[LXIII]   Ver nota XXIX.

[LXIV]   Ver nota XXX.

[LXV]   (Setiembre de 1958). Con respecto a Alemania, recordamos que rige la "Ley de Propiedad de la Vivienda" del 15 de marzo de 1951, que regula la "Wohnungseigentum" (Propiedad separada sobre vivienda) que en cierto modo se asimila al régimen de dominio horizontal.

viviendas o locales",[LXVI] aprobada ya por la Cámara de Senadores, así como el proyecto de reformas al artículo 951 del Código Civil para el Distrito y Territorios Federales.[LXVII]

[LXVI] Ver nota XXVI.

[LXVII] Se abroga la actual Ley de Propiedad en Condominio de Inmuebles para el Distrito Federal, publicada en el Diario Oficial de la Federación el 31 de diciembre de 1998 y el 07 de enero de 1999 en la Gaceta Oficial del Distrito Federal.

Por otra parte:

I. a II. ... III. El propietario o propietarios del condominio, en caso de enajenación, responderán por el saneamiento para el caso de evicción; III Bis. Tratándose de construcciones nuevas y de construcciones en proyecto, el propietario o propietarios originales del condominio serán responsables por los defectos o vicios ocultos de las construcciones, extinguiéndose las acciones correspondientes hasta la modificación o demolición, según sea el caso, del área afectada de la construcción de que se trate. También serán responsables por el incumplimiento de las medidas ordenadas en el dictamen de impacto urbano o autorización de impacto ambiental respectivo, en cuyo caso las acciones correspondientes se extinguirán al cabo de diez años contados a partir de la fecha de la autorización de uso y ocupación de la edificación cuya construcción dio lugar al dictamen o autorización que hubiere dispuesto tales medidas. Si el propietario fuere una persona jurídica, cada socio que la integre, o cada persona física que la hubiere integrado disuelta que fuere, asumirá individualmente la responsabilidad que por su naturaleza a cada uno le resulte aplicable; en caso de fallecimiento, la responsabilidad la asumirá su respectivo patrimonio representado por el albacea correspondiente, o en su caso, su heredero; III Ter. Cuando las acciones de responsabilidad a las que se refiere la fracción anterior se ejerzan dentro de los tres años siguientes a la entrega del área afectada, se tendrá en cuenta la póliza de fianza prevista en el artículo 9, fracción I Bis, inciso f), de esta Ley; cuando las acciones se ejerzan después del plazo indicado, la indemnización se calculará conforme a la inflación, con base en el Índice Nacional de Precios al Consumidor; IV. a VIII. ...

La usura en el Código civil de 1870

[Publicado originalmente en *Jurídica*.
Anuario de la Escuela de Derecho de la Universidad Iberoamericana,
núm. 3, julio de 1971.]

Don Jorge López Moctezuma nos expuso la crisis de identidad en la cultura mexicana del siglo XIX. Hoy, como un claro reflejo de esa crisis, nos proponemos abordar un tema que fue amplia y apasionadamente discutido por nuestros juristas del siglo pasado: la usura.

Vinculado con aspectos morales, filosóficos, sociales y económicos, el tema de la usura ha sido objeto de amplios y documentados estudios por parte de los especialistas. Esta noche nos proponemos considerarlos a través de su tratamiento legal, su enfoque jurídico. Las referencias a otras disciplinas serán sólo circunstanciales y consideradas en la medida en que su influencia ha sido manifiesta en el ámbito del derecho.

Pocos temas, como el que hoy desarrollaremos, reflejan con la misma claridad el perfil de nuestro Código civil de 1870.[LXVIII] Nacido en una época de franco predominio de las ideas liberales, es genuino producto y signo fiel de su tiempo. No sería justo enjuiciar sus disposiciones sin pensar en el momento histórico en el que fue creado, en las corrientes que lo motivaron, en el ambiente que rodeó su formación, en síntesis, en los datos reales que le dieron vida.

Antes de entrar en materia permítasenos hacer una precisión: cuando en el curso de nuestro trabajo empleamos la palabra usura no pretendemos darle el sentido peyorativo que con frecuencia se le atribuye. Por usura entendemos la estipulación de intereses en los préstamos, la cantidad pagada por el deudor como compensación por el uso que ha hecho del bien que se le ha prestado para su consumo.

Para desarrollar el tema que hemos escogido expondremos en primer término las ideas morales y religiosas que durante siglos determi-

---

[LXVIII] El efecto de las leyes que abolieron las restricciones usurarias y que impusieron requisitos mínimos de información en los contratos empezaron en 1870.

naron nuestras leyes, en seguida detallaremos el pensamiento liberal que combatió la influencia religiosa y otorgó una nueva definición a la libertad civil pues estos conceptos marcan el camino que habría de seguir nuestra legislación en el siglo XIX. Para concluir con el análisis hablaremos de las leyes españolas vigentes en nuestra patria durante el Virreinato y subsistentes durante los primeros años que siguieron a la independencia, así como de las leyes mexicanas del siglo pasado.

I. LAS IDEAS RELIGIOSAS

Los teólogos, al igual que los juristas,[LXIX] han distinguido con mucha claridad dos clases de préstamos: el de los bienes no fungibles y el de los fungibles. Tratándose de los primeros nunca han discutido la legitimidad del pacto por el cual el dueño exige al prestatario una compensación por el uso del bien prestado. Se admite, pues, sin reticencia la noción de arrendamiento, de alquiler, y con mayor razón la de comodato, en la que el uso del bien se transmite sin exigir contraprestación del comodatario. Pero la cuestión se discute cuando se trata de determinar la legitimidad de exigir una compensación por la transmisión del uso de un bien fungible. En términos jurídicos, cuando se trata de valorar la licitud del mutuo con interés.

Vale la pena examinar, aunque sea someramente la cuestión, ya que la Iglesia parece haber cambiado, a través del tiempo, su posición con respecto al tema.

> En la totalidad de los testamentos no se encuentra ningún texto del que se pueda deducir que el préstamo con interés es en sí ilegítimo siempre [...] en el antiguo testamento, lo que se condena en diferentes pasajes es la usura inhumana que oprime al pobre; además, la usura está especialmente prohibida entre los judíos, en razón de las relaciones fraternales que deben conservar.[217]

El Nuevo Testamento tampoco aporta nuevos argumentos contra la licitud del préstamo con interés, puede verse en la misma "parábola de los talentos" cómo el amo reprocha al criado el no haber hecho fructificar su dinero en una banca.[218]

[LXIX]   Debe recordarse que hasta la reforma del presidente Benito Juárez, las normas religiosas influían en el derecho, la usura estaba prohibida por dichas normas.

Los pasajes de los evangelios no siempre fueron interpretados en la forma serena y razonada en que lo hace el sabio jesuita Villain, por ello algunos de sus textos sirvieron de apoyo para negar todo respaldo moral a la exigencia de intereses en los préstamos. En especial, a una parte del evangelio de San Lucas: "Dad prestado sin esperar por eso nada",[219] desligada de su contexto, sirvió de apoyo para argumentar la condenación, dentro del nuevo testamento, de toda clase de usura.

Durante los tres primeros siglos de nuestra era los Padres de la Iglesia se ocupan muy poco del préstamo con interés, sin hacer sobre él un juicio doctrinal; lo que afirman con gran claridad es que es inhumano y contrario a la caridad exigir interés a un pobre. En los siglos IV y V la situación cambia, el fervor primitivo se relaja, y el mal empleo de la riqueza, en una sociedad donde los míseros son legión, suscita en los estudiosos violentas relaciones.

Conviene, sin embargo, hacer las siguientes precisiones: 1) Los Padres no trataron de edificar una doctrina teológica sobre la cuestión de la usura; hablaron concretamente para combatir los excesos de los ricos de su tiempo; por tanto, es necesario no aplicar, sin consideración, lo que dijeron para situaciones diferentes. 2) Es "la usura agobiante y vejatoria" la que tienen ante sus ojos y la que condenan. 3) Esta usura la condenan casi siempre en nombre de la humanidad, y no en nombre de la justicia. 4) Los Padres no examinaron jamás directamente los casos de interés moderado. 5) Los Padres no tenían noción de un contrato de préstamo que fuera ventajoso para ambas partes, ellos conocían sólo el préstamo de consumo, hecho por el rico hacia un pobre que lo necesitaba para no caer en la miseria inmediata, y que se veía obligado a aceptar, por tanto, cualquier contrato leonino. 6) En estas condiciones no se sabe cómo hubieran juzgado el préstamo con interés, tal como se presenta en nuestros días, con su doble carácter de préstamo con tanto por ciento moderado y de contrato ventajoso para las partes. En suma, ninguna conclusión general se saca de los Padres; se encuentra en ellos una simple condenación de hecho, cuyos motivos no permiten extenderse más allá de los usos de la época.[220]

Los concilios y los papas de la Edad Media prohíben el préstamo a interés, primero a los clérigos y luego a los laicos. "Las condenaciones tan frecuentemente repetidas y las penas de excomunión con que se sancionaban las prohibiciones, son un eco de las quejas de la sociedad medieval contra la plaga del préstamo a interés".[221]

La escolástica elabora en esta época su célebre doctrina que expondremos sucintamente a través de las enseñanzas del ilustre maestro de esta universidad: Xavier Scheifler Amézaga. Éste resume sus ideas de la siguiente forma:

> Para que sea justo el contrato de préstamo de un bien consumible (contrato de mutuo acuerdo), debe haber, como siempre, equivalencia entre lo que se da y lo que se recibe. Lo que se presta no es la cosa consumible y su uso, sino sencillamente el bien consumible, puesto que éste se destruye por el primer uso. Por consiguiente, lo que se devuelve debe ser una cosa igual en cantidad y calidad a lo que se recibió. No se puede cobrar una cantidad adicional por el uso, ya que éste es inseparable de la cosa. Así como no se puede vender el vino y luego el uso del vino, tampoco se puede exigir, en el contrato de préstamo la devolución del bien y el pago de una cantidad adicional (un interés) por el uso de dicho bien [...] En una época en la que apenas si empezaban a surgir algunas artesanías, y en la que los ricos, excepto los comerciantes, atesoraban en arcas o bajo tierra sus monedas de metales preciosos, Santo Tomás se fija únicamente en la función de cambio del dinero, siguiendo en esto con excesiva fidelidad a Aristóteles: el dinero no sirve sino para conseguir otros bienes y los bienes que se quieran conseguir mediante el dinero prestado eran únicamente los consumibles. Por consiguiente, prestar dinero era lo mismo que prestar bienes consumibles. Como en el préstamo de estos bienes no podía cobrarse interés, tampoco se podía en el préstamo de dinero. El cobro de un interés quedaba así terminantemente prohibido... la condenación del contrato de usura no fue en esta época mera afirmación de los teólogos escolásticos dado que pasó a la legislación eclesiástica. Como la práctica de estas leyes condenatorias se hacía muy difícil, los escolásticos descubrieron varios títulos "extrínsecos" al contrato que podrían permitir el cobro de una suma adicional moderada... dichos títulos eran los siguientes: 1) *Damnum emergens* o "Compensación del daño". Si el prestamista resiente un perjuicio por motivo del préstamo que ha concedido, tiene derecho a resarcirse de él cobrando un interés moderado [...] 2) *Lucrum sessans* o "Ganancias perdidas". Cuando el prestamista se priva de obtener unas ganancias, precisamente a causa de ceder su dinero en préstamo, puede también exigir compensación por el beneficio de que se ve privado [...] 3) *Periculum sortis* o "Riesgo del capital". Consiste en el peligro de perder el capital en circunstancias extraordinarias. Este título no aparece sino hasta fines del siglo XIV [...] 4) *Poena conventionalis* o "Pena convencional". Consistía en una cláusula penal que se agregaba al contrato de préstamo gratuito y que estipulaba el pago de una tasa de interés a partir del vencimiento del contrato, si el prestatario no había devuelto el dinero en esa fecha, correspondía a nuestros intereses moratorios [...] 5) *Titulus legis civilis* o "Título de la ley civil". Del hecho de que la legislación civil permitía que se cobrara un interés módico por el préstamo de dinero, querían deducir algunos la licitud moral del mismo. Santo Tomás estaba en contra de este principio, argumentando que las leyes civiles pueden tolerar los abusos, pero no hacer lícito lo que por naturaleza es injusto".[222]

Las enseñanzas de la escolástica tuvieron innegable trascendencia en nuestra tradición jurídica, pero el documento que mayor repercusión tuvo en las opiniones de nuestros juristas del siglo XVIII fue sin duda la Encíclica *Vix Prevenit* que el Papa Benedicto XIV dirigiera el primero de noviembre de 1745 a los obispos de Italia y que posteriormente el Santo Oficio extendió a la Iglesia Universal. Muestra clara de esta influencia son los comentarios de don Juan Nepomuceno Rodríguez de San Miguel incluidos en la edición mexicana del "Diccionario razonado de legislación y jurisprudencia" de don Joaquín Escriche, y la transcripción íntegra del texto de la encíclica, que hace el mismo Rodríguez de San Miguel de sus "Pandectas Hispano Megicanas"[223] escritas con el propósito manifiesto de "redactar en un solo cuerpo la parte útil de la legislación anterior a la Independencia, y presentar ésta a manera de un 'código general', reunida y purificada de lo totalmente inútil, de lo repetido, y de lo expresamente derogado".[224]

Lo que da gran importancia a esta encíclica, escribe Villain,[225] es que resume con perfecta claridad la doctrina clásica, teniendo "una gran autoridad, aunque la condenación que lleva en sí no tenga en realidad el carácter de una definición infalible".[226] En este documento Benedicto XIV insiste en la negación de un título general que justifique la percepción de un interés en todo contrato de mutuo, niega explícitamente que en virtud del contrato se tenga derecho a exigir usura, ni siquiera en los casos en que ésta es reducida. Tampoco acepta la legitimidad del interés en los casos en que el prestatario vaya a conseguir beneficios con el dinero prestado, rechazando el "lucro naciente" que como justificación a la usura esgrimieron muchos autores de la época. La doctrina de la *Vix Pervenit* sólo admite como motivo del pacto de intereses títulos extrínsecos, esto es circunstancias que no son elementos del contrato de préstamo considerado en su esencia, pudiendo concebirse préstamos en los que no se encuentre. La tradición católica reconocía, ya lo hemos dicho, como títulos extrínsecos el daño emergente, el lucro cesante, el peligro corrido y la pena convencional.

Es necesario destacar que la encíclica que comentamos no niega el que "cualquiera pueda emplear muchas veces e invertir legítimamente su dinero en otros contratos absolutamente diferentes por su naturaleza del mutuo; sea con el fin de adquirir rentas anuales, o sea también para ejercer un comercio lícito que produzca justas y moderadas ganancias"[227] aclarado que "celebrándose estos contratos como se debe, y según las leyes de equidad, son de gran utilidad al comercio humano, y sirven para fomentar la felicidad pública, y el bien de los particulares".[228] El efecto de esta doctrina se hizo notar sensiblemente en la legislación española vigente en México durante el virreinato pues en ella se admitió, como veremos más adelante, el censo consignativo, el contrato trino y el depósito irregular.

II. LA REACCIÓN DEL SIGLO XVIII CONTRA LAS ENSEÑANZAS DE LA IGLESIA

La difusión de las rentas y de los montes de piedad, las costumbres y las leyes de algunos países que toleraban el interés módico, el desarrollo del comercio y de la industria, y la actitud de los reformistas protestantes del siglo XVI junto con las teorías económicas desarrolladas en el siglo XVIII propiciaron un cambio de actitud en la concepción del mutuo con interés.

Piezas fundamentales en este cambio de actitud son: "Memoria sobre los préstamos de dinero" del Canciller Turgot, escrita en 1769 y la "Defensa de la usura" o "Cartas sobre los inconvenientes de las leyes que fijan la tasa del interés del dinero", escritas por Jeremías Bentham en 1787.[229] En uno y otro escrito se combaten con calor los argumentos para fundar la represión de la usura y su huella profunda puede apreciarse en los escritos de los juristas del siglo XIX. Basta leer a don Joaquín Escriche o a don José Febrero, a don Ignacio Ramírez o a don Guillermo Prieto para convencerse de la influencia que Turgot y Bentham dejaron en sus espíritus. Es por esto que no queremos callar el pensamiento de estos autores.

Turgot parte de la absoluta necesidad del préstamo e interés para el apoyo y prosperidad del comercio:

> porque ¿qué hombre razonable y religioso al mismo tiempo puede suponer que la Divinidad ha prohibido una cosa absolutamente necesaria para la felicidad de las sociedades? [...] no hay en verdad una sola plaza de comercio donde la mayor parte de las empresas no se hagan con dinero prestado [...] no es menos evidente que los propietarios no pueden confiar sus capitales a los negociantes si no encuentran una ventaja capaz de indemnizarlos de la privación de un dinero del que podrían hacer uso, y de los riesgos que lleva consigo toda empresa de comercio. Si el dinero prestado no produjese interés, no se prestaría [...] es pues, absolutamente necesario para mantener la confianza y la circulación del dinero,

sin la cual no hay comercio, que se autorice en el mismo préstamo de dinero a interés sin enajenación del capital y a una tasa más alta que la permitida en la constitución de censos [...] la desigualdad de los intereses en razón de la desigualdad de los riesgos nada tiene que no sea justo.

Hasta aquí podríamos pensar que Turgot, al igual que los escolásticos, funda la legitimidad del interés en el peligro creado o en lucro cesante, pero más adelante rechaza esta doctrina afirmando que:

si se quiere que la simple posibilidad del uso lucrativo del dinero baste para legitimar el interés, este interés será legítimo en todos los casos; porque no hay ninguno en que el prestamista y el tomador no puedan, si quieren hacer de su dinero, algún uso lucrativo. No hay efectivamente ningún dinero con que no pueda comprarse una propiedad que dé una renta, o hacerse un comercio que produzca una ganancia; de modo que viene a ser una ridiculez el sentar la tesis general de que está prohibido el préstamo a interés, para establecer al mismo tiempo un principio de que resulta una excepción tan general como la pretendida regla.

"La legitimidad del préstamo a interés es una consecuencia inmediata de la propiedad que tiene el prestamista sobre la cosa que presta [...] la propiedad del dinero lleva consigo el derecho de venderlo y el de alquilarlo", no hay porque limitarle al prestamista su propiedad fijando tasas máximas de interés.

Turgot se muestra partidario no sólo de permitir el préstamo a interés sino también de proscribir la doctrina canónica del "justo precio", que se reputa contraria a la libertad.

Para explicar las prohibiciones a la usura asienta que las severas penas existentes en la antigüedad para exigir el pago de lo prestado, las cuales llegaban incluso a la privación de la libertad, produjeron el odio del pueblo contra los prestamistas, pero desaparecidas estas sanciones rígidas no hay porque conservarlo. El odio a los usureros tiene como razón la naturaleza misma de las cosas:

pues por más dulce que sea el hallar quien preste, es muy duro después el verse obligado a devolver lo recibido [...] el pobre y el hombre sin conducta son los que piden prestado, y ni uno ni otro pueden devolverlo sino a resultas de un feliz acontecimiento, o por medio de una grande economía, de modo que ambos suelen ser insolventes y por lo mismo corre mayores riesgos el prestador; y así, cuando más expuesto está a perder su capital, tanto más subido debe ser el interés para contrabalancear este riesgo con el provecho. En todo caso el acreedor, aun cuando preste gratuitamente, se granjea el odio de su deudor, mas entonces el deudor no se atrevería a confesar este odio, antes bien reconocería la injusticia atroz que iba a cometer, haciendo del beneficio un título para aborrecer al bienhechor, y no podría ocultársele que ninguno tomaría parte por éste ni se compadecería de sus quejas; pero si por el contrario hace recaer éstas sobre la enormidad de los intereses que le ha exigido el acreedor abusando de su necesidad, haya en todos los corazones el favor que inspira la compasión, de modo que el odio contra el usurero viene a ser una consecuencia de ella [...] apareció el cristianismo y en una religión que se declaraba protectora de los pobres, era natural que los predicadores, dejándose llevar por el ardor de su celo, adoptasen una opinión que había llegado a ser el grito del pobre y que no considerando el préstamo a interés en sí mismo, ni en sus principios, lo confundiese con la dureza de los procedimientos ejercidos contra los deudores insolventes [...] en esta especie de filiación de las opiniones contrarias al préstamo a interés, se ve que los pueblos perseguidos por acreedores inhumanos imputaron su desgracia a la usura, y la miraron con odio, que las personas piadosas y los predicadores participaron de esta impresión y declamaron contra la usura; que los teólogos, persuadidos por la voz general de que la usura era ilícita en sí misma, buscaron razones para probar que debía ser condenada y hallaron mil malas, porque era imposible que encontrasen una buena; y que en fin los jurisconsultos, impelidos por su respeto hacia las decisiones de los teólogos, introdujeron los mismos principios en la legislación.

Turgot señala como consecuencia general que "por ningún motivo se debe prohibir el préstamo a interés" y que siendo el interés el precio del dinero en el comercio, este precio debe abandonarse al curso de los acontecimientos y a las convenciones de los particulares, las cuales por sí mismas harán reinar la justicia en estas transacciones.

Jeremías Bentham por su parte, inicia sus cartas señalando que:

entre tantas apologías como se han publicado y reproducido a cada paso en Inglaterra sobre las diversas especies de libertad, no me acuerdo haber visto una sola a favor de la libertad que deben tener los individuos para estipular las condiciones que más les acomode en sus transacciones pecuniarias [...] el resultado de mis meditaciones sobre esta materia se reduce para mí en la siguiente proposición: es a saber que a ningún hombre que ha llegado a la edad de la razón, que tiene un entendimiento sano, y que obra libremente y con conocimiento de causa, no debe impedirse ni aun por consideraciones fundadas en su propia utilidad, que haga como mejor entendiere los contratos que más le acomoden para procurarse dinero, y que por consiguiente a nadie debe estorbarse que de lo que pida bajo las condiciones que quisiere aceptar [...] Si fuese admitida esta proposición caerían de un solo golpe todas las barreras que la ley, reuniendo los esfuerzos de su sabiduría levantó contra el "escandaloso" pecado de la usura.

Redactada en un tono polémico y agresivo la "defensa de la usura" resume con fidelidad la tesis de Turgot, reforzándola con argumentos que buscan lograr la supresión de las disposiciones represivas del mutuo usurario.

Bentham sostiene que las leyes que prohibían la usura no pudieron poner en consideración tres tipos de personas a las que se pretendió proteger: a) Los indigentes; b) Los especuladores temerarios o proyectistas; c) Los mentecatos. Hablando primero de los indigentes, Bentham sostiene que no padecen en su juicio ni en su carácter de ningún vicio particular que sea capaz de extraviarles, sino que saben apreciar sus intereses como cualquier otro hombre. Si son tales sus circunstancias que nadie puede prestarles al interés permitido por la ley, encontrarán dinero aceptando un interés más alto y si juzgan conveniente actuar en esta forma no es el legislador quien deba prohibírselos, no puede decirles "todas las consideraciones que te ofrecen no tienen ningún valor; no tomarás prestado, porque te sería perjudicial el hacerlo con semejantes condiciones ¡y este lenguaje dimana de un sentimiento de benevolencia y de cordura!" es posible concebir, afirma Bentham, más crueldad, pero no más extravagancia.

Por lo que toca a los proyectistas, Bentham los exalta afirmando que son hombres con espíritu de innovación a quienes hay que favorecer, pero que dada la natural desconfianza hacia sus proyectos arriesgados sólo podrán obtener medios para realizar sus proyectos pagando tasas de interés elevadas, que de ser impedidas por la ley privarían a la sociedad del progreso que puede reportarle la actividad del hombre de empresa.

Por lo que se refiere a aquellos que por "una estúpida indolencia" pueden dejarse imponer tasas de interés superior a las normales, Bentham afirma que fuera del caso de la absoluta "mentecatez" no hay ningún grado de simplicidad que pueda exponer a un sujeto a formar en sus negocios en juicio más falso que el del legislador, pero aun suponiendo que esto llegare a acontecer el tomador se encuentra en situación muy ventajosa: "si yo que he tomado dinero llego a descubrir que he dado un interés muy alto al que me lo ha prestado, no tengo más que hacer sino buscar otro prestamista y reembolsar al primero; y si no encuentro ninguno que quiera prestarme a un interés más bajo, es una prueba segura de que realmente no es excesivo el que tengo contratado".

Los escritos que hemos mencionado modelaron el juicio de la mayoría de nuestros juristas liberales en el siglo pasado, pero es indispensable conocer que la mente de aquellos que, fieles a la enseñanza de la Iglesia, seguían viendo con desagrado la usura, que sufrió también una transformación. Considerando el papel del dinero en la sociedad capitalista, se dieron profundas modificaciones a través de los siglos y ya para 1830 tanto la Sagrada Penitenciaría como el Santo Oficio hacen declaraciones en el sentido de que, sin buscar la existencia de un título extrínseco, es posible considerar como permitida la estipulación de un interés moderado. El derecho canónico expresa claramente esta doctrina cuando ordena: "si se le entrega a alguien una cosa fungible, de tal suerte que pase a ser suya y después tenga que devolver otro tanto del mismo género, no se puede percibir ninguna ganancia por razón del mismo contrato; pero al prestar una cosa fungible, no es de suyo ilícito estipular el interés legal, siempre que no conste que es excesivo, y aun uno más alto, si hay título justo y proporcionado que lo cohoneste".[230]

No existe ya, desde 1830,[LXX] prohibición canónica para estipular intereses en el mutuo, pero subsiste en todo su vigor el principio del justo precio que impide el señalamiento de tasas de interés exorbitantes.

III. LAS LEYES ESPAÑOLAS ANTIGUAS

Algunos de los ordenamientos legales españoles más antiguos permitieron la usura, señalando en protección del deudor tasas máximas de las que no podía exceder el interés. Así el Fuero Juzgo del año 693 permitió que se realizaran préstamos limitando la usura al doce y medio por ciento anual, añadiendo que si el que tomó los dineros prometiere más de lo establecido por alguna necesidad *tal prometimiento non vala*" y si el usurero le hiciere prometer más "tome sus dineros, e pierda las usuras todas cuantas le prometiera" (Ley VIII, título V, libro V). El propio Fuero Juzgo da reglas diferentes, de difícil interpretación, para el caso de que lo prestado no fuere dinero sino pan, óleo, vino u otra cosa (Ley IX, título V, libro V).[231]

El Fuero Real del año 1255 fijó como tasa máxima de interés el veinticinco por ciento anual (Ley VI, título II, libro IV) señalando que en el caso de que el acreedor recibiera más del límite legalmente establecido

---

LXX   A partir de 1830 se permitió la estipulación de intereses moderados.

debería devolver el doble de lo que se había cobrado en exceso. Debe resaltarse ya que en este código existe una circunstancia que influirá no sólo en este sino también en las leyes posteriores. Prohibida la usura para los cristianos por las Doctrinas de la Iglesia, que no observaban los judíos, las prohibiciones a la usura van dirigidas a estos últimos para los contratos que celebraban con los cristianos y no entre ellos pues el antiguo testamento (Deuteronomio XXIII) preceptuaba: "no exijas a tus hermanos interés alguno, ni por dinero ni por víveres, ni por nada de lo que con usura se presta. Puede exigírselo al extranjero, pero no a tu hermano".[232]

Con el correr de los años las severas condenaciones de los Padres de la Iglesia hacia la usura provocarán la prohibición legal absoluta del pacto de intereses. En el año 1263 las célebres partidas del Rey Alfonso el Sabio prohíben ya con energía la estipulación de réditos. La Ley XXXI, título XI de la quinta partida niega valor a las usuras, debiendo devolver el deudor sólo lo que recibió sin tener que pagar rédito alguno aun cuando a ello se hubiera obligado expresamente.[233] La Ley LVIII, título VI de la primera partida reconoce la competencia de la Iglesia para conocer de toda acusación de usura, considerada no sólo como delito civil sino como pecado. Se declaran infames a los usureros (Ley IV, título VII, séptima partida) y a los impenitentes se les niega el derecho de ser enterrados en sagrado (Ley IX, título XIII, primera partida), impidiendo asimismo que sus bienes fueran adjudicados a sus herederos y ordenando que éstos sean devueltos a los antiguos deudores o a los herederos de éstos (Ley II, título XV, sexta partida).[234]

El mismo espíritu encontramos en el Ordenamiento de Alcalá del año 1348 en el cual, además, se concede fuerza de ley supletoria al Código Alfonsino lo que otorga en muchas materias completa efectividad a este ordenamiento. Severas prohibiciones a la usura encontramos en el Ordenamiento de Alcalá tanto para los cristianos como para los judíos y moros. La Ley I del título XXIII de este cuerpo de leyes impide a los cristianos el préstamo usurario. Con mayor rigor que el Código de don Alfonso el Sabio, el Ordenamiento de Alcalá establece no sólo la pérdida del interés, sino también la del capital prestado en favor del deudor y el pago, como multa, de otro tanto "como fuere la cuantía que diere a logro, la tercera parte para el acusador y las dos partes para nuestra Cámara". En caso de primera reincidencia, el usurero perdería la mitad de sus bienes y de segunda la totalidad, repartiéndose éstos en una tercera parte para el acusador y las otras dos para la Cámara del Rey.

La Ley II del título veintitrés del Ordenamiento de Alcalá prohíbe a los judíos y moros el que sean osados de dar a logro por sí ni por otro, revocando todas las cartas, fueros y privilegios que se les habían concedido hasta entonces.

Las disposiciones que hemos comentado del Ordenamiento de Alcalá fueron reproducidas primero por la Nueva Recopilación de 1567 (leyes I y IV del título VI, libro VIII) y más tarde por la Novísima Recopilación formada por orden de Carlos III en el año de 1805 (leyes I y II del título XXII, libro XII) en estos últimos cuerpos legislativos además de las prohibiciones estudiadas se incluyen las reglas que han de observarse en los contratos de los judíos o moros con los cristianos (Ley III, título VI, libro VIII de la Nueva Recopilación y Ley III, título XXII, libro XII de la Novísima Recopilación) y muy especialmente medidas para evitar las simulaciones a las que hemos de referirnos más adelante.[235]

Tanto la Nueva como la Novísima recopilaciones contienen como su nombre indica la agrupación de las leyes de España expedidas por los reyes bajo la forma de pragmáticas, cédulas, decretos, órdenes y resoluciones reales, la primera hasta 1567 y la segunda hasta 1804 y, por lo tanto, no debe extrañarnos que se compilen resoluciones legales que se modifican o substituyen unas con otras a través del tiempo. En ambas recopilaciones podemos observar una clara evolución en materia de mutuo con interés. Las leyes que ya hemos comentado, reproduciendo las disposiciones del Ordenamiento de Alcalá, fijan un punto de partida en el que la prohibición de la usura es absoluta. Al paso de los años la influencia de las ideas contrarias y, sobre todo, el cambio en el papel que el dinero representa en el medio económico determinará el ánimo de los reyes para admitir, poco a poco, la estipulación de intereses. Sigamos a grandes líneas esa evolución. Admitidos por la escolástica los títulos extrínsecos del daño emergente y lucro cesante, los juristas, citando a los teólogos, concluyen la licitud de estos títulos para percibir compensación.[236] A petición de las Cortes de Madrid, don Carlos y doña Juana, en el año 1534, aceptaron que existiendo el título extrínseco se pudiera llevar un interés, el cual en ningún caso podría exceder del diez por ciento anual (Ley IX, título XVIII, libro V de la Nueva Recopilación y Ley XX, título I, libro X de la Novísima Recopilación). La disposición anterior fue expresamente derogada por la pragmática de catorce de noviembre de 1652, dispuesta por el rey Felipe IV, en la que se redujo el tipo de interés al cinco por ciento anual (Ley XXII, título I, libro X de la Novísima Recopilación).[237]

Conviene aquí destacar un hecho que refleja el sentir de las antiguas leyes españolas. La tendencia solidarista que hizo considerar más legítimo el empleo del dinero dentro del contrato de la sociedad. La solidaridad no admitía que pudiera darse el caso de que quien pone su trabajo se arruine, mientras el capitalista conserva íntegramente su derecho a reclamar el capital prestado. Se quería que el capital compartiera los riesgos de la empresa, que el trabajo y el capital siguieran la misma suerte, uniéndose en un contrato de sociedad, no en un contrato de préstamo a interés. Esta es sin duda la razón de la Pragmática de Aranjuez de 1608 que prohíbe que "ninguna persona, de cualquier calidad y condición que sea, pueda dar ni dé dineros a mercaderes o personas de negocios para que los traigan a cambios, o para que con ellos traten o contraten, si no es a pérdida y ganancia y en los casos permitidos por el derecho..." (Ley XV, título XVIII, libro V de la Nueva Recopilación y Ley XXI, título I, libro X de la Novísima Recopilación).

En el siglo XVIII se pierde este carácter y se sujetan a reglas semejantes los préstamos hechos a los comerciantes y a quienes no lo son.

IV. LAS LEYES ESPAÑOLAS EN EL MOMENTO DE LA INDEPENDENCIA

Al principio del siglo XIX, al consumarse nuestra Independencia, podemos resumir con Roa Bárcena el estado de nuestra legislación de la siguiente forma:[LXXI] las leyes disponen que no puede pactarse ni cobrarse más del cinco por ciento de entre los que no sean comerciantes, y el seis por ciento entre éstos (leyes XXII, XIV, XVII, XVIII y XXI, título XIII, libro X de la Novísima Recopilación); dicho premio del seis por ciento se ha introducido en la práctica aun entre los no comerciantes.

LXXI   Hoy en día el Código señala: "Artículo 2395. El interés legal es el nueve por ciento anual. El interés convencional es el que fijen los contratantes, y puede ser mayor o menor que el interés legal...".

Analizando el porqué de estas leyes, el propio Roa Bárcena escribe: "Es muy disparatada la opinión de que el dinero puede alquilarse, puesto que no hay alquiler posible de cosas fungibles que pasan al dominio absoluto del mutuario y que se han de consumir en su poder; y cómo, por último, las leyes debieron tener presentes todas estas circunstancias; y la de tomar un término prudente entre todas ellas, es de creerse que por tal razón disponen lo antes dicho".[238]

No presentaríamos un cuadro completo de la legislación de la época si no atendiéramos a una situación que señalan frecuentemente las leyes españolas y que habrá de tener clara repercusión en las leyes del México independiente e incluso en el propio Código civil de 1870. Parece haber sido muy frecuente que para eludir las prohibiciones y limitaciones a la usura en el contrato de mutuo, se acudiera a otros, que producían en última instancia resultados parecidos a los del préstamo. Tal es el caso del Contrato Trino, del censo consignativo, del llamado depósito irregular y de ciertas compraventas con pacto de retroventa. Analicemos estos casos:

1) El Contrato Trino: Se llamó así a la reunión de tres contratos entre unas mismas personas y sobre el mismo negocio. Se celebraba primero un contrato de sociedad a pérdidas y ganancias, posteriormente una de las partes aseguraba a la otra el capital por renuncia de parte de la ganancia, y por último el segundo vendía al primero la ganancia incierta por otra ganancia cierta más moderada.[239]

Definida la cuestión del mutuo con interés,[LXXII] se apreció con razón que el Contrato Trino, encubriendo propiamente un préstamo, debía de sujetarse a las reglas de éste y sólo sería lícito siempre que el tanto por ciento estipulado para el capitalista no excediera del seis por ciento.[240]

2) El censo consignativo: A través del censo consignativo una persona llamada censualista adquiría el derecho de exigir de otra llamada censuario el pago de una pensión anual mediante la entrega de una cierta suma de dinero sobre un bien raíz, cuyo dominio útil y directo quedaba en favor del mismo censuario. Como elementos del censo de-

---

LXXII   Hoy en día el Código señala: "Artículo 2393. Es permitido estipular interés por el mutuo, ya consista en dinero, ya en géneros".

ben señalarse: a) El precio que se llama capital impuesto; b) La pensión o rédito; y c) La cosa en que se funda o asegura.

Jurídicamente el mutuo y el censo consignativo presentan diferencias profundas, a saber:

I. En el mutuo el acreedor tiene el derecho de exigir la devolución del capital prestado. En el censo el censualista no puede exigir tal devolución sino en caso especial;

II. En el censo hay un derecho consignado en una cosa y no contra ninguna persona en tanto que en el mutuo se crea solo un vínculo de carácter personal entre el mutuante y el mutuario;

III. El derecho derivado del censo es relativo y pendiente de la existencia de la cosa y no absoluto contra el obligado, como en el mutuo.

Estas diferencias llevaron a los legisladores a tratar con mayor benevolencia al censo en relación con el mutuo permitiendo con mayor facilidad su celebración,[241] pero exigiendo siempre la proporción entre el precio y el rédito.

Algunos autores admitieron la posibilidad de constituir censos que sólo se colocaban en la persona con respecto a su industria u obras sin que existiera derecho real sobre cosa alguna, llamándolos censos personales. Pero la mayoría de los tratadistas rechazó esta categoría considerando con razón que en ella no había más que un préstamo mal encubierto.[242]

3) El depósito irregular: En las notas al diccionario de Escriche se lee:

> En todo el Territorio de la República de México se conoce [...] bajo el nombre de depósito irregular un contrato por el cual se entrega cierta cantidad en dinero por tiempo determinado, con la obligación de abonar durante él un interés legal, y devolver el capital del préstamo expirado el plazo [...] el depósito irregular es pues, un préstamo con interés y debe gobernarse por las reglas comunes del contrato de mutuo.[243]

Sin embargo, Rodríguez de San Miguel intenta distinguir ambos contratos:

> Muchas veces he examinado los fundamentos en que algunos autores no despreciables se apoyan para impugnar el contrato de que tratamos, y sólo encontré que confunden el depósito irregular con el mutuo, y que no saben distinguir el lucro

compensatorio del usurario. Este, que es el que propiamente debe llamarse usura, consiste en el lucro que únicamente proviene del mutuo, de tal manera que
el mutuamente o prestamista no tiene para exigirlo otro motivo que el beneficio
que hace al mutuario. Tal acción es intrínsecamente mala como prohibida por los
derechos natural, divino, canónico y civil, y sometida a penas graves... empero el
lucro compensatorio debe mirarse bajo un aspecto muy diferente, como que en
él sólo se atiende a la justa compensación y a la indemnización del acreedor.[244]

Lo que no explica el ilustre Rodríguez de San Miguel es la razón por
la que considera que los títulos extrínsecos pueden aparecer sólo en el
depósito irregular y no en el mutuo, y por qué en el depósito irregular
del mismo modo que en el mutuo no puede afirmarse que de suyo no
es lícito pactar intereses. Parece ser que sólo la costumbre en la práctica
de estos dos contratos, en circunstancias exteriores diferentes, puede
justificar el empeño de distinguirlo.

Contribuyó sin duda al auge del depósito irregular en México su
aprobación expresa por los Concilios Mexicanos III y IV, de 1585 el primero y de 1771 el segundo, quienes fundándose en la autoridad de
Inocencio Tercero declararon lícito el depósito irregular.[245]

4) La venta con pacto de retroventa: Para eludir la represión severa
de la usura fue muy frecuente encubrirla con la apariencia de una compraventa en la que quien actuaba como comprador no era en el fondo
más que un prestamista.[246] Mediante este contrato el deudor vendía a
su acreedor un cierto bien por el valor que deseaba recibir en préstamo comprometiéndose el comprador a revenderla al vendedor por el
mismo precio que recibía. Dos posibles abusos podían cometerse con
el deudor en este caso: primero, que la cantidad prestada fuere despro-
porcionada con los rendimientos del bien, los cuales percibía el acreedor a título de dueño; y segundo, que normalmente al celebrarse la operación se hacía por cantidades muy inferiores al valor real del bien que
se vendía, a lo que no ponía reparo el deudor confiado en la posibilidad
de redención en el mismo precio bajo, pero de no poder realizar ésta
perdía para siempre, por una cifra baja, un bien de valor mucho mayor.

Institución semejante fue la anticresis que, sin embargo, evitaba el
segundo de los peligros mencionados estableciéndose para el caso de
falta de pago la venta en subasta del bien objeto del contrato. El valor
de estas operaciones fue largamente discutido pretendiendo aplicarles
por analogía a las reglas de la prenda, en la cual los frutos pertenecen

al deudor y si son percibidos por el acreedor deben imputarse al pago del capital prestado o al de sus intereses cuando estos son permitidos.[247] Para concluir el estudio de la usura en las leyes españolas sólo nos falta hacer mención de las protecciones a los débiles, establecidas en forma general pero aplicables a la represión del agio.

Hay que mencionar en primer término al establecimiento de "lesión" que se obtiene del Derecho romano y se aplica principalmente a la compraventa pero que es susceptible de invocarse en otros contratos como los censos.[248] Los juristas distinguieron entre la lesión enorme cuando se debía algo más o menos de la mitad del justo precio y la enormísima cuando el pago llegaba en exceso o defecto a dos tantos más o menos del precio justo,[249] graduando y agravando las sanciones según se estuviera en uno u otro caso.

Aplicables directamente al préstamo estimamos las disposiciones que imponen al deudor la obligación de entregar sólo aquello que recibió y si el préstamo es en dinero a pagar la suma o cantidad expresada en el contrato. Salvo pacto en contrario, "si las monedas tienen después algún aumento o disminución por ley del gobierno antes de la época del pago, el mutuatario debe restituir la suma numérica que recibió y no debe restituir sino esta suma en las monedas corrientes al tiempo de la paga"[250] poniendo de este modo en ausencia de pacto expreso, el riesgo de la depreciación de la moneda a cargo del acreedor.

Para estorbar el fraude a la ley, siguiendo la tradición romana, se consagró la excepción de dinero no contado, para impedir que el deudor confesara falsamente haber recibido lo que no le había sido entregado[251] y se estableció la necesidad del juramento, para evitar la simulación de incluir las usuras como suerte principal, los cuales debían realizarse tanto al tiempo de otorgar la escritura o cédula como al usar de ella.[252] La efectividad de este requisito puede apreciarse si se tienen en cuenta las severas penas para el juramento en falso.

V. LAS LEYES DEL MÉXICO INDEPENDIENTE

Realizada la Independencia en 1821 continuaron en vigor las leyes del virreinato hasta en tanto no se formarán las nuevas para la República, permaneciendo en vigor las prohibiciones del mutuo usurario estudiados anteriormente.

El primer cambio, fruto de las ideas liberales, lo encontramos en la Ley de 30 de diciembre de 1833 expedida durante la presidencia provisional de don Valentín Gómez Farías. En esta ley escuetamente y sin mayor explicación se derogan las leyes prohibitivas de las usuras, permitiendo implícitamente la estipulación ilimitada de intereses, excepción hecha de los capitales de las capellanías y obras pías las cuales siguieron sujetas a la prohibición.[253] Famosas por su trascendencia histórica son las leyes votadas en el congreso de 1833. La secularización de las misiones de California, el cese de coacción civil para el pago de diezmo y cumplimiento de los votos monásticos, y la declaración de nulidad de la provisión de canonjías, fueron todas las medidas acordadas por este congreso y su importancia política opacó con mucho la importancia innegable de la ley derogatoria del mutuo usurario. Esta circunstancia explica el silencio con el que nuestros juristas la recibieron.

Pero no duró mucho tiempo en vigor la reforma, a escasos seis años don Anastasio Bustamante derogó el 21 de agosto de 1839[254] la reforma de Gómez Farías, restituyendo la vigencia de las leyes españolas que limitaban el interés. Años más tarde, el 20 de noviembre de 1843, bajo la presidencia del general Valentín Canalizo se aclaró el sentido del decreto de 1839 y se enfatizó la prohibición de las usuras concediendo tan sólo la posibilidad de cobrar en los préstamos el "premio legal".[255]

Tampoco las disposiciones del presidente Bustamante alcanzaron una larga vigencia. Las luchas internas por las que atravesaba el país, alternando en el gobierno a liberales y conservadores, hicieron que el 16 de mayo de 1861 en vísperas de la intervención francesa, don Benito Juárez obtuviera del Congreso una nueva derogación de las leyes restrictivas de la usura,[LXXIII] dejando explícitamente la fijación del interés a la voluntad de las partes.[256] Conviene detenernos en el análisis de esta disposición, que marca el fin de la fijación de la tasa máxima de interés para los préstamos en nuestra patria, pues la derogación que del Decreto que comentamos hizo la Regencia del Imperio el 17 de julio de

---

[LXXIII] Fue el 15 de marzo de 1861 por un decreto presidencial que Benito Juárez abolió la protección legal contra el mutuo usurario.

1863[257] es de dudosa validez y nunca fue observada por los gobiernos republicanos.

El decreto del presidente Juárez fue elaborado siendo Ministro de Justicia don Ignacio Ramírez y ocupando la cartera de Hacienda don Guillermo Prieto, y es de suponerse por la índole de la materia tratada que fueron estos funcionarios quienes inspiraron su contenido. Sus escritos son pues de innegable autoridad para determinar el espíritu de la reforma y a ellos acudimos para explicarlo.

Don Ignacio Ramírez ligaba claramente la cuestión de la usura con la de la propiedad. "Toda la cuestión actual para la usura se reduce a si ha de existir la propiedad privada. ¿Se conserva esta clase de propiedad? Su consecuencia entonces es que cada dueño le ponga precio como se le antoje".[258]

Don Guillermo Prieto en sus lecciones de Economía política dictadas en la Escuela de Jurisprudencia de México el año 1871, después de considerar sofísticos los argumentos contra la usura expuestos por los teólogos y canonistas se adhiere expresamente a las teorías de Turgot y Bentham, elogia el pensamiento de Ramírez y termina afirmando: "Educación y hábitos de previsión y de ahorro que generen capitales, empleo de estos en auxilio del trabajo, garantías por parte del gobierno para el libre ejercicio y aprovechamiento de éste; y los males que hoy se atribuyen a la usura desaparecerán, quedando el interés del capital reivindicado, y este convertido en fuente poderosa de regeneración y de progreso".[259]

Esta es la filosofía que anima al decreto de 1861 y que habrá de perdurar en el Código civil que hoy conmemoramos. Bueno es señalar que sus postulados fueron rechazados por muchos de los juristas de la época y así don Francisco de Paula Ruanova, en sus "Lecciones de Derecho Civil", exclama: "Los Legisladores de nuestros tiempos, más que del bien público se encargan de proteger a cierta clase de la sociedad, acaso la más nociva para ella, como es la de los agiotistas, no han tenido embarazo para derogar las sabias leyes que impedían la usura a pesar de tener la convicción de que esta "garantía" concedida a los usureros es con detrimento de toda la sociedad. ¡Hasta cuándo nuestros gobiernos serán realmente los protectores del pueblo y dictarán disposiciones en beneficio de la sociedad!".[260]

De nuestros proyectos anteriores al de 1870, el formado en Guadalajara por don Vicente González Castro el año 1839, reproduciendo las leyes españolas, señala en su artículo 1574 como tasa máxima de interés el legal, que fija provisionalmente el cinco por ciento (artículo 1575).[261] El elaborado por don Justo Sierra, a encargo del Presidente Juárez en 1859, siguiendo al proyecto español de don Florencio García Goyena (artículo 1650), señala como tasa máxima del interés el doble del legal (artículo 1761),[LXXIV] al que concibe variable según las necesidades y fija para ese momento en un seis por ciento (artículo 1765). Con excepción de estos dos proyectos los demás no limitan la fijación del interés.[262]

Por lo que toca a los códigos locales, anteriores a 1870, el de Oaxaca de 1828 a 1829, no trata la materia y los de los estados de Veracruz (artículo 2111) y México (artículo 1910) permiten libremente el pacto de intereses.

Analizada la evolución de la legislación mexicana durante el siglo XIX no nos queda sino estudiar la reglamentación de la usura en el Código civil de 1870.

VI. EL CÓDIGO CIVIL DE 1870

Para lograr una idea cabal de la forma en que nuestro Código civil de 1870 trató la reglamentación de la usura debemos considerar fundamentalmente dos contratos: el mutuo y el censo consignativo, pero antes de estudiarlos queremos presentar un cuadro general que nos oriente en su análisis.

Profundamente influenciado por las ideas liberales de su época, construye la teoría del contrato sobre una idea fundamental: la libertad. La libertad entendida en un triple aspecto, en la elección del cocontratante, en la forma del contrato y en la estructuración del contenido del mismo. Para el código la justicia no es sino el resultado de la libertad. Todo lo que se ha querido libremente es justo. La solidaridad social, tan viva en las leyes anteriores, palidece con el brillo de la libertad, y el prin-

---

LXXIV   Hoy en día el Código Civil para el estado de Jalisco señala: "Artículo 1976. El interés legal será igual al importe del aumento del índice nacional de precios al consumidor".

cipio de la autonomía de la voluntad alcanza el cenit de su gloria. En la base del orden jurídico se coloca al individuo, caracterizado abstractamente por su voluntad libre. Es el *homo juridicus*, análogo al famoso *homo oeconomicus* de la economía abstracta. Todo hombre se encuentra así, supuestamente, en igualdad de condiciones con sus semejantes y su protección será asunto de su sola incumbencia. La vieja teoría canónica del justo precio, pieza fundamental en la legislación virreinal, languidece en el nuevo código. Su artículo 1771 impide la rescisión por causa de lesión y la exposición de motivos lo explica afirmando que:

> Establecidas las reglas de los contratos en general y en particular, y debiendo ser conocido el código de todos los ciudadanos, cada uno debe cuidar de asegurarse al contratar. Además: se han establecido las reglas generales para la rescisión por dolo y por error, de donde resulta, que no hay necesidad de las relativas a la lesión, pues cuando ésta se verifica, hay por lo común error y no pocas veces dolo. Así se cierra la puerta a cuestiones interminables y de muy difícil solución. Sólo se exceptúa el contrato de compraventa… no habrá, pues, en lo sucesivo más que un género de lesión atendible y desaparecerán de nuestro foro los términos de enorme y enormísima.[263]

Fácil es comprender que en este marco el Código civil repudiara la intervención de la ley para fijar la tasa máxima de interés en los créditos, y así tanto en el mutuo (artículos 2822 y 2824) como en el censo consignativo (artículos 3214 y 3215) dejó la determinación del interés convencional a la entera voluntad de las partes, yendo en esto más adelante que el propio Código Napoleón que señalaba límites para la tasa de interés.

Con buena técnica y ejecutando su loable propósito de simplificar la legislación, eliminando lo ya inútil o anticuado, suprimió el llamado depósito irregular, asimilándolo al censo consignativo (artículo 3213) o al mutuo (artículo 2673), según que la imposición se hiciera sobre bienes inmuebles o faltare esta circunstancia.[264]

Reglamentando el mutuo, el código lo considera como un contrato real, y al no establecer forma especial para su celebración, el principio del artículo 1392, creado al influjo de la antigua legislación española, tuvo plena vigencia no requiriéndose de ningún formalismo para la validez del contrato, y al señalar que el pacto de interés debía constar en la misma forma que el propio contrato (artículo 2825) suprimió de este modo el antiguo requisito que exigía su estipulación escrita.[265]

Congruente con la idea de dejar la estructuración del contenido de los contratos a la libre voluntad de las partes, el código permite (artículo 2827), sin otra cortapisa que el pacto expreso, el anatocismo o sea la capitalización de los intereses vencidos que hasta entonces había sido generalmente repudiado. Tanto en el proyecto de don Justo Sierra (artículo 1763) como en las legislaciones que lo siguieron: Código corona (artículo 2113) y Código del estado de México (artículo 1912), inspirándose en el Proyecto de García Goyena (artículo 1652), sólo permitían la capitalización de los intereses vencidos después de un año, y en virtud de un nuevo pacto, disposición que supera inclusive a la de nuestro Código vigente.[266]

La protección del mutuario se reduce a la presunción del pago de los intereses cuando el recibo del capital ha sido dado sin reserva (artículo 2828)[267] y a la conservación de la excepción de dinero no contado consagrada en los artículos 1202 y 1203.

Por lo que toca al censo consignativo[LXXV] el Código de 1870 introduce en él variantes que, quitándole algunas características que le dieron fisonomía hasta entonces, lo acercan grandemente al contrato de mutuo. Como hemos visto dentro de la legislación española el capital entregado para adquirir la renta no era exigible por el censualista. Este carácter fue recogido por el Proyecto Sierra (artículo 1639) y por los Códigos corona (artículo 1985) y del estado de México (artículo 1805), con excepciones razonables en los casos de quiebra o insolvencia del deudor, o cuando habiendo dejando pasar el censuario dos años seguidos sin pagar la pensión, y requerido judicialmente no pagaba en el término de diez días contados desde el requerimiento.[268] Pero el del Distrito (artículo 3218) permitió la fijación de un plazo, que nunca podría exceder de diez años (artículo 3227), para la devolución del capital, quitando el carácter de perpetuo para el acreedor que caracterizó hasta entonces al censo. Por otra parte, el mismo código permite al censualista exigir anticipadamente el pago del capital por la falta de cumplimiento en el pago de una sola de las pensiones (artículo 3218).

Al mismo tiempo que permitió la exigibilidad del capital el código de 1870 estableció con sobra de justicia la redimibilidad de todo censo (ar-

---

LXXV   Fue abrogado por el Código de 1928.

tículos 3214 y 3215) en su afán de impedir la amortización de los bienes contra la que ya habían luchado las leyes de reforma.

La destrucción de la finca consignada no extingue el censo, privando a la obligación del censatario de su carácter *propter rem* que hasta entonces había mantenido.[269]

Destruida así la antigua fisonomía del censo consignativo y aproximado su carácter al mutuo, de tal modo que resulta difícil distinguirlos, bien se comprende porque los autores de la época, como Manuel Mateos Alarcón pensaran que "es de lamentarse que la evolución de nuestra legislación sobre esta materia tan importante no hubiera sido completa, hasta el grado de suprimir el censo consignativo que a pesar de las modificaciones introducidas en él[270] no deja de ser un contrato de mutuo con interés, de existencia innecesaria".[271] Ésta es la reglamentación que hace de la usura el Código de 1870. Sus disposiciones han sido juzgadas en ocasiones con injusta severidad, desvinculándolas del contexto histórico en el que fueron creadas. No puede apreciarse aisladamente su valor, debe considerárseles dentro de la filosofía general del código que, a su vez, es el resultado de las ideas imperantes en su tiempo.

Sin embargo, debemos hacer una reflexión: si la historia es maestra de la vida, el estudio del régimen legal de la usura que hemos hecho esta noche nos enseña que ni las leyes virreinales ni la legislación del siglo XIX pudieron impedirla con eficacia. El rigorismo de las primeras y la exagerada laxitud de las segundas no fueron efectivas. Ni la prohibición legal, ni el libre juego de las leyes económicas desterraron el agio. Incluso nuestro Código vigente, que sin fijar tasa máxima de interés otorga al deudor protecciones más amplias que le permitan nivelar su situación con la del prestamista, sigue presentando a las lacras de la usura que siguen marcando a nuestra sociedad. La labor impostergable de los hombres de derecho es luchar sin descanso para combatirlas tanto en el marco de las leyes como en la aplicación de éstas a la realidad.

Las relaciones privadas. La evolución del Derecho civil (1968-1977)

[Publicado originalmente en Jurídica.
Anuario del departamento de derecho de la
universidad iberoamericana, tomo I, Núm. 10, julio de 1978.]

I. PREÁMBULO

Sin duda habría sorprendido a los autores clásicos y tal vez hubieran tenido por una temeridad el pretender analizar la evolución del Derecho civil en un lapso de diez años.

Tenido por casi inmutable, el Derecho civil ha recibido una sólida estructura elaborada a través de muchos siglos y sólo variada, en instituciones concretas, a propósito de grandes transformaciones sociales, económicas o políticas.

El tiempo presente es tiempo de cambios. La afirmación es un lugar común, algo continuamente repetido y aceptado, es casi una vulgaridad. Su certidumbre, sin embargo, parece incontestable. Nuestro mundo está lleno de mutaciones, de circunstancias cambiantes que requieren la adaptación del derecho a las nuevas realidades. La medida del tiempo parece acortarse y forzar a una más rápida evolución de las instituciones que conforman nuestra disciplina.

La masificación de la sociedad y la creación de nuevas tecnologías presionan sin duda para la mutación del derecho. El Derecho civil, como derecho de la persona, resiente los cambios. Se presenta ante él, ineludible, la disyuntiva de la transformación o de la permanencia en un mundo que ya es historia. La rebelión de los hechos contra el código, de que hablara hace más de cincuenta años Gastón Morín, parece cada día cobrar nuevos impulsos y exigir una adecuación que se vuelve cada vez más imperiosa.

Ciertamente sería exagerado hablar de que en los últimos diez años se ha producido en México una transformación profunda, un cambio sustancial de nuestra rama del derecho, pero no obstante sí pueden señalarse hechos que acentúan determinadas corrientes, reformas que pretenden adecuar las leyes a las necesidades del momento y esfuerzos de doctrina que permiten avizorar el camino que habrá de recorrer en los próximos años nuestro Derecho civil.

II. TENDENCIAS GENERALES

A esto hemos de referirnos, presentando en primer lugar las tendencias generales, después las modificaciones legislativas y al final el desarrollo de la doctrina.

II.I. *El proceso disgregador*

La historia del Derecho civil demuestra cómo con el correr del tiempo ha variado su contenido, cómo la materia sometida a sus normas se ha ido reduciendo y ha dado nacimiento a otras ramas. Concebido originalmente como el derecho general, redujo su ámbito al derecho privado y en un momento posterior vio desprenderse de su tronco, primero al mercantil y, siglos después, en nuestra patria, al Derecho laboral y al Derecho agrario.

De tiempo atrás existen corrientes que consideran conveniente continuar con el proceso disgregador. A ello contribuye la especialización técnica o científica cuando no se detiene en un puro fenómeno externo y tiende a romper la unidad interna del Derecho civil.

En los últimos años ha vuelto a plantearse la cuestión especialmente a propósito del "Derecho de familia" y del "Derecho urbanístico". El trasfondo del tema lo constituye el concepto que se tiene del Derecho civil el cual no es uniforme.

Luis Diez Picazo y Antonio Gullón han puesto de relieve la tendencia incorrecta a concebir el Derecho civil como un derecho exclusivamente patrimonial:

> Es muy difícil conocer el origen de la tendencia patrimonialista del Derecho civil. Acaso se encuentre en la Reforma protestante, en la ética calvinista, que Max Weber ha estudiado como causa del espíritu mismo de la burguesía capitalista, o en la exaltación de los valores puramente materiales que trajo consigo [...] La verdadera trascendencia la tienen, se piensa, las instituciones patrimoniales. De aquí a decir que el verdadero Derecho civil es el derecho patrimonial hay un paso bien corto y un gran número de autores lo da equiparado franca y abiertamente

Derecho civil y derecho patrimonial [...] Como consecuencia de esta patrimonialización se desdibujan o se borran totalmente aquellas partes del sistema de
Derecho civil que contemplan y regulan fines de naturaleza no económica. La
persona, su estado y su esfera jurídica desaparecen del sistema. Deja de existir
dentro del Derecho civil un derecho de la persona, y ésta queda convertida en
un puro elemento instrumental. Se le concibe, se le analiza y se le estudia como
sujeto de una relación jurídica, casi siempre de carácter patrimonial. El estado
civil y la condición de la persona son contemplados como simples requisitos
subjetivos de la relación jurídica. El poder de la persona sobre su esfera jurídica
(nombre, honor, buena fama, integridad, pensamiento, etc.) están ausentes del
Derecho civil. Hay, si acaso, leves indicaciones programáticas en los textos de
orden constitucional que no serán después desarrolladas. Al Derecho civil se le
priva así de lo más sustancial que tenía, pues si su función y su finalidad no es
otra que la defensa de la persona y de sus fines, ésta deberá constituir el objeto
de la primera parte institucional del sistema. En la misma línea de evolución
hacia la patrimonialización total del Derecho civil se encuentra el intento de
segregación del Derecho de familia. Con apoyo en la diferente organización del
régimen jurídico de las relaciones familiares frente a las relaciones puramente
patrimoniales, que son consideradas como las relaciones civiles arquetípicas, y
en el paralelismo que existe entre algunos de los caracteres técnicos de aquellas
y los de las relaciones de derecho público, se propugnará la autonomía del Derecho de familia, frente al Derecho civil. Esta dirección doctrinal se funda en un
grave error consistente en creer que la calificación de las relaciones jurídicas y
su adscripción a una y otra rama del derecho pueden hacerse con base en los
simples caracteres externos de tipo técnico, tomando además como técnicos de
la relación jurídico-civil aquellos que en realidad se presentan sólo en la relación
jurídica patrimonial.[272]

Es pues un falso concepto del Derecho civil el sustento de esta nueva
pretensión disgregadora. En los últimos años se ha propuesto en México, en diversas ocasiones, la expedición de un "código de la familia"
o uno "del menor" que con autonomía respecto del civil regulen las
relaciones familiares y dicten normas de protección a los menores. La
doctrina ha debatido el punto. Los proyectos independientes no han
prosperado y su inclusión en el Derecho civil parece robustecerse con
el hecho de que el proyecto de código civil elaborado por la comisión
designada por la Cámara de Diputados del Congreso de la Unión[273]
haya destinado el libro segundo precisamente a regular el Derecho de
familia.

Contribuye también a la tendencia disgregadora la falsa concepción
del Derecho civil como el derecho burgués por excelencia. Parece fijarse la imagen de este en un momento histórico y condenársele irremisi-
blemente al anquilosamiento. Se le niega toda posibilidad de evolución

y se le liga permanentemente con una etapa de su desenvolvimiento. Este razonamiento soslaya el hecho de que aun cuando el individualismo jurídico encontró su expresión en el Derecho civil e inspiró muchos de sus principios actuales, los conceptos fundamentales no se encuentran ligados a estas ideas y son susceptibles de cambios y evolución que los coloquen en posición de dar respuesta a los requerimientos de nuestros tiempos. La historia de sus instituciones así lo demuestra.

.   La explosión demográfica y el crecimiento desmesurado de las ciudades con magnitud a veces casi inimaginable, como en el caso de la Ciudad de México, han motivado al Estado para dictar una nueva legislación sobre la propiedad inmueble urbana. Las leyes sobre el desarrollo urbano del Distrito Federal y sobre asentamientos humanos responden a esta motivación. Su análisis ha inclinado a un sector de la doctrina a proponer la autonomía del llamado "Derecho Urbanístico", que, expresada en forma tímida, aún no constituye una tendencia fuerte hacia una nueva mutilación del Derecho civil.

II.II. La crisis de la codificación

Al iniciarse nuestra vida independiente, uno de los anhelos expresados con mayor frecuencia fue el lograr la codificación y muy especialmente la codificación del Derecho civil. Al lograrse a finales del siglo XIX el largamente deseado ideal, se reunieron en un código las disposiciones civiles hasta entonces dispersas y muchas veces casi ignoradas por un difícil acceso. Esta labor de reunión permitió a don Jacinto Pallares afirmar que: "Si queremos tener un concepto exacto de las relaciones jurídicas que […] entran bajo el dominio de lo que se llama Derecho civil, basta abrir un código civil". Sólo quedaron fuera de su texto disposiciones que "no pueden ser codificadas con el mismo método, orden y armonía que un código civil, ya por su carácter algo transitorio, ya porque no están dictadas con un propósito de unidad, como los preceptos de un código civil, sino que se refieren a intereses, materias, asuntos complejos y varios".

La obra codificadora representa una simplificación y un intento de sistematización que hace a las leyes accesibles y fácilmente manejables. Su abandono propicia la confusión y el desconocimiento del derecho.

El Derecho civil se ha mantenido casi en su totalidad dentro del marco de un código y sólo excepcionalmente se han dictado leyes que rompen su unidad. No faltan voces que pregonan la conveniencia de desgajar el código en distintas leyes que regulen sus diversas partes. No se trata aquí de desmembrar el Derecho civil sino tan sólo de desarticular el código, se aducen conveniencias de manejo, de posibilidades de reforma y de amplitud en la regulación que no son convincentes. Pensamos que es conveniente conservar su unidad, a riesgo de perdernos en una selva de leyes dictadas con criterio errático y con bases disímbolas como acontece desgraciadamente en otras ramas del derecho.

II.III. La intervención del Estado

El carácter privado del Derecho civil, la supremacía de la voluntad libre como sustento de sus instituciones, y la igualdad teórica de todos los sujetos frente a la Ley, son principios en crisis. Día con día se multiplican las limitaciones a la libre actividad de los particulares especialmente en el campo de los contratos. Se gesta en estos días una "ley inquilinaria", que acentuará la intervención del Estado en los contratos de arrendamiento. La legislación de protección al consumidor tiende a desbordar el ámbito del Derecho mercantil para el que está dictada y abarcar también a los actos civiles. No se ve lejano el momento en que se dicten disposiciones que protejan a los compradores sin considerar la necesidad de que los vendedores sean comerciantes. Las limitaciones al derecho de propiedad, especialmente sobre los inmuebles, crecen día con día, y en general el intervencionismo Estatal caracteriza al derecho moderno.

El fenómeno intranquiliza la conciencia de los civilistas y las reacciones frente a la actividad del Estado se han dejado escuchar. Se habla de "administrativización" del Derecho civil, de aniquilamiento de la libertad, de excesivo control del Estado, de violación de la esfera privada de libertad del individuo y de otras cosas, en ocasiones justificadamente, pero no es justificable la postura absoluta que, con criterio maniqueo, opone la libertad con la acción del Estado. Libertad no es derecho irrestricto y es necesario conciliar los legítimos intereses privados de los particulares con el interés público general, el bien común, a nombre del cual debe actuar el Estado.

Muchas veces se ha hablado de socialización del Derecho civil, pero en pocas se ha logrado efectivamente un avance en ese ámbito entendido como posibilidad de convivencia, de justo respeto a los intereses comunes frente al egoísmo personalista.

La socialización del derecho ha de entenderse como lo concibió José Castán Tobeñas hace ya muchos años, como

> la protesta contra una concepción que ha tenido la exclusiva del pensamiento jurídico durante muchos siglos y según la cual el derecho daba para el Estado (derecho público) o para el individuo (derecho privado), nunca para la sociedad [...] socializar el derecho será, pues, reformar el derecho público, fundándolo no sobre una abstracción, el Estado, sino sobre una realidad viva, y, sobre todo, reformar el derecho privado, basándolo, no en la acción del individuo aislado, sino en la del individuo unido a los demás por lazos de solidaridad familiar, corporativa y humana.[274]

Afirma Castán que:

> Lo que hay que hacer es fundar el derecho no sobre la voluntad del hombre, sino sobre la idea de un orden ético y objetivo, que permita subordinar a un principio superior, de significado a la vez moral y social, las instituciones del derecho privado; las relaciones privadas han de ser entendidas como relaciones que, aun partiendo del individuo, tienen su justificación en las exigencias de la vida común, a la que deben considerarse ligadas y subordinadas. La idea, fundamentalísima, del origen y de la naturaleza social del derecho puede así ser base de un nuevo ordenamiento de las instituciones de derecho privado, en cuanto cooperan al resultado de conservar y desarrollar, en los medios sociales, la personalidad individual.[275]

Llama la atención la inclusión en las leyes civiles, dictadas en el decenio a examen, del término "interés social" unido o separado del ya conocido de "orden público" que tiende a dotar de forzosa imperatividad y de posibilidad de actuación del Estado para la aplicación de las normas dotadas de tal carácter con preferencia a otras de carácter estrictamente privado.

II.IV. Igualdad jurídica del hombre y la mujer.

Otra de las tendencias que se observa en el Derecho civil de los últimos años es la que pretende llevar a sus últimas consecuencias la igualdad jurídica del hombre y la mujer.[LXXVI] La celebración en 1975 del "Año Internacional de la Mujer" produjo como resultado múltiples reformas a la ley civil con la finalidad clara de lograr la completa igualdad entre los individuos de ambos sexos.

[LXXVI]   Esto ya es parte de la legislación civil.

Paradójicamente las modificaciones introducidas con motivo de la celebración han privado a las mujeres de las protecciones que la legislación anterior mantenía en su favor, colocándolas en muchas ocasiones en situación más desventajosa que la que tenían antes de las reformas.

La postura del legislador ha sido un tanto ingenua, ha pensado sin duda que equiparando ante la ley a hombres y mujeres de suyo se produciría un estado más justo en el que la mujer disfrutara de una condición absolutamente igual a del hombre. La fuerza de los hechos demuestra lo contrario. La realidad social no experimenta cambios y la desigualdad subsiste en la realidad, agravada ahora por la supresión de las protecciones que la ley establecía a su favor.

Contrasta esta actitud con el criterio que el propio legislador ha seguido en otros casos. Desencantado del ideal romántico de suponer la absoluta igualdad ante la ley entre todos los hombres, ha constatado que en la realidad existen fuertes y débiles, ilustrados e ignorantes, ricos y pobres y que, en fin, para lograr la realización de una verdadera justicia es menester proteger a aquellos que por sus circunstancias lo ameritan. Nacen así los derechos proteccionistas, los derechos que tienden a suplir mediante la acción de la ley la debilidad de cualquier orden que sufra un individuo. No se trata de mantener la desigualdad sino de abrir los ojos a las realidades y propugnar por la justicia.

Cuando las condiciones sociales de la mujer[LXXVII] sean en la realidad similares a las del hombre, estará justificada la supresión de sus privilegios.[LXXVIII]

[LXXVII] Véase "Las cuatro conferencias mundiales sobre la mujer, 1975 a 1995: una perspectiva histórica", que al 28 de febrero de 2019 se encontraban en línea.

[LXXVIII] Ricardo Ruiz Carbonell expone en su "Evolución histórica de la igualdad entre mujeres y hombres en México" que "en 1980 se creó el Programa Nacional de Integración de la Mujer al Desarrollo (PRONAM), dentro del Consejo Nacional de Población (CONAPO), que significó un importante avance al proponer un conjunto de iniciativas específicas orientadas a promover el mejoramiento de la condición social de la mujer. Cinco años después, en 1985 se instaló la Comisión Nacional de la Mujer, adscrita también al CONAPO, y cuyo objetivo fue coordinar las actividades y proyectos sectoriales en la materia, facilitando el desarrollo de proyectos en distintos ámbitos encaminados a propiciar la plena igualdad. 118 Fruto de la instalación en 1993 del Comité Nacional Coordinador constituido con motivo de la IV

III. LAS REFORMAS LEGISLATIVAS

III.I. Las reformas al Código Civil para el Distrito Federal

III.I.I. Modificaciones al libro primero

Durante el periodo en examen, la parte que sufrió un mayor número de reformas fue el libro primero. Por decreto de 23 de diciembre de 1969 (D.O. 17/I/70) se modificó la fracción VIII del artículo 511, extendiendo a los hombres la posibilidad de excusarse del desempeño de la tutela por inexperiencia en los negocios o por otra causa grave que, a juicio del juez, los inhabilite para ejercerla, causas que hasta entonces sólo podían hacerse valer por las mujeres, y se suprimió la posibilidad de que estas últimas se excusaran de ser tutrices "por falta de ilustración o timidez".

Sin duda por congruencia con la reforma a la fracción I del artículo 34 constitucional, realizada mediante Decreto de 19 de diciembre de 1969 (D.O. 22/XII/69) que concedió la ciudadanía mexicana a los mayores de 18 años, el 29 de diciembre de 1969 (D.O. 28/I/70) se reformaron diversos preceptos del Código civil y se derogaron otros,[LXXIX] estableciéndose que la mayoría de edad comienza a los 18 años cumplidos, en lugar de a los 21, y poniendo en consonancia otras disposicio-

---

Conferencia mundial sobre la mujer que se celebró en Beijing, China, se creó en 1995 el Programa Nacional de la Mujer (PRONAM), para el periodo comprendido entre 1995-2000, y en agosto de 1998 se puso en funcionamiento la Comisión Nacional de la Mujer como órgano desconcentrado de la Secretaría de Gobernación, atribuyéndole competencias y funciones específicas en materia de igualdad entre mujeres y hombres tanto a nivel federal como estatal…".

"En el plano legal, durante la década de los años 90 del pasado siglo se implantaron las llamadas Leyes de Asistencia y Prevención a la Violencia Familiar, siendo el Distrito Federal la primera entidad federativa que la promulgó, y prácticamente durante la segunda mitad de los años 90, de manera paulatina, se promulgaron en el resto de los estados de la República leyes de similares características". Véase en el enlace https://archivos.juridicas. unam.mx/www/bjv/libros/6/2758/5.pdf que al 28 de febrero de 2019 se encontraban en línea.

[LXXIX] Se suprimieron los artículos: 94, 95, 96, 642, 644, y 645, y se reformaron los artículos 149, 237 f. II, 348 f I y II, 438, 443, f II, 451, 624, 641, 643 y 646.

nes con este principio, suprimiéndose los preceptos que no resultaban congruentes con la nueva idea. A partir de esta reforma sólo subsiste como causa de emancipación[LXXX] de un menor de edad el matrimonio, desapareciendo la emancipación por buena conducta y aptitud para el manejo de sus intereses.[LXXXI]

Concordando los preceptos del Código civil con los de procedimientos civiles que establecieron los juzgados de lo familiar, se reformaron por decreto de 3 de marzo de 1971 (D.O. 4/I/71) diversos artículos del primero de los ordenamientos citados cambiando las referencias que en ellos se hacían a los jueces de primera instancia por referencias a los nuevos jueces de lo familiar.[LXXXII]

Al celebrarse el "Año de Juárez" y recordando que al establecerse el registro civil se denominó a los funcionarios encargados de llevarlo "jueces del registro civil" se volvió a la denominación original modificando el término "oficial del registro civil" con la que se les designaba en el Código de 1928. Tal reforma se llevó a cabo mediante decreto de 8 de febrero de 1973 (D.O.14/III/73).[LXXXIII]

[LXXX]   El 13 de julio de 2016 se publicó en la Gaceta Oficial para la Ciudad de México el Decreto por el que se reformaron, adicionaron y derogaron diversas disposiciones del Código Civil para el Distrito Federal. Dichas reformas atendieron al tema de emancipación. Se modificó el artículo 148 para quedar como sigue: "Artículo 148.- Para contraer matrimonio es necesario que ambos contrayentes hayan cumplido 18 años de edad". Con estas reformas se eliminó la emancipación. Sin embargo, aquellos que se encontraban emancipados con anterioridad a dicha reforma siguieron gozando de los derechos adquiridos. Actualmente (2019) todos aquellos que pudieron haber gozado de emancipación son mayores de edad, por lo que una crítica sería que aquellos artículos que regulaban a los emancipados que quedaron subsistentes (en materia de contratos) ya deberían ser derogados o modificados.

[LXXXI]   Iniciativa que reforma, adiciona y deroga diversas disposiciones de los Códigos civil federal, y federal de procedimientos civiles, suscrita por los diputados césar Octavio Camacho Quiroz (PRI) y Jesús Enrique Jackson Ramírez (PRI) y la diputada Sara Latife Ruiz Chávez (PRI).

[LXXXII] Los artículos reformados fueron los siguientes: 44, 52, 105, 107, 108, 150, 167, 291, 323, 371, 380, 381, 454, 459, 460, 468, 496, 497, 500, 501, 522, 540, 544, 546, 632, 633 y 634.

[LXXXIII] Los artículos modificados fueron los siguientes: 35, 36, 37, 38, 41, 42, 46, 47, 48, 49, 50, 52, 53, 54, 55, 57, 58, 61, 63, 65, 69, 71, 72, 74, 76, 83, 84, 88, 89,

Tal vez las reformas de mayor importancia al libro primero fueron las establecidas en el decreto de 5 de diciembre de 1974 (D.O. 31/XII/74) expedido en conmemoración del "Año de la Mujer" y cuyo espíritu, muchas veces no logrado, tiende a consumar la completa igualdad entre el hombre y la mujer, iniciada muchos años antes y en gran parte lograda desde el año de 1928. Lejos de nuestra intención y fuera del alcance necesariamente limitado de estas notas está el análisis de las reformas, el cual por otra parte ya ha sido hecho por Ramón Sánchez Medal y Antonio De Ibarrola en las obras que indicamos en el apartado dedicado a la doctrina, basta indicar que aún dentro del espíritu que alienta a las reformas se incurrió en omisiones[276] y que a nuestro juicio en varias ocasiones se perjudican los legítimos intereses de la mujer considerados en el contexto de nuestras realidades sociales, culturales y económicas.[LXXXIV]

Mediante el decreto de 27 de diciembre de 1975 (D.O. 30/XII/75) se adicionó el artículo 58 y se reformaron las fracciones I y II del 389 relativos a las actas de reconocimiento de hijos, disponiendo que en ellas se asiente el apellido paterno de ambos progenitores o los dos apellidos de quien efectúe el reconocimiento, en el supuesto de que sólo uno de los padres lo realice, procurando así que toda persona tenga dos apellidos y obligando a proporcionar alimentos al hijo reconocido "a las personas que lo reconozcan" expresión que en el texto original del código se encontraba en singular.

Un claro indicador de la inflación monetaria experimentada en el país desde hace ya varios años ha sido el texto del artículo 730 que establece el valor máximo de los bienes que pueden afectarse al patrimonio de familia. Al expedirse el Código en 1928 quedó fijado en la cantidad de seis mil pesos para la "municipalidad de México" y en tres mil pesos para el resto del Distrito Federal; en el año de 1951 se aumentó el límite, ya sin distinciones, para el Distrito Federal hasta la cifra de veinticin-

---

93, 97, 99, 100, 101, 102, 103, 105, 107, 108, 110, 111, 112, 113 114, 117, 118, 120, 121, 122, 126, 127, 131, 132, 133, 138, 148, 151, 153, 241, 250, 252, 272, 291, 369, 371, 401, 410, 460 y 631.

[LXXXIV] Los artículos reformados fueron los siguientes: 162 164, 165, 168, 169, 174, 175, 259, 260, 267 f. XII, 273 f. III 282 f. II y IV, 284, 287, 288, 322, 323, 372, 418, 423, 490, 569, 581, 582 y 1368. Además, se derogaron los artículos 165, 166, 167, 170, 171, 214, 282 f. I, 373 y 2275.

co mil pesos y en 1954 se elevó a la suma de cincuenta mil pesos. Por decreto de 26 de mayo de 1976 (D.O. 29/VI/76) se ideó una fórmula ágil que permite ajustar el texto del código con el alza del costo de la vida sin necesidad de nuevas reformas, estableciéndose una escala móvil referida al monto del salario mínimo. De acuerdo con esta última reforma el valor máximo de los bienes afectados al patrimonio de familia será la cantidad que resulte de multiplicar por 3,650 el importe del salario mínimo general diario, vigente en el Distrito Federal, en la época en que se constituya el patrimonio.[LXXXV]

Por último, el Decreto de 23 de diciembre de 1976 (D.O. 29/XII/76) modificó el artículo 76 relativo al acta cuando hay más de un nacimiento en un solo parto, ampliando, precisando y mejorando el texto original.[LXXXVI]

III.I.II. Modificaciones al libro segundo

Este libro sólo sufrió modificaciones por lo que toca a la materia del régimen de propiedad y condominio mediante decreto de 2 de enero de 1973 (D.O.4/I/73) que reformó el texto del artículo 951 en consonancia con la "Ley sobre el régimen de propiedad en condominio de inmuebles para el Distrito Federal", a la que más adelante haremos referencia.

III.I.III. Modificaciones al libro tercero

Sólo el artículo 1368 sufrió modificaciones en el periodo a examen por el ya citado decreto de 5 de diciembre de 1974 (D.O. 31/XII/74), señalándose que el testador debe dejar alimentos a los descendientes menores de 18 años respecto de los cuales tenga obligación legal de pro-

---

[LXXXV] (REFORMADO, G.O.D.F. 28 DE NOVIEMBRE DE 2014) Artículo 730.- El valor máximo de los bienes afectados al patrimonio familiar, señalados en el artículo 723, será por la cantidad resultante de multiplicar el factor 10,950 por el importe de tres veces la Unidad de Cuenta de la Ciudad de México vigente, en la época en que se constituya el patrimonio, autorizando como incremento anual, el porcentaje de inflación que en forma oficial, determine el Banco de México. Este incremento no será acumulable.

[LXXXVI] Artículo derogado.

porcionarlos al momento de la muerte, a los descendientes que estén imposibilitados de trabajar, cualquiera que sea su edad, cuando exista la obligación alimentaria antes indicada, al cónyuge supérstite cuando esté impedido de trabajar y no tenga bienes suficientes, limitándose el derecho de este último, salvo disposición expresa del testador, al hecho de que no contraiga matrimonio y viva honestamente y a cualquiera que haya vivido en concubinato con quien hace el testamento.

De este modo se hace congruente el texto de este artículo con las reformas que establecieron la mayoría de edad a los 18 años y con las que consagran la igualdad jurídica del hombre y la mujer, haciendo desaparecer las diferencias entre los hijos varones y las mujeres, las viudas y los viudos, y las concubinas y los concubinarios.

III.I.IV. Modificaciones al libro cuarto

El Decreto de 26 de diciembre de 1973 (D.O. 28/XII/73) modificó el artículo 3018[LXXXVII] colocado en materia de registro público y que regula el aviso preventivo que debe dar el notario, o quien haga sus veces, de los actos que ante él se otorguen y que tengan por consecuencia la declaración, la modificación, la limitación, el gravamen o la extinción de la propiedad o posesión originaria de bienes raíces o de cualquier derecho real sobre los mismos.

El original del código señalaba que una vez otorgado ante el notario el acto, éste debería dar aviso al registro público, señalando las características del mismo y que con él se haría una anotación preventiva al margen de la inscripción de propiedad. Si dentro del mes siguiente a la fecha en la que se hubiere firmado la escritura se presentare el testimonio respectivo, su inscripción surtiría efectos contra tercero desde la fecha de la anotación preventiva. Si el testimonio se presentaba después su registro sólo surtiría efectos desde la fecha de la presentación.

La finalidad de esta disposición era sin duda proteger los derechos de quien contrataba con la persona que aparecía como titular registral, impidiendo que actos posteriores al contrato, pero anteriores a la inscripción, le produjeran perjuicio. La medida contenida en este

---

[LXXXVII] Actualmente 3016.

precepto la justifica el hecho de que el notario no puede autorizar de inmediato muchos de los actos que ante él se otorgan, sino que previo a la autorización debe efectuar trámites administrativos, tales como pago de impuestos, que necesariamente hacen transcurrir un tiempo entre el momento del otorgamiento y el de la expedición del testimonio que debe ser inscrito en el registro.

La multiplicación de los trámites administrativos y la lentitud de los mismos hicieron insuficientes el lapso de un mes establecido para la presentación del testimonio e hicieron nugatorio el contenido de este artículo.

La reforma de 1973 amplía a noventa días naturales el plazo que puede mediar entre el aviso preventivo y la presentación del testimonio al registro, devolviendo su efectividad al precepto reformado. Pero la reforma no agota en esto su contenido, establece además la posibilidad de dar aviso al registro aún antes de que se celebre la operación ante el notario, cuando ha sido concertada por las partes, pero aún no ha sido formalizada. Este primer aviso llamado por la ley "primer aviso preventivo" y criticado por un sector de la doctrina que le llama "prepreventivo", permite asegurar que desde la fecha en la que se han consultado los libros del registro, con anterioridad a la operación, y la fecha en que ésta se lleva a cabo no existirá ninguna modificación de la situación registral que perjudique los intereses legítimos del tercero contratante con el titular registral. Desde luego una vez efectuado el "primer aviso preventivo" no queda indefinidamente protegida la actividad de los terceros contratantes, sino que su efecto queda limitado a treinta días naturales a partir del indicado aviso.

Sin duda por considerarlo repetitivo, el decreto de 5 de diciembre de 1974 (D.O. 31/XII/74) suprimió el artículo 2275 que establecía que los consortes no pueden celebrar el contrato de compraventa sino de acuerdo con los artículos 174 y 175.

En materia de responsabilidad civil constituye una reforma de trascendencia la introducida al código por decreto de 16 de diciembre de 1975 (D.O.22/XII/75) que modifica el artículo 1915. En primer lugar, deja a la elección del ofendido el optar por el restablecimiento de la situación anterior, cuando ello sea posible, o por el cargo de daños y perjuicios, a diferencia del texto anterior que sólo señalaba el pago de los daños y perjuicios en el supuesto de que el restablecimiento de la situación anterior fuere imposible. En segundo término, establece que cuando el daño se cause a las personas y produzca la muerte, incapacidad total permanente, parcial permanente, total temporal o parcial temporal, el grado de la reparación se determinará atendiendo a lo dispuesto por la Ley Federal del Trabajo. Para calcular la indemnización que corresponda se tomará como base el cuádruplo del salario mínimo más alto que esté en vigor en la región y se extenderá al número de días que para cada una de las incapacidades mencionadas señala la ley federal del trabajo. En caso de muerte la indemnización corresponderá a los herederos de la víctima. El aumento en la indemnización puede apreciarse si se toma en cuenta que el texto anterior señalaba que cuando la utilidad o salario de la víctima excediera de veinticinco pesos diarios no se tomaría en cuenta sino esa suma para fijar la indemnización.

En tercer lugar, la reforma señala que la indemnización, salvo convenio en contrario, se cubrirá preferentemente en una sola exhibición, invirtiendo la recomendación del texto derogado que establecía que dicha indemnización se pagaría preferentemente en forma de pensión o pagos sucesivos.

Por último, el decreto de 26 de mayo de 1976 (D.O. 29/VI/76), reformó los artículos 2317 y 2917 relevando del requisito de formalidad mediante escritura a los contratos por los que el Departamento del Distrito Federal enajene a terceros terrenos o casas para la constitución del patrimonio familiar o para personas de escasos recursos económicos, así como aquellos en los que se consigue garantía hipotecaria otorgada con motivo de ellos, siempre y cuando el valor máximo de los bienes sea el que resulte de multiplicar por 3650 el importe del salario mínimo[LXXXVIII] general diario vigente en el Distrito Federal, obviamente en la época en la que se otorgue la enajenación o hipoteca. Se introduce aquí la misma escala móvil que se ideó para la construcción del Patrimonio de Familia suprimiendo el límite de ochenta mil pesos que existía hasta esa fecha.

[LXXXVIII] Actualmente Unidad de Cuenta.

III.I.V. Modificaciones generales

Al reformarse el artículo 43 de la Constitución General de la República por decreto de 7 de octubre de 1974 (D.O. 8/X/74), desaparecieron los Territorios Federales existentes que se erigieron en estados de la Federación.

Por ese motivo el código fue, a partir de esa fecha, sólo aplicable al Distrito Federal en materia común y a toda la República en materia federal y el título original del propio ordenamiento, así como las continuas citas y remisiones que hacía a la legislación hasta entonces aplicable al Distrito y Territorios Federales, debió sustituirse por remisiones y citas de la legislación para el Distrito Federal. Tal es el sentido de las reformas consignadas en el decreto de 20 de diciembre de 1974 (D.O. 23/XII/74).[LXXXIX]

III.I.VI. La legislación federal

El 23 de diciembre de 1968 se expidió la "Ley federal del patrimonio cultural de la nación" (D.O.16/XII/70), que estableció numerosas restricciones y limitaciones de la propiedad de bienes considerados como integrantes del patrimonio cultural. Esta ley tuvo una vigencia efímera, pues fue abrogada por la "Ley federal sobre monumentos y zonas arqueológicos, artísticos o históricos", de 28 de abril de 1972 (D.O.6/V/72).

La ley vigente señala que los monumentos arqueológicos, muebles e inmuebles, son propiedad de la nación y por lo mismo inalienables e imprescriptibles, considerando como tales a los que son producto de culturas anteriores al establecimiento de la hispánica, así como los restos humanos, de la flora y de la fauna relacionados con esas culturas. Permite por el contrario que los monumentos artísticos e históricos sean de propiedad privada, pero obliga a sus propietarios a registrarlos y a repararlos de acuerdo con las normas y bajo la vigilancia del Instituto de Antropología e Historia. Considera esta ley como monumentos

---

[LXXXIX] En virtud de ese Decreto se reformaron en el sentido expresado en el texto, los siguientes artículos; 35, 38, 51, 53, 151, 631, 728, 730, 735, 786, 1148, 1167, 1181 a 1280, 1313, 1328, 1368, 1593, 1594, 1596, 2736, 2773 y 3005.

artísticos las obras que revisten valor estético relevante y como históricos los bienes muebles o inmuebles vinculados con la historia de la Nación, a partir del establecimiento de la cultura hispánica entre los que comprende no sólo a los inmuebles sino aun los documentos o expedientes que pertenezcan o hayan pertenecido a las oficinas o archivos de la Federación, de los estados, de los Municipios, y de las casas curiales, los documentos originales manuscritos relacionados con la historia de México y los libros, folletos y otros impresos en México o en el extranjero durante los siglos XVI a XIX.

La ley establece, en general, una serie de limitaciones a la propiedad de los bienes muebles o inmuebles considerados como monumentos y pone a cargo de sus propietarios obligaciones relativas a su conservación, reparación y registro.

El 20 de septiembre de 1975 (D.O.8/XII/75), se expidió el Reglamento previsto en esta ley en el que se explicitan y aclaran sus disposiciones.

III.I.VII. La legislación del Distrito Federal

Por decreto de 26 de diciembre de 1972 (D.O.28/XII/72) se expidió la "Ley sobre el régimen de propiedad en condominio de inmuebles para el Distrito y Territorios Federales"[277] y por decreto de 2 de enero de 1973 (D.O. 4/I/73) se reformó el artículo 951 relativo a la misma materia.

Estas disposiciones regulan actualmente en el Distrito Federal el sistema de propiedad y condominio en los edificios, en sustitución de la legislación expedida el año de 1954 y que por cerca de 20 años reglamentó la materia.

Las nuevas disposiciones siguen en sus grandes líneas la legislación anterior, manteniendo la estructura del sistema sobre la concepción del régimen como la unión indisoluble de un derecho de propiedad sobre la unidad privativa y de derechos de copropiedad sobre los bienes e instalaciones destinadas al servicio de todos los dueños de locales privativos. La estructura de la nueva ley guarda profunda similitud con la ley anterior, siguiéndola en su capitulado y teniendo la mayoría de sus artículos concordancia con los de la ley abrogada.

Lo anterior no significa que las nuevas disposiciones legales no contengan cambios respecto de las anteriores pudiendo señalar como importantes los siguientes:

a) Admite expresamente la posibilidad de que se construyan "condominios" en forma vertical, horizontal o mixta, a diferencia de la ley abrogada que sólo preveía la posibilidad de constitución en edificios verticales.

b) Se refiere, aun cuando sea en forma escueta e insuficiente, a los "conjuntos inmobiliarios" o "unidades habitacionales", que presentan una problemática diferente a la de los inmuebles normales. Elaborada en una época en la que ya existían estos conjuntos, la ley debió prever estos problemas en forma mucho más completa de lo que lo hizo.

c) Se amplía y detalla notablemente el capítulo III relativo a las asambleas y al administrador mejorando lo establecido por la ley anterior.

d) Declara de interés público la constitución del régimen y la regeneración urbana en el Distrito Federal, punto este último que desborda el ámbito de una reglamentación del condominio y que hasta la fecha ha sido inoperante, y es de preverse que así continúe, atenta la "Ley del Desarrollo Urbano del Distrito Federar" y la "ley general de asentamientos humanos" dictados el año de 1975 y que se ocupan de la misma materia.

e) Permite la extinción voluntaria del régimen por acuerdo mayoritario suprimiendo la necesaria unanimidad prescrita por la ley anterior. Vuelve en esta forma a proyectarse sobre el condominio la nociva sombra de la acción "*communi dividundo*".

f) Insiste y enfatiza aún el error de la Ley abrogada en el sentido de permitir que en las escrituras de enajenación de alguna unidad privativa se incluyan disposiciones de aplicación general para los condóminos. Disposición ésta de muy dudosa validez por tratar de obligar a terceros a algo que para ellos es "*res inter alios acta*".[XC]

g) Crea un "comité de vigilancia" como órgano necesario para todo edificio sujeto al régimen.

[XC] Expresión latina utilizada en derecho y, en particular, en el Derecho contractual, que puede traducirse como "cosa realizada entre otros".

h) Define lo que debe entenderse por "condominio" en forma poco técnica y por lo mismo controvertible.

i) Reglamenta en forma confusa y oscura el derecho del tanto para los inquilinos de los departamentos o locales, distinguiendo los casos en que se trata de condominios comunes de aquellos que se encuentran en zonas declaradas como de "regeneración urbana", así como los de aquellos edificios que han sido construidos mediante financiamiento de una "institución oficial".

j) Determina en forma parcialmente distinta a la de la ley abrogada el régimen legal aplicable a los derechos y obligaciones de los condóminos.

No es el lugar para extender un juicio y una explicación sobre esta ley, basta con afirmar que no obstante sus innegables aciertos, pudo haberse previsto en ella un sistema más adecuado a las realidades que vive nuestro país y establecerse disposiciones más técnicas.

III.I.VIII. La legislación de los estados

La dificultad de acceso al material necesario para reseñar las reformas legislativas en materia civil que han tenido los estados de la República nos obliga a hacer sólo referencia a la expedición de nuevos códigos civiles en ellos, prescindiendo de las reformas que éstos han sufrido y de las demás leyes de carácter civil dictadas en los estados.

El estado de Baja California Norte expidió su código civil el 31 de enero de 1974, conservando en general la estructura del Código civil para el Distrito Federal de 1928, aun cuando introdujo en su articulado algunas modificaciones.

Tlaxcala promulgó un nuevo código el 16 de septiembre de 1976, entrando en vigor el 20 de noviembre del mismo año. Se divide en seis libros dedicados: el primero a las reglas generales, el segundo a las personas, el tercero a los bienes, el cuarto a las obligaciones, el quinto a las diversas especies de contratos y el sexto a las sucesiones. Según la exposición de motivos de la iniciativa para la elaboración del proyecto se consultaron los vigentes en cada uno de los estados de la República, tomando de ellos las disposiciones que parecieron más avanzadas, sin recurrir directamente a las legislaciones extranjeras considerando "suficiente la influencia que el Derecho civil de otros países ha ejercido en los códigos civiles mexicanos (sic) de 1870, 1884 y 1928 y de los demás (sic) estados de la República" por una parte y por la otra debido a que se pensó "que nuestro país tiene ya un Derecho civil con características propias y que es suficiente, al modificar las leyes, tener en consideración las normas mexicanas vigentes". Concluye la exposición de motivos de la iniciativa explicando que los preceptos "serán un paso más en el camino de la socialización del derecho privado mexicano iniciada por el Código Civil federal de 1928 y continuada por los posteriores ordenamientos civiles de los estados".

Mucho habría que comentar sobre las disposiciones de este código, en ocasiones sorprendentes, pero no consideramos adecuado hacerlo en este trabajo limitado en extensión.

En octubre de 1974 los antiguos Territorios Federales de Baja California Sur y de Quintana Roo se convirtieron en estados, conservando en vigor, hasta donde llega nuestro conocimiento, el Código civil para el Distrito Federal de 1928 que entonces regía en ellos.[XCI]

IV. LA DOCTRINA

Durante el decenio de 1967 a 1977 se reimprimieron varias obras de Derecho civil y se publicaron nuevas ediciones con modificaciones y adiciones de obras aparecidas antes de 1967, pero no haremos referencia a ellas sino sólo a las obras que por primera vez vieron la luz en el período a examen. Reseñamos a continuación tanto los libros editados como los artículos y estudios publicados en revistas de derecho y en folletos sueltos, sin pretender llevar a efecto un análisis exhaustivo.

IV.I. Historia del Derecho civil

En el año de 1974 se publicó el libro *Oaxaca, Cuna de la codificación iberoamericana*,[278] obra del doctor Raúl Ortiz Urquidi, en la que se resalta

---

[XCI]   El primer Código civil de Baja California Sur es de fecha 11 de diciembre de 1981. Fue abrogado por el de 19 de julio de 1996. El de Quintana Roo es de 8 de octubre de 1980.

el hecho de que con la expedición de los tres primeros libros del Código civil para el estado de Oaxaca de 1927-1929, de la Ley penal de 5 de febrero de 1828, de la ley que arregla la administración de justicia en los tribunales del estado de Oaxaca del 12 de marzo de 1825 y de la ley de los trámites que en resumen deben practicarse para la instrucción de causas criminales en el estado de Oaxaca de 15 de septiembre de 1825, México fue el primer país de Iberoamérica que legisló en esas materias e inició el proceso de codificación en el continente americano.

Para recordar el centenario de la promulgación del Código civil para el Distrito Federal y Territorio de la Baja California de 1870, el departamento de Derecho de la Universidad Iberoamericana realizó varios eventos entre los que destaca la publicación en las páginas de *Jurídica* de diversos artículos relacionados en el código indicado. El doctor José de Jesús Ledesma Uribe reseñó las actividades llevadas a cabo con el motivo expresado[279] y los profesores Fernando Vázquez Pando,[280] Francisco Luis de Icaza Dufour,[281] Manuel G. Escobedo,[282] y Pablo Macedo[283] se ocuparon de la historia de la codificación civil en México, así como de la importancia y aportaciones del código cuyo centenario se conmemoró.

También con motivo del primer centenario del Código Civil para el Distrito Federal y Territorio de Baja California de 1870, Ramón Sánchez Medal, profesor en la Escuela Libre de Derecho, editó su estudio titulado *Dos códigos civiles y una Escuela de Derecho*,[284] aludiendo a la circunstancia de que Luis Méndez y Miguel S. Macedo, ambos destacados profesores en la Escuela Libre de Derecho, intervinieron en forma importante en la elaboración de los Códigos civiles para el Distrito Federal y Territorio de la Baja California de 1870 y 1884.

Revisten especial interés el trabajo de la señora María del Refugio González Domínguez llamado *Consideraciones en torno a la aplicación del Derecho civil en México, de la Independencia al II Imperio*,[285] así como el estudio del doctor José de Jesús Ledesma Uribe *Semejanzas y diferencias entre el Derecho civil romano y el Derecho civil contemporáneo*.[286]

IV.II. Enseñanza del Derecho civil

El doctor Raúl Ortiz Urquidi, director del Seminario de Derecho Civil de la Facultad de Derecho de la Universidad Nacional Autónoma de México, publicó un interesante estudio, *El Derecho civil y su moderna enseñanza,* el cual fue incluido en las páginas de *Revista de la Facultad de Derecho de México U.N.A.M.*[287]

IV.III. Ámbito del Derecho civil

Con el título *Derecho civil y Derecho mercantil,*[288] el doctor Ignacio Galindo Garfias incluyó el estudio dentro de la obra *El derecho,* publicada por la Universidad Nacional Autónoma de México y el doctor Miguel Villoro Toranzo, de la Universidad Iberoamericana publicó su ensayo *Derecho público y derecho privado*[289] en el que al señalar la importancia de la distinción destaca importantes características del derecho privado y por ende del civil.

IV.IV. Introducción, personas y familia

El plan de estudios de la Facultad de Derecho de la Universidad Nacional Autónoma de México, que comprendía las materias indicadas en el rubro, condicionó la publicación de un libro que finalmente fue publicado en 1973 por el doctor Ignacio Galindo Garfias, con el nombre de *Derecho civil primer curso. Parte General, personas, familia.*[290] Las modificaciones que sufrió el indicado plan de estudios el año de 1974 motivaron al doctor Raúl Ortiz Urquidi a publicar su obra *Derecho civil. Parte general. Introducción. Teoría del derecho (ubicación del civil) teoría y técnica de la aplicación de la ley. Teoría general del negocio jurídico,*[291] que abarca gran parte de las materias contenidas en el nuevo plan para el primer curso de Derecho civil que se imparten en la Universidad Nacional Autónoma de México y en las escuelas de derecho que están incorporadas a ella.

En materia de introducción se publicaron los siguientes trabajos: *La vacatio legis en el Derecho mexicano,* del maestro Virgilio Domínguez quien leyó su estudio al ingresar como miembro de número a la Academia Mexicana de Jurisprudencia y Legislación;[292] *La no retroactividad de la ley en materia civil,* del profesor Leopoldo Aguilar Carvajal;[293] *Todavía sobre las fuentes del derecho,* del doctor Fernando García;[294] *Los Conflictos de Leyes en el tiempo a la Luz de la Doctrina, de la Legislación y de la Jurisprudencia,* del doctor Raúl Ortiz Urquidi[295] y *Sistema de Interpretación de la Ley en el Arte de la Interpretación Jurídica,* de Abelardo Rojas Roldán.[296]

Por lo que toca a personas, el licenciado José de Jesús López Monroy se ocupó de la problemática que en el Derecho civil presenta la legislación mexicana acerca de la deficiencia mental.[297] Sobre el trasplante de órganos humanos la "Barra Mexicana, Colegio de Abogados" pronunció un importante dictamen suscrito por Benjamín Flores Barroeta, Licio Lagos Terán, Manuel Palavicini y Javier Creixell del Moral.[298] En relación con el nombre se publicaron los estudios de Mario Vasconcelos,[299] y Sara Montero Duhalt[300] y, por último, sobre el acta de nacimiento se publicó un estudio de Bertha Beatriz Martínez Garza.[301]

El Derecho de familia ha sido el más comentado por la doctrina. La celebración oficial del "Año de la Mujer", las reformas al Código civil en la materia, el establecimiento de los juzgados de lo familiar, y el replanteamiento del problema de la autonomía del Derecho de familia hicieron que la literatura jurídica fuera abundante en este tema.

Comisionado al efecto, por la Barra Mexicana, Colegio de Abogados, el doctor Ignacio Galindo Garfias rindió el 28 de septiembre de 1967 un dictamen al que denominó "Información preliminar sobre Derecho de familia", en el que analiza lo que se hace en los Estados Unidos de Norteamérica para la protección de los niños.[302] José Barroso Figueroa se pronunció por la "autonomía del Derecho de familia",[303] Carlos Traslosheros se ocupó del mismo tema.[304] El análisis del Derecho de familia en el Código de 1870 fue realizado por Edgar Baqueiro Rojas[305] y su contenido conforme a la doctrina fue comentado por el doctor Jorge Mario Magallón Ibarra.[306]

Las reformas legales introducidas con motivo de la celebración del año de la mujer en 1975 fueron objeto de comentario por parte de: Gloria León Orantes,[307] María Carreras Maldonado,[308] Iván Lagunes Pérez,[309] y Ramón Sánchez Medal.[310]

También con motivo del "Año de la Mujer" se publicó el estudio de Sara Bialostosky, Beatriz Bernal, Martha Morineau Iduarte y Aurora Arnaiz Amigo[311] sobre la condición jurídica de la mujer en México y el trabajo de José Luis Salcedo denominado "¡No a la demagogia de la Liberación Femenina!".[312]

Sobre los esponsales el doctor Jorge Mario Magallón Ibarra[313] y Moisés Hurtado González[314] publicaron sendos artículos en la "Revista de la Facultad de Derecho de México. U.N.A.M."; y sobre el matrimonio:

Eduardo Baz,[315] Néstor de Buen Lozano,[316] Enrique Martínez Pérez,[317] José de Jesús López Monroy,[318] Alberto Pacheco[319] y Ramón Sánchez Medal.[320]

Sobre divorcio debe destacarse en primer lugar el libro de Eduardo Pallares[321] aparecido en 1968 y agotada su edición poco tiempo después, en donde se trata con amplitud los temas relacionados con esta materia. También deben mencionarse los estudios de Ramón Sánchez Medal, *La Libertad en el Matrimonio y en el Divorcio*,[322] también *Un Nuevo Matrimonio Civil y el Pacto de Indisolubilidad*[323] y sobre *El Divorcio Opcional*,[324] así como los trabajos de Salvador Martínez Rojas[325] y José Luis Siqueiros.[326]

Por último, en el tema de filiación deben mencionarse los estudios de: Rafael Rojina Villegas,[327] Benjamín Flores Barroeta,[328] Sara Bialostosky,[329] y José López Noriega.[330]

Tocante a la adopción, Edgard Baqueiro Rojas señaló la necesidad de actualizar dicha institución en nuestro país.[331]

IV.V. Bienes

En el año de 1971 la Editorial Cajica, de la ciudad de Puebla, publicó la obra de Ernesto Gutiérrez y González denominada *El patrimonio pecuniario y moral o derechos de la personalidad*,[332] siendo este el único libro sobre el tema aparecido durante los años de 1967 a 1977.

La propiedad fue objeto de varios estudios, especialmente de carácter histórico entre los que figuran los de: Benjamín Flores Barroeta,[333] Fernando Vázquez Pando,[334] José de Jesús Ledesma Uribe,[335] Francisco L. de Icaza Dufour,[336] José de Jesús López Monroy[337] y Luis Pazos de la Torre.[338] Roberto Torres H. escribió en 1967 su trabajo *Regulación constitucional de la propiedad en México*.[339]

Edgard Baqueiro Rojas publicó también sobre el tema, su estudio *Hacia un nuevo derecho de la propiedad urbana*,[340] y Ramón Sánchez Medal publicó *La propiedad privada do los cauces y abandonados en el Distrito Federal*.[341]

Sobre el derecho del tanto se publicaron los estudios de José G. Arce y Cervantes[342] y Leopoldo Aguilar[343] y sobre el derecho de Superficie el trabajo de Ignacio Borja Martínez.[344] Por lo que hace al régimen de propiedad y condominio de los edificios, Sergio Torres Eyras publicó *Ori-*

gen y naturaleza jurídica del derecho de condominio en el derecho mexicano.[345] *Régimen en el derecho positivo de la República Mexicana,*[346] y Manuel Borja Martínez *Propiedad por departamentos y condominio horizontal*[347] y *Notas Sobre la Historia y el panorama de la legislación nacional en materia de propiedad y condominio en los edificios.*[348]

Con motivo de la expedición de la nueva ley sobre el régimen de condominio de 1972, Walter Frisch Philipp escribió su trabajo titulado *La Ley sobre el condominio de 1972*[349] y Manuel Borja Martínez publicó las *Observaciones a la iniciativa de la Ley Sobre el Régimen de Propiedad en Condominio, Vertical, Horizontal o Mixto,* que formuló con la representación de la Barra Mexicana, Colegio de Abogados, del Ilustre y Nacional Colegio de Abogados de México, y del Colegio de Notarios del Distrito Federal el año de 1972.[350]

IV.VI. Sucesiones

Sin duda la parte del Derecho civil más pobre cuantitativamente, por lo que se refiere a aportación doctrinal, la constituye el Derecho sucesorio, pues durante el período en examen sólo se publicó el interesante estudio del Notario Felipe Guzmán Núñez denominado *Los testigos del testamento público abierto.*[351]

IV.VII. Obligaciones

Un libro de extraordinario valor científico apareció el año de 1967. La amplitud y profundidad con los que Jorge Barrera Graf trata *La representación voluntaria en el derecho privado,*[352] hacen de esta obra una de las aportaciones más valiosas de la doctrina mexicana al tema.

En el libro homenaje que la Universidad Iberoamericana dedicó a la memoria de su Director Perpetuo Honorario Manuel Borja Soriano en 1969, se contienen numerosos estudios sobre el tema de obligaciones, cátedra que el homenajeado desempeñó en la Universidad Nacional Autónoma de México. En este libro figuran los trabajos de: Manuel Borja Covarrubias *Los códigos civiles y la teoría general de los actos y de los hechos jurídicos;*[353] Benjamín Flores Barroeta *La declaración unilateral de voluntad como fuente especial de obligaciones,*[354] Javier Lozano y Romen *La estipulación a favor de tercero en el derecho comparado,*[355] Manuel Borja Martínez

Análisis del efecto de la condición suspensiva sobre la obligación y sobre el negocio jurídico que le da origen,[356] José Castro Estrada *La responsabilidad objetiva y las obligaciones reales,*[357] Pablo Macedo *Un caso de ilícito no previsto por el código civil*[358] y Jorge Sánchez Cordero *El daño moral.*[359]

También sobre el tema de obligaciones se publicaron: *El enriquecimiento sin causa justa* de Ricardo Landero Sigrist.[360] *Inexistencia, nulidad y anulabilidad del negocio jurídico,* de José Fuentes García,[361] *Estructura característica de la condición testamentaria y de la condición contractual en los derechos de México, Austria y Alemania, a través de la comparación jurídica, en consideración del negocio jurídico y del acto jurídico* de Walter Frisch Philipp,[362] *Ejecución forzada de las obligaciones contractuales* de Everardo Hegewisch Arrillaga.[363] *La inexistencia de los contratos* de Gabriel García Rojas,[364] *Reflexiones en torno a la noción de obligación* de Miguel Angel y Jorge Hernández Romo,[365] *La dación en pago del Derecho romano al derecho actual* de José de Jesús Ledesma Uribe.[366]

La devaluación que sufrió nuestra moneda en el año de 1976 motivó los comentarios de Francisco Borja Martínez[367] y Jesús Zamora Pierce.[368] Merece una mención la tesis de Jorge Sánchez Cordero Dávila sobre la "responsabilidad objetiva",[369] presentada el año de 1974 y que constituye un trabajo de un valor poco común en los estudiantes que presentan sus tesis profesionales.

IV.VIII. Contratos

Se editaron en materia de contratos los siguientes libros: *Contratos civiles en particular*[370] de Ricardo Treviño, profesor de la materia en el Instituto Tecnológico y de Estudios Superiores de Monterrey. Constituye este libro una buena guía para el estudio de los contratos civiles, sin pretensión de aportaciones doctrinales ni de investigación profunda expone sucintamente los principios de la materia conforme a la legislación positiva y proporciona formularios para la redacción de los diversos contratos. *De los contratos civiles* de Ramón Sánchez Medal, profesor de la Escuela Libre de Derecho.[371] La importancia de esta obra, que hemos ya destacado en otra ocasión,[372] la hace una de las producciones jurídicas mexicanas en materia de contratos de mayor valía; y *Teoría general del contrato* de Luis Muñoz,[373] obra de gran erudición sobre el tema.

Cabe también señalar la publicación de la obra del ex-Juez Froylán Bañuelos Sánchez, titulada *De la interpretación de los contratos y de los testamentos*, editada el año de 1975 por Cárdenas, Editor y Distribuidor, que además del análisis doctrinal de las reglas de interpretación de los actos y hechos jurídicos contiene gran cantidad de formularios de testamentos y contratos.

La problemática general de los contratos en sus distintos aspectos fue estudiada por: Walter Frisch Phillipp,[374] Ramón Sánchez Medal,[375] Benjamín Flores Barroeta,[376] Salvador Rocha Díaz,[377] Sara Bialostosky Barshavsky,[378] Javier Quijano Baz,[379] y Manuel Borja Martínez.[380]

Sobre contratos preparatorios se publicaron trabajos de: Manuel Borja Martínez,[381] Alberto Pacheco Escobedo,[382] Roberto Núñez y Escalante,383 Fernando Artolózaga Noriega,[384] Salvador Rocha Díaz,[385] Antonio Martínez Báez[386] e Ignacio Galindo Garfias.[387]

En materia de compraventa: Luis Muñoz,[388] Leopoldo Aguilar Carvajal,[389] Bernardo Pérez Fernández del Castillo,[390] Federico Weber Ponce de León[391] y Gilberto Moreno Castañeda.[392]

En lo relativo a donación: Francisco Fernández Cueto[393] y Martha Morineau Iduarte.[394]

Sobre el contrato de mutuo: Manuel Borja Martínez[395] y Francisco Borja Martínez.[396] Respecto del arrendamiento: Ramón Sánchez Medal[397] y Salvador Martínez Rojas.[398] Sobre poderes y mandatos: Ricardo Abarca Landero,[399] Antonio Martínez Báez,[400] Virgilio Domínguez, y Jorge Reyes Tayabas, Rogelio R. Pacheco[401] y Francisco Vázquez Pérez,[402] Raúl Lemus García[403] escribió sobre hipoteca y Ramón Sánchez Medal[404] sobre capitulaciones matrimoniales.

IV.IX. Registro Público de la Propiedad

La Editorial Porrúa S.A., editó el año de 1972 el libro de Guillermo Colin Sánchez denominado *Procedimiento registral de la propiedad* y se publicaron los estudios de Ignacio Galindo Garfias *El registro público de la propiedad en México: reflexiones y comentarios*[405] y el de Boris Kozolehye llamado *El registro de la propiedad en México: una evolución crítica.*[406]

Las capitulaciones matrimoniales

[Conferencias impartidas el 30 de mayo de 1989
y el 15 de mayo de 1990].

I. SISTEMAS DEL RÉGIMEN PATRIMONIAL DEL MATRIMONIO

Todos sabemos que las capitulaciones matrimoniales son, de acuerdo con lo que dice nuestra ley: "Los pactos que celebran los cónyuges para poder establecer el régimen patrimonial al que va a estar sometido su matrimonio". De acuerdo con las diferentes legislaciones, puede haber distintas formas para la celebración y contenido de esos pactos o, en otras palabras, para la regulación del contenido económico en el matrimonio existen fundamentalmente cuatro sistemas.

I.I. El primer sistema es aquel **en el cual la ley establece un régimen relativo y único**, el cual no admite posibilidad de negociación y por lo tanto no hay capitulaciones matrimoniales. Es el supuesto en que las disposiciones legales prescriben que, por el solo efecto de contraer matrimonio, los bienes de los cónyuges quedan sujetos a un estatuto legal, el cual no pueden eludir. Este es el caso, por ejemplo, del estado de Michoacán, donde, conforme al artículo 173 del Código civil,[XCII] el régimen patrimonial será siempre el de separación de bienes; lo cual significa que los cónyuges conservan la disposición. Este no permite que las partes hagan un convenio por el cual acuerden quedar sujetas a un régimen distinto al de separación. Si quieren establecer o cambiar a una comunidad de bienes o si desean mantener algún tipo de sociedad,

---

[XCII] Es de advertir que al momento de impartirse esta conferencia se encontraba vigente el Código Civil para el estado de Michoacán de 30 de julio de 1936. El 22 de septiembre de 2004 el artículo en comento fue reformado para quedar como sigue: "El matrimonio debe celebrarse bajo los regímenes patrimoniales de sociedad conyugal o separación de bienes". Actualmente la materia está regulada en el Código Familiar de fecha 30 de septiembre de 2015, en los artículos 153 a 202. En dichos preceptos, se admite la posibilidad de celebrar el matrimonio bajo separación de bienes o sociedad conyugal, y en caso de no pactarse alguno, rige la separación. De tal forma, al día de hoy este sistema está proscrito en todo el país.

tendrán que sujetarse a las reglas que establece el derecho común para el efecto deseado, es decir, que por el hecho de contraer matrimonio estarían apegados exclusivamente a las disposiciones del código y, por ende, casados bajo el régimen de separación de bienes.

I.II. El segundo sistema es **el de autodecisión o de elección**, el cual permite optar entre diversas alternativas que presenta el legislador con un contenido ya estructurado. Lo anterior quiere decir que los cónyuges pueden casarse bajo el régimen de sociedad conyugal o de separación. En el supuesto de que opten por la primera figura, deberán establecer cuáles serán las características de ésta, qué bienes comprenderá, cómo se administrará y cómo será la liquidación, entre otras cosas. En el caso de que se decidan por la segunda, cada uno conservará su patrimonio sin posibilidad de administración común. Así, existen dos regímenes taxativos, por lo que la autonomía de la voluntad de los cónyuges se limita a una elección: quiero éste o el otro, quiero la sociedad conyugal o la separación. En este momento no hay legislación, dentro de las que rigen en la República, que contenga estas ordenanzas.

I.III. El tercero es aquel en **que se establecen uno o varios métodos complementarios de la voluntad** que permiten a los cónyuges optar por un sistema distinto del indicado en la ley, lo cual les otorga una libertad más amplia para que estipulen. Este tenor es el que seguían los nuestros de 1870 y 1884, los que establecían que el matrimonio se regía, en primer lugar, por las estipulaciones que se otorgaran y, en el supuesto en que no se dijera nada al respecto o no se hiciera una estructuración del régimen, habría una vía supletoria: el de la sociedad legal. Dentro de la vigencia de estos códigos, había que hacer una distinción entre la sociedad conyugal, que era voluntaria y tenía la amplitud, contenido y reglamentación que libremente le dieran los consortes; y la legal, aquella que, de manera supletoria, se establecía en ausencia de un pacto.[XCIII]

[XCIII]   Este sistema permanece vigente en Jalisco. En el código estatal se establece: "Artículo 282.- El matrimonio puede celebrarse por lo que respecta a su relación patrimonial, bajo el régimen de sociedad legal; sociedad conyugal o voluntaria y separación de bienes. El régimen de sociedad legal será presunto en los matrimonios que se celebren. En la sociedad conyugal o voluntaria, y en el régimen de separación de bienes, se requiere expresamente de capitulaciones matrimoniales para su establecimiento. Al celebrarse el matrimonio los cónyuges deberán indicar cuál de los dos tendrá la administración".

I.IV. Por último, existe un cuarto sistema que podemos nombrar de autorregulación o de libre estructuración del contenido patrimonial, debido a que las partes, de manera autónoma, definen y norman su propio régimen. En este caso, las partes pueden señalar los bienes que desean incluir dentro de la sociedad conyugal y en qué supuestos permanecerán dentro de la separación. Así pues, habrá la necesidad de determinar lo que abarca mediante un convenio, es decir, un acuerdo de voluntades entre los cónyuges. La ley no indica que, si se opta por uno u otro, éste tenga un determinado contenido, sino que simplemente remite a lo que los cónyuges hayan querido establecer. Este es el sistema de nuestro Código de 1928, el cual determina que, al momento de celebrar el matrimonio, los cónyuges deberán pactar sus capitulaciones estipulando qué será lo que comprendan. Por disposición expresa, se debe hacer constar qué bienes son los que van a formar parte de la sociedad conyugal, quién será el administrador, cómo se repartirán las utilidades y cómo, en su caso, se liquidará. La ley no contiene elementos que pudieran ser supletorios de la voluntad, sino que el contenido mismo es obra de la decisión, de la fórmula misma acordada por los cónyuges.

En resumen, es fundamental que estos sistemas adoptados por los códigos queden perfectamente delimitados para no interpolar disposiciones. Dicho lo anterior, procederemos a hacer el análisis de lo que esta materia ha regido en nuestro derecho positivo.

II. ANTECEDENTES DEL RÉGIMEN PATRIMONIAL DEL MATRIMONIO EN MÉXICO

Las leyes castellanas permanecieron hasta que se promulgó el Código de 1870. Este cuerpo normativo, cuya vigencia en el territorio nacional fue de la Conquista hasta las últimas décadas del siglo XIX, disponía que los cónyuges podían pactar el contenido económico de su matrimonio, estableciendo, dentro de la facultad de decisión que se les concedía, cuál era al que éste quedaría sometido patrimonialmente. De estas ideas se dedujo lo que posteriormente quedaría establecido en los subsecuentes, es decir, la constitución de un esquema voluntario con uno supletorio a falta de pacto expreso.

En 1917, la Ley sobre Relaciones Familiares frenó este método, ya que estableció el principio de la separación de bienes. Afirmó primero, de manera categórica, que los matrimonios que se celebraran durante su vigencia quedarían sujetos a este principio. Esto ha socializado la idea, muy difundida, de que en esa época existía un régimen patrimonial único, el cual era el de separación.[XCIV] Esto no es del todo exacto, ya que la propia Ley establecía, en los artículos 272 a 275,[XCV] que los cónyuges podían optar por una sociedad conyugal o una sociedad legal de gananciales. Se aseguraba que éstos podían hacerse partícipes de los productos de sus bienes presentes, de los frutos del trabajo, siempre y cuando la mujer no tuviera una participación inferior a la del hombre y no se estableciera que podían tener diferentes escenarios en los que era posible desarrollar una determinada familia. Había, pues, la posibilidad de establecer un sistema legal, más o menos parecido al de 1884.

[XCIV]   Artículo 270.- El hombre y la mujer, al celebrar el contrato de matrimonio, conservarán la propiedad y administración de los bienes que respectivamente les pertenecen; y, por consiguiente, todos los frutos y accesiones de dichos bienes no serán comunes, sino del dominio exclusivo de la persona a quien aquellos correspondan.

[XCV]   Artículo 272.- El hombre y la mujer, antes o después de contraer matrimonio pueden convenir que los productos de los bienes que poseen o de alguno de ellos, especificándolos en todo caso, serán comunes; pero entonces fijarán de una manera clara y precisa la fecha en que se ha de hacer la liquidación y presentar las cuentas correspondientes.

Artículo 273.- El hombre y la mujer, antes y después de celebrar el contrato de matrimonio, pueden convenir en que los productos de su trabajo, profesión, industria o comercio se dividirán entre ellos en determinada proporción, siempre que la mujer tenga en los productos del marido la misma representación que ella conceda a éste en los suyos. Esto mismo se observará en el caso del artículo anterior. La infracción a este precepto será causa de nulidad del contrato.

Artículo 274.- E marido puede conceder a la mujer, en los productos que obtuviere por su trabajo o con sus bienes, una representación mayor que la de la mujer le conceda en los suyos.

El marido puede también conceder a la mujer una parte de los productos de su trabajo, profesión, comercio o industria, o de sus bienes, aunque la mujer no preste ningún trabajo, ni ejerza alguna profesión, comercio o industria, o no tenga bienes propios.

Artículo 275.- Los pactos a los que se refiere el artículo anterior sólo surtirán efectos con relación a tercero, siempre que consten en escritura pública (sic) debidamente registrada, si se tratare de bienes raíces y que no comprendan más de la mitad de los frutos o productos.

Sin embargo, la regla era que, si se quería fundar este sistema (que el matrimonio debería regirse por una sociedad legal de gananciales), había que otorgar la capitulación en escritura y en la que se manifestara expresamente cuáles eran los bienes que podían ser considerados como gananciales. Además, debía inscribirse en el Registro Público de la Propiedad, requisito sin el cual no produciría efectos contra terceros. Ésa era, pues, una primera excepción de la Ley sobre Relaciones Familiares.

Además, en su artículo 284,[XCVI] disponía que la morada conyugal no podía enajenarse sin el consentimiento de ambos cónyuges. Se limitaba esta posibilidad a que el valor de la morada fuera inferior al de diez mil [viejos] pesos.

Este último artículo no solo es histórico, tiene juicio, una importancia de tipo actual y de derecho positivo, dado que persisten muchos códigos de las entidades que reproducen las disposiciones de la Ley sobre Relaciones Familiares. Por ejemplo, en Tamaulipas[XCVII] se establece que

---

[XCVI]   Artículo 284.- La casa en la que esté establecida la morada conyugal y los bienes que le pertenezcan sean propios de uno de los cónyuges o de ambos no podrán ser enajenados si no es con el consentimiento expreso de los dos; y nunca podrán ser hipotecados o de otra manera gravados ni embargados por los acreedores del marido o de la mujer o de ambos, siempre que dichos objetos no tengan en conjunto un valor mayor a diez mil pesos.
Si la residencia conyugal estuviera en el campo, ella y los objetos que el pertenezcan tampoco podrán ser enajenados sino con el consentimiento expreso de ambos consortes; y en ningún caso podrá ser hipotecados o de otra manera gravados juntamente con los terrenos que le correspondan, si no valen en conjunto más de diez mil pesos.
Cuando un matrimonio tuviere varias casas o propiedades en que resida en distintos periodos del año deberán designar ante la autoridad municipal del lugar en que esté ubicada la residencia que quiera señalar, cuál es la que ha de gozar de privilegio que le concede esta disposición.
En caso de que no se hiciera esa manifestación, a todas ellas se aplicará lo prevenido en este artículo, para los casos de enajenación, hipoteca o gravamen; y, en su caso de embargo, se respetará solamente la que ocupare el matrimonio en el momento de la diligencia.

[XCVII]   Las reglas relativas a la enajenación de la morada conyugal en esta entidad federativa estuvieron englobadas en los artículos 284 y 285 de la Ley sobre Relaciones Familiares de 1918, vigente a partir del 29 de julio de 1918, los cuales tenían un contenido equivalente al del artículo 284 de la Ley sobre Relaciones Familiares de 1917. Con la expedición del Código civil de 1940, la morada conyugal no podrá ser enajenada más que con el consentimiento de los consortes. Esto hay que tomarlo en cuenta en las normativas en las que, a pesar de que el matrimonio está sujeto a la separación de bienes, es necesario el consentimiento de los cónyuges para poder hacer ese acto de enajenación.

En conclusión, la Ley mencionada establecía que el esquema supletorio era el de separación de bienes, y dejaba un campo muy estrecho de posibilidades a la sociedad conyugal, el cual sólo podía hacerse de gananciales en los casos en los que se señalaba o el caso de la morada conyugal ya indicado.

Pero esta Ley es, en realidad, la evolución de todas las sociedades legales de aquellos que se habían casado durante la vigencia de los códigos decimonónicos, y, por último, aun cuando una persona hubiera contraído matrimonio después de 1884, a partir de 1917, el régimen supletorio que correspondía era el de separación de bienes y se debían aplicar los que les pertenecieran de manera común; si no se liquidaba la sociedad conyugal, se disponía que los bienes que hubieren adquirido en común quedarían como una copropiedad entre los consortes y, por lo tanto, se aplicarían las normas de la copropiedad ordinaria.[XCVIII]

En las diferentes entidades se fueron aceptando las tesis del Código de 1870, del de 1884, de la Ley sobre Relaciones Familiares y del Código de 1928. Hasta 1945, existía una manera simple de entender el alcance de los estatales, ya que eran idénticos, dependiendo el caso, a los prece-

---

las disposiciones de la Ley Sobre Relaciones Familiares de 1918 no fueron derogadas expresamente, por lo que, con la entrada en vigor de dicho Código, a partir del 1º de noviembre de 1940, la enajenación de la conyugal se podía sujetar a dos regímenes; o se aplicaban las reglas contenidas en la Ley sobre Relaciones Familiares de 1918, o bien los consortes podían destinar la morada conyugal a la constitución del patrimonio familiar, en cuyo caso sería inalienable y no podría ser sujeta ni a gravámenes reales ni embargos.

[XCVIII]   "Disposiciones varias:
Artículo 3º.- Las disposiciones de esta ley serán aplicables a los matrimonios celebrados con anterioridad y actualmente en vigor.
Artículo 4º.- La sociedad legal, en los casos en que el matrimonio se haya celebrado bajo ese régimen, se liquidará en los términos legales, si alguno de los consortes lo solicitare; de lo contrario, continuará dicha sociedad como simple comunidad regida por las disposiciones de esta ley".

dentes citados. Básicamente, dichas normativas estatales se podían dividir en tres grandes rubros:

1. Había códigos que conservaban las reglas de los códigos de 1870 y 1884, por ejemplo, el de Puebla y Guanajuato.

2. Había códigos que seguían casi al pie de la letra las orientaciones del Código de 1928; y

3. Había un grupo muy reducido de códigos que habían seguido algunas particularidades, algunas novedades hijas más del talento de los miembros de la comisión redactora que las necesidades locales.[XCIX]

A partir de 1945, el Código de Morelos dejó de hacer una clasificación tan sencilla. Desgraciadamente para la uniformidad, las leyes que se han expedido después de esa fecha han tenido regulaciones muy diversas en la situación patrimonial del matrimonio, por lo que no podríamos ni siquiera aproximarnos al número de éstas. Luego, hay otros que establecen, por ejemplo, la personalidad moral de la sociedad conyugal. Existe, pues, una dispersión legislativa que solamente puede entenderse mediante una comparación entre todas las legislaciones civiles. Éste es el panorama, desde los puntos de vista histórico y territorial, en lo referente al régimen patrimonial en México.

III. NATURALEZA JURÍDICA DE LAS CAPITULACIONES MATRIMONIALES

Las capitulaciones matrimoniales son los pactos que tienen los esposos para constituir la sociedad conyugal de bienes y para reglamentar la administración de éstos.[C]

Comencemos por definir algunos términos. ¿Qué son las capitulaciones? ¿Cuál es su concepto jurídico actual? ¿Qué significa realizar un pac-

---

[XCIX] Para este tema, el maestro Borja Martínez recomendó el *Panorama de la Legislación Civil de México*, de Antonio Aguilar Gutiérrez y Julio Derbez Muro. (México, Imprenta Universitaria, 1960).

[C] El maestro Borja Martínez no incluyó la separación de bienes, pues, según su criterio, y de acuerdo con lo que explica más adelante, este implica la ausencia de capitulaciones, aunque con ciertas excepciones.

to? Hay que recordar que nuestros primeros códigos no se inspiraron en textos modernos para regular las capitulaciones. Los nuestros tienen como trasfondo el de Napoleón, el portugués y el proyecto español. En materia de capitulaciones matrimoniales, los redactores de 1870, aunque consideraron en muchas ocasiones las ideas de Florencio García Goyena e incluso las del legislador luso, tuvieron como inspiración, más que estas normas relativamente recientes para esa época, las leyes castellanas que habían estado vigentes hasta esa fecha.

Por esta razón, muchos de los preceptos del Código de 1870 concuerdan en su fondo y en su forma con las disposiciones contenidas, por ejemplo, en la Novísima Recopilación. A partir de allí, fijaban un término fatal: por capitulación se entendía un pacto o conjunto de pactos. Esto significaba que mediante éstas no solamente se regulaba el régimen patrimonial del matrimonio, sino ciertas cuestiones adyacentes o relacionadas con éste: pactos de familia vinculados a objetos de la dote, la sucesión contractual y las sucesiones que, en un momento dado, ciertas leyes permitían se regularan en función de los distintos acuerdos.

En la historia legislativa española vamos a encontrar una serie de contenidos para el vocablo "capitulación", los cuales nacieron en el terreno de lo político, especialmente durante el periodo de la Reconquista y en las luchas entre los distintos candidatos al trono de España. Por ejemplo, las capitulaciones de Granada[CI] que celebraron los reyes de Castilla y de Aragón con el sultán nazarí, para determinar a quién pertenecían determinados dominios. Dentro de ese conjunto de pactos generales, uno de los acuerdos fundamentales era el del matrimonio entre los hijos de las familias en disputa.

De esta manera, el matrimonio servía como un medio de paz entre los reinos. A través de esas capitulaciones, se indicaba quién iba a tener la autoridad, quién iba a ejecutar, quién iba a hacer justicia, etcétera. Este procedimiento usado por los monarcas fue imitado por los seño-

---

[CI]   Fueron también conocidas como el Tratado de Granada, firmado y ratificado el 25 de noviembre de 1491. Puso fin a la guerra librada entre los Reyes Católicos Isabel I de Castilla y Fernando II de Aragón y el sultán Boabdil. En general, a cambio de renunciar al reclamo de Granada, se le garantizó al monarca musulmán una serie de derechos a su pueblo, incluida la tolerancia religiosa y un justo tratamiento.

res feudales que aprovechaban el matrimonio de sus hijos para arreglar cuestiones de tipo político o económico. Aunque esos pactos se fueron pareciendo a lo que hoy conocemos como capitulaciones matrimoniales, siempre tuvieron diversos contenidos, ya que dentro de ellos se normaban otros actos jurídicos como la dote, así como todas las posibilidades del sistema económico conyugal. Así pues, la antigua capitulación española revestía un concepto más amplio que, por lo tanto, hoy debemos descartar.

Si nos adentramos en nuestro sistema y nos referimos a la terminología actual, al hablar de convenios y contratos debemos preguntarnos si las capitulaciones matrimoniales son en realidad contratos, convenios o alguna otra institución. A mi juicio, no existe una respuesta uniforme. Para poder establecer dicha diferencia, primero se tendría que hacer distingo y evidenciar si esas capitulaciones establecen la sociedad conyugal o la separación, después se tendría que considerar también en qué momento se hacen esas capitulaciones, si antes de la celebración del matrimonio para que surtan sus consecuencias en el momento en el que éste se produzca o si son otorgadas con posterioridad, en cuyo caso se alteraría un régimen ya establecido.

Como mencioné, las capitulaciones son un acuerdo de voluntades por el cual dos personas crean o transmiten derechos y obligaciones. Los cónyuges que pactan para su matrimonio la sociedad conyugal están en realidad obligándose a que determinados bienes vayan a formar parte del fondo social y pueda, en caso de liquidación, corresponderles una porción conforme a lo que establecieron.

Respecto a la capitulación que establece la separación de bienes, no podríamos decir que es, en realidad, un contrato. Hay acuerdo de voluntades, pero no la creación y transmisión de derechos y obligaciones. Lo que en realidad buscan los consortes es conservar la misma situación patrimonial que tenían antes de casarse. Esa es la esencia de este régimen, ya que cada uno tiene su patrimonio, conservan la administración y la posibilidad de disponer de sus pertenencias y, por lo mismo, no ha habido una alteración. Entonces, la capitulación que establece la separación de bienes parece no ser un contrato, aunque debemos distinguir los siguientes supuestos:

1. Se trata de un convenio *stricto sensu*, es decir, un acuerdo de voluntades para modificar o extinguir derechos y obligaciones, si

la capitulación de separación se realiza después de celebrado el matrimonio para alterar la sociedad conyugal establecida con anterioridad. Es un convenio modificatorio porque cambia las obligaciones que han nacido conforme al contrato de sociedad conyugal.

2. Si la capitulación de separación de bienes se efectúa antes del matrimonio y no altera ni el contenido ni la situación existente antes de su celebración, no puede ser clasificada como un convenio. Simplemente es un acto o un negocio jurídico en el cual las partes van a determinar la situación de sus bienes, pero sin que esto sea un pacto con todas sus acciones, ni uno por el cual se modifiquen o extingan obligaciones. Dicho acto deberá regirse por las disposiciones aplicables a todos los actos jurídicos en general, y;

3. Cuando existe un sistema de régimen supletorio ante la omisión, la separación sí es un acuerdo de voluntades que va a producir consecuencias de derecho como un verdadero contrato, ya que evita que se apliquen las disposiciones de la sociedad legal.

IV. ELEMENTOS DE EXISTENCIA Y REQUISITOS DE VALIDEZ DE LAS CAPITULACIONES

Por lo explicado, es más complejo el estudio de la sociedad conyugal que el de la separación de bienes. Esta última, en rigor, no viene a ser más que el conservar el estatus que tenían antes de haber contraído matrimonio, es decir, su situación patrimonial no ha sido alterada en función de haber celebrado ese acto jurídico, pero, en cambio, cuando se ha constituido la sociedad conyugal, entonces sí se presentan dificultades para poder determinar quién es el propietario de los bienes, quién el administrador y quién puede disponer.

A la sociedad conyugal la hemos considerado como un contrato. En ese sentido, es necesario establecer que, como todo acto de esa naturaleza, tiene elementos de existencia y requisitos de validez. Los elementos de existencia serían los mismos que son inherentes a todo contrato: consentimiento de las partes y objeto. En lo referente al consentimiento, no existe ninguna duda acerca de lo que significa un acuerdo de voluntades de los cónyuges, en el cual ambas partes convienen en que determinados bienes se integren a un capital común por partes iguales. Sin embargo, en lo referente al objeto podemos hallar algunas particularidades.

El término objeto es un concepto unívoco al que la materia jurídica da distintas connotaciones. No quiero detenerme en una exposición doctrinal de lo que es el objeto directo u objeto indirecto, simplemente quisiera hacer notar que, de acuerdo con nuestro código, también constituye el objeto del contrato la materia de éste. Si recordamos el texto del artículo 1824, encontraremos que son objeto de los contratos la cosa que el obligado debe dar o lo que debe hacer o no hacer. En este sentido, el objeto de la sociedad conyugal son los bienes y servicios que los cónyuges se comprometen a aportar o que aportan inmediatamente a ella. Para que exista objeto dentro de un sistema como el que tenemos, es indispensable que se indique en las capitulaciones cuáles van a ser los bienes que ingresarán dentro de la sociedad conyugal; si esto no se hace, no hay objeto. Cuando hablamos de un contrato de compraventa, decimos que su objeto material consiste en la cosa vendida y en el precio. Si no los designo, ese acto no existe. Lo mismo sucede en la sociedad conyugal: cuando no indico qué bienes van a formar parte de ese fondo, le faltará el objeto y, por lo tanto, será inexistente. Esto me parece una presunción que no admite duda dentro del análisis de los principios generales de los contratos.

Los requisitos de validez también son los mismos de todo contrato, con algunas excepciones. Por lo que toca a la capacidad, se requiere una distinta a la común, lo que implica que el contratante sea mayor de edad. Para celebrar capitulaciones se ordena que se tenga capacidad para celebrar el matrimonio, la cual se adquiere a una edad menor que la capacidad normal: 14 años en la mujer en estado de gravidez, 16 años en el hombre. Cualquier persona que tuviera esta edad podría celebrar matrimonio y, por ende, las capitulaciones.[CII] La ley prevé, sin embargo, una sola regla: exige que al otorgamiento de las capitulaciones comparezcan quienes deben dar consentimiento para el enlace, y que no son, necesariamente, los representantes legales de los menores. Pensemos en dos ejemplos: en el caso de una persona que tiene 16 años, ¿quiénes ejercen sobre ella la patria potestad? Los progenitores, de acuerdo con

---

[CII]   Ver nota LXXXIII.

los preceptos legales. Esa persona se quiere casar, ¿quién debe dar el consentimiento? Para empezar, éste debe darlo el padre o la madre, sin necesidad de que sean ambos, por lo tanto, al otorgamiento de las capitulaciones tendría que comparecer, de igual forma, el padre o la madre. Existe también el supuesto en que un menor debe obtener el consentimiento de los abuelos, porque, de acuerdo con las reformas que se hicieron al Código civil,[CIII] se estableció que no debe existir preferencia por los abuelos paternos, en aras de establecer igualdad e ir en contra de un machismo en decadencia. No estoy en contra de tal decisión; aunque sí es necesario ser claros, ya que dejar la prioridad de quiénes son los encargados de la patria potestad a decisión de un juez puede ser motivo de una controversia.

En lo referente a la licitud, las disposiciones específicas para la sociedad conyugal son muy pocas. Se prohíben dentro de las capitulaciones aquellas cláusulas que vayan en contra de los fines naturales del matrimonio, o bien las sociedades leoninas o abusivas en donde se estableciera que todas las ganancias son para uno de los cónyuges y las pérdidas para otro. Se trata de normas muy conocidas, generalmente clasificadas dentro de todo tipo de sociedades y que no se pueden acordar dentro de este régimen.

Por lo que hace a la forma, habría que tener en cuenta diversos preceptos. El artículo 97[CIV] exige que al escrito en donde se solicite la celebración del matrimonio, se anexen las capitulaciones, por lo que deben otorgarse también por escrito. Sin embargo, el artículo 185[CV] establece

---

[CIII]   La última reforma al artículo 414 del Código fue publicada en el Diario Oficial de la Federación el 30 de diciembre de 1997, y señaló que a falta de ambos padres o por cualquier otra circunstancia prevista en ese ordenamiento, ejercerán la patria potestad los ascendientes en segundo grado en el orden que determine el juez de lo familiar.

[CIV]   El artículo 97 fue reformado el 13 de enero de 2004 para quedar así: "Las personas que pretendan contraer matrimonio, deberán presentar un escrito ante el Juez del Registro Civil de su elección".

[CV]   El artículo 185 fue reformado el 25 de mayo de 2000 para quedar como sigue: "Las capitulaciones matrimoniales en que se constituya la sociedad conyugal, constarán en escritura pública (sic) cuando los *otorgantes* (antes decía esposos) pacten hacerse copartícipes o transferirse la propiedad de bienes que ameriten tal requisito para que la traslación sea válida".

que el pacto de sociedad conyugal debe constar en escritura cuando los cónyuges acuerden hacerse copartícipes o transferirse la propiedad de bienes que ameriten tal requerimiento para que ésta sea válida. La terminología que usa el código no establece con claridad que el requisito de la escritura para la capitulación debe cumplirse al momento en que las partes efectivamente se transfieran la propiedad de bienes que ameriten tal formalismo, sino que ordena que suceda cuando los consortes simplemente pacten transmitírselos. ¿Qué decir, por ejemplo, de una capitulación en la que se indique que todos los bienes presentes o futuros, muebles e inmuebles que por cualquier título adquieran los esposos entrarán dentro de la sociedad conyugal? Es obvio que ya acordaron que serán parte de la sociedad algunos bienes para cuya transmisión se requiere escritura. Si se aplica textual el artículo 185, ¿todas las capitulaciones matrimoniales realizadas en estos términos deben constar en escritura y serán nulas en donde se pacte que habrán de entrar los bienes futuros?[CVI]

El Poder Judicial comenzó resolviendo a partir de este criterio estrecho y en la década de los cincuenta se dictaron algunas sentencias en este sentido. Sin embargo, ante la necesidad evidente de normas más adecuadas a la realidad, la Corte tuvo que modificar su postura y señalar otras rutas.

Tenemos, en primer lugar, una sentencia de amparo dictada en 1971, en donde se establece que "basta con que [las capitulaciones matrimoniales] consten en escrito privado y que en ningún caso se requiere la escritura".[CVII] Años más tarde, la Corte decidió que las capitulaciones so-

---

[CVI] En consecuencia, este dilema se genera porque el legislador confunde la forma de la capitulación matrimonial con la forma en que debe otorgarse la transmisión de los bienes en concreto. En realidad, la capitulación siempre debe constar en escrito privado. La escritura está reservada para formalizar las transmisiones de bienes acordadas en dichas capitulaciones y que precisen ese requisito de validez.

[CVII] Época: Séptima Época
Registro: 242084
Instancia: Tercera Sala
Tipo de Tesis: Aislada
Fuente: Semanario Judicial de la Federación
Volumen 37, Cuarta Parte

lamente deben constar en escritura si los cónyuges acuerdan transmitir-
se en el momento de la celebración del matrimonio o de la capitulación
bienes para los cuales se requiera esa formalidad. Éste es un punto intermedio que considero aceptable. La jurisprudencia de 1975 a la fecha ha
sido acorde en el sentido de que solamente deben constar en escritura
las capitulaciones matrimoniales[CVIII] en estas últimas condiciones.

Materia(s): Civil
CAPITULACIONES MATRIMONIALES, FORMALIDADES DE LAS. Las capitulaciones matrimoniales otorgadas en escrito privado tienen plena validez entre las partes que las celebraron, aun en el caso que, por la naturaleza
de los bienes que los cónyuges se hayan hecho partícipes, dicho convenio
deba constar en escritura pública (sic); esto se explica en razón de que tal
formalidad tiene por finalidad principal la protección de intereses de terceros, de manera que la falta de la misma no puede privar al acto de producir
efectos con respecto a quienes lo celebraron.
Amparo directo 2139/71. Cándido Ballesteros Reyes. 21 de enero de 1972.
Unanimidad de cuatro votos. Ponente: Rafael Rojina Villegas.

[CVIII] CAPITULACIONES MATRIMONIALES. DEBEN CONSTAR EN ESCRITU-
RA PUBLICA, TRATANDOSE DE INMUEBLES QUE SE APORTAN (LE-
GISLACION DEL ESTADO DE MEXICO). Aun cuando quedase probado
que entre los cónyuges se celebraron capitulaciones matrimoniales privadas
que surten efectos entre ellos, éstas no serían suficientes para tener por apor-
tado a la sociedad conyugal un inmueble, por ser necesaria la celebración en
escritura pública (sic) de las capitulaciones matrimoniales, de acuerdo a lo
que establece el artículo 171 del Código Civil del Estado de México. En efecto, según lo disponen los artículos 169, 170 y 171 de dicho ordenamiento legal, las capitulaciones matrimoniales son los pactos que los esposos celebran
para constituir, en su caso, la sociedad conyugal, la cual nace al celebrarse
el matrimonio o durante él; la sociedad conyugal se regirá por las capitulaciones matrimoniales que la constituyan y puede comprender no sólo los
bienes de que sean dueños los esposos al formarla, sino también los bienes
futuros que adquieran los consortes. Las capitulaciones matrimoniales en
que se constituya la sociedad conyugal, constaran en escritura pública (sic)
cuando los esposos pacten hacerse copartícipe o transferirse la propiedad
de bienes que ameriten tal requisito para que la traslación sea válida; debe
entenderse esta disposición limitada exclusivamente al caso de los bienes
inmuebles adquiridos por los cónyuges con anterioridad a la celebración del
matrimonio, como lo ha sostenido reiteradamente este Alto Tribunal, al comentar el artículo 185 del Código Civil para el Distrito Federal, igual al 171
que se analiza. Amparo directo 2238/78. Esther López Castro. 30 de julio de
1980. Cinco votos. Ponente: Raúl Lozano Ramírez. Secretaria: Clara Eugenia

El pacto que establece la sociedad conyugal debe también inscribirse en el Registro Público de la Propiedad. Antiguamente, el Código civil no prescribía esto, lo suponía implícitamente cuando indicaba que, si se modificaban las capitulaciones, dicho cambio debería registrarse, anotando la distinción que se hubiera hecho al momento de celebrarse la capitulación. Entonces, esto suponía que había una necesidad de inscribir aun cuando no se dijera expresamente. Esto fue modificado en 1978, de acuerdo con la Corte, la cual, interpretando este precepto, estableció jurisprudencia definida en el sentido de que las capitulaciones surtirían efectos contra terceros cuando estuvieran inscritas en el Registro Público de la Propiedad.[CIX] Estamos de acuerdo con dicha

---

González Ávila Urbano. Nota: En el Informe de 1980, la tesis aparece bajo el rubro "CAPITULACIONES MATRIMONIALES. DEBEN CONSTAR EN ESCRITURA PUBLICA (LEGISLACION DEL ESTADO DE MEXICO)".

[CIX] SOCIEDAD CONYUGAL, NECESARIA INSCRIPCIÓN EN EL REGISTRO DE LA PROPIEDAD DE LOS BIENES INMUEBLES A NOMBRE DE LA, PARA QUE SURTA EFECTOS CONTRA TERCERO. Si el matrimonio se celebró bajo el régimen de sociedad conyugal y los bienes inmuebles se adquirieron durante su vigencia, en relación a los cónyuges, no hay duda de que tales bienes forman parte de la comunidad, pero ello no significa que tal situación sea oponible frente a terceros de buena fe, si los bienes aparecen inscritos en el Registro Público de la Propiedad a nombre de uno solo de los cónyuges, con quien contrató el tercero, y no de ambos, como debía ser, porque la inscripción en el Registro Público de la Propiedad es la única forma de garantizar los intereses de quienes contratan con los cónyuges casados bajo el régimen de sociedad conyugal, y evitar así que sean defraudados, por ocultaciones o modificaciones de capitulaciones matrimoniales que sólo conocen los cónyuges.
Amparo civil directo 720/52.—Juárez Paniagua Asunción y Coags.—3 de julio de 1952.—Unanimidad de cuatro votos.—Relator: Rafael Rojina Villegas. Amparo directo 3833/49.—Cano viuda de Islas Matilde.—9 de junio de 1953.—Unanimidad de cuatro votos.—La publicación no menciona el nombre del ponente. Amparo civil directo 4520/53.—Salgado de Cevallos Bertha.—11 de febrero de 1954.—Mayoría de cuatro votos.—Disidente: Gabriel García Rojas.—Relator: Rafael Rojina Villegas. Amparo directo 5598/61. —Serrano de Adán María Guadalupe. —28 de enero de 1963.— Cinco votos.—La publicación no menciona el nombre del ponente. Amparo directo 5600/61.—Jiménez Galván Leopoldo.—28 de enero de 1963.—Cinco votos.—Ponente: Mariano Ramírez Vázquez. Apéndice 1917-2000, Tomo IV, Materia Civil, Jurisprudencia, Suprema Corte de Justicia de la Nación, página 325, Tercera Sala, tesis 386.

jurisprudencia. Luego se reformó el artículo 3012[CX] y se estableció la necesidad de hacer la inscripción en el registro de las capitulaciones, si se busca que surtan efectos contra terceros.

Es importante señalar que ni en el código ni en el Reglamento del Registro Público de la Propiedad,[CXI] existe una disposición clara y ta-

---

[CX]   La reforma se publicó en el Diario Oficial de la Federación el 3 de enero de 1979 para quedar como sigue:
Artículo 3012.- Tratándose de inmuebles, derechos reales sobre los mismos u otros derechos inscribibles o anotables, la sociedad conyugal no surtirá efectos contra tercero si no consta inscrita en el Registro Público.
Cualquiera de los cónyuges u otro interesado tienen derecho a pedir la rectificación del asiento respectivo, cuando alguno de esos bienes pertenezca a la sociedad conyugal y estén inscritos a nombre de uno solo de aquellos.
Esta disposición sufrió una nueva modificación el 20 de junio de 2014 en los siguientes términos:
Tratándose de inmuebles, derechos reales sobre los mismos u otros derechos inscribibles o anotables, la sociedad conyugal no surtirá efectos contra tercero si no consta inscrita en el folio real correspondiente a la finca de que se trate.
Cualquiera de los cónyuges u otro interesado tienen derecho a pedir la inscripción de ese régimen patrimonial, cuando alguno de esos bienes forme parte de la sociedad conyugal y estén inscritos a nombre de uno solo de aquellos.
No será necesario inscribir el régimen de sociedad conyugal cuando los documentos presentados los otorgue el titular registral y en los mismos se haga constar su comparecencia independientemente de la autorización o consentimiento de su cónyuge.
Se requiere la inscripción del régimen de sociedad conyugal únicamente cuando por causa de muerte, divorcio o cambio de régimen patrimonial, comparezca el cónyuge del titular registral o su sucesión para disponer de los bienes registrados.
La solicitud de inscripción deberá hacerse de manera expresa, anexando copia certificada o su reproducción auténtica del acta de matrimonio, así como el correspondiente pago de derechos.
Cuando exista un documento ingresado que requiera del previo registro de un régimen de sociedad conyugal, la solicitud se ingresará al Registro señalándose por el interesado, como trámites de vinculación directa con número de entrada y trámite propio para remitirse al área donde se encuentre el documento al que esté vinculado.

[CXI] Esa certeza tampoco se halla en la a Ley Registral para la Ciudad de México de 11 de junio de 2018 ni en su Reglamento de primero de octubre del mismo año.

jante que nos prescriba en qué parte debe hacerse la inscripción de las capitulaciones. Ante esta omisión, se ha interpretado que dicho documento debe registrarse como una inserción accesoria en el folio donde figure cada uno de los bienes pertenecientes a los cónyuges, es decir, si yo compro una casa y estoy casado por sociedad conyugal, después de haber inscrito la propiedad a mi nombre, ahí mismo se debe asentar la capitulación para que surta efectos contra terceros. Para hacer esto, debe exhibirse el pacto en un documento auténtico, que no necesariamente es la escritura, ya que se puede presentar copia certificada del acta de matrimonio y de las capitulaciones matrimoniales, ligando esto al folio donde está escrito el bien. Ahí se hace el asiento.[CXII]

V. ENFOQUE PRÁCTICO

En ese sentido, considero importante tratar algunos tópicos que se presentan en la práctica sobre cuestiones de existencia o ausencia de las capitulaciones matrimoniales.[CXIII]

Recordemos el sistema de autorregulación, en el que los que van a contraer matrimonio establecen cuáles son los bienes y bajo qué reglas quedarán éstos en la sociedad conyugal. ¿Qué sucede cuando no hay capitulaciones? El asunto es meramente teórico, tomando en cuenta que hay alguna declaración del titular del Registro Civil hecha por los años treinta en la cual indicó que, aunque en el código se regularon las capitulaciones matrimoniales de sociedad conyugal desde el primero de octubre de 1932, no fue sino hasta después de 1933 cuando empezaron a asentarse en un formato obligatorio. ¿Qué pasa hoy con los

---

[CXII]   El vigente artículo 3012 no señala claramente en qué parte se inscribe la capitulación de sociedad conyugal, mantiene el impráctico sistema de registro "folio por folio" y omite pedir, como documento auténtico para inscribir, la propia capitulación, tal como desde la fecha de estas conferencias lo justificó el maestro Borja.

[CXIII]   Para mayor profundidad, el maestro Borja recomendó como texto de apoyo el libro *Tópicos sobre los regímenes patrimoniales del matrimonio*, del notario Francisco Lozano Noriega, profundo trabajo donde se recopilan y analizan las legislaciones sobre capitulaciones matrimoniales y regímenes económicos que estuvieron vigentes y que hoy son positivas en todos y cada uno de los estados de la República.

matrimonios celebrados entre esas fechas que no tienen capitulaciones? El artículo 235 indica que es causa de nulidad del matrimonio el que éste se haya celebrado en contravención a lo dispuesto por el artículo 98, fracción quinta,[CXIV] el cual establece que debe presentarse en ese momento un convenio en el que se determine cuál es el régimen patrimonial. Cuando a la celebración se una la posesión de estado, no podrá pedirse la nulidad del matrimonio por la falta de un requisito de forma, como sería el de la presentación de las capitulaciones matrimoniales. Tenemos, pues, ya en esta vía, dos supuestos: Primero, hay matrimonio, pero no se tiene la posesión de estado, por lo que la sanción es la nulidad. Segundo, no hay capitulaciones, pero existe la posesión de estado, por lo que no opera esta ineficacia.

En el último supuesto planteado, hay quien afirma que los omisos están casados por sociedad conyugal y otros se inclinan por la separación. Los que se aducen la sociedad conyugal hacen uso del artículo 208 —colocado curiosamente en el capítulo de la separación de bienes y no en el de la sociedad conyugal—, el cual indica que la separación de bienes puede ser absoluta o parcial. En el segundo caso, los bienes que no estén comprendidos en la capitulación de separación serán objeto de la sociedad conyugal que deben constituir los consortes. Es aquí donde encuentran la solución: como los bienes no entraron expresamente en la capitulación de separación de bienes, deben pasar a formar parte de la sociedad conyugal. Esta salida es exagerada y no tiene argumentos sólidos. En primer lugar, se parte de un artículo que presupone la capitulación en la cual se ha pactado expresamente la separación de bienes;

[CXIV]   Reformado el 13 de julio de 2016, quedando como sigue:
El convenio que los pretendientes celebren con relación a sus bienes presentes y a los que adquieran durante el matrimonio. En el convenio se expresará con toda claridad si el matrimonio se contrae bajo el régimen de sociedad conyugal o bajo el régimen de separación de bienes; El convenio deberá presentarse aun cuando lo pretendientes carezcan de bienes, pues en tal caso, versarán sobre los que adquieran durante el matrimonio. el convenio deberá tomar en cuenta lo que dispone el artículo 189 y 211; el Oficial del Registro Civil explicará a los pretendientes todo lo concerniente al mismo, a efecto de que el convenio quede debidamente formulado.
Si de conformidad con el artículo 185 fuere necesario que las capitulaciones matrimoniales consten en escritura pública (sic), se acompañara un testimonio de esa escritura.

por otro lado, esta disposición sólo es aplicable para el caso de que esa capitulación fuera parcial; si no se han especificado los bienes, éstos formarán parte de la sociedad conyugal. Así, esto está reservado para el caso de la separación de bienes parcial con omisión del remanente, el cual sí entra al otro régimen patrimonial.

El planteamiento contrario, con la salvedad indicada, sería que los cónyuges están casados bajo el régimen de separación de bienes. De acuerdo con el artículo 172,[CXV] colocado en las disposiciones generales del título relativo al régimen patrimonial de los bienes del matrimonio, los cónyuges tienen capacidad para administrar, contratar y disponer de sus bienes propios, sin que para tal efecto necesite el esposo el consentimiento de la esposa, ni ésta de la autorización de aquel, salvo lo que se estipule en las capitulaciones. Si no hay una estipulación, entonces los cónyuges tienen la libre administración y propiedad de sus bienes porque están sujetos a la separación de bienes.

Además de esto, se puede agregar que para que exista transmisión de propiedad de una persona a otra, se necesita un justo título. Éste debe ser, conforme a una disposición de la ley, algún mandamiento de una autoridad, administrativa o judicial, o bien un contrato. No considero que pueda estipularse que, ante una omisión, una persona enajene tácitamente a otra una parte de sus bienes, pues a falta de título legal o voluntario, cada uno debe conservar lo suyo. Es importante resaltar que más que un régimen patrimonial, la separación de bienes es una ausencia de un régimen patrimonial en el matrimonio, es decir que ésta deja a los cónyuges en la misma situación que tenían antes de contraerlo.[CXVI] En consecuencia, ante el silencio de los contrayentes, puede determinarse que se quedan como estaban.

[CXV]   Dicho precepto fue reformado el día 13 de julio de 2016 para quedar como sigue: "Los cónyuges tiene capacidad para administrar, contratar o disponer de sus bienes propios y ejercitar las acciones u oponer las excepciones que a ellos corresponden, sin que para tal objeto necesite uno de los cónyuges el consentimiento del otro, salvo en lo relativo a los actos de administración y de dominio de los bienes comunes".

[CXVI] Ver la anotación que se hizo en la definición que el maestro Borja hace de las capitulaciones matrimoniales.

Es posible pensar en un escenario aún más difícil. ¿Qué sucede si en el acta de matrimonio consta que los cónyuges han querido contraerlo bajo el régimen de separación de bienes o sociedad conyugal y no han acompañado capitulaciones matrimoniales? En el régimen de separación de bienes creo que no hay mayor problema: si señalo que me voy a casar bajo ese régimen, conservo mis bienes presentes y futuros incluso en las mismas condiciones pues, aunque no haya hecho las especificaciones y no haya cumplido con todos los requisitos de la ley, sólo estoy casado por separación. Si se trata de la sociedad conyugal y no digo qué bienes van a entrar en ésta, la cuestión se vuelve drástica. ¿Se puede considerar como sociedad conyugal un contrato al que le faltaron capitulaciones matrimoniales? ¿En qué consiste la sociedad conyugal? Si no hay capitulación supletoria en la ley, entonces, ¿cuál será el régimen del matrimonio? En este caso, estamos exactamente en el mismo supuesto que nos encontramos cuando existe ausencia total de capitulaciones. En mi opinión, aunque los cónyuges hayan querido contraer matrimonio bajo sociedad conyugal, si no estructuraron el contenido de ésta, es decir, si no dijeron cuáles bienes forman parte de dicha sociedad, están casados por separación de bienes. Sin embargo, en los primeros amparos relacionados, después de algunas discusiones al respecto, la Corte decidió que sí existía una sociedad conyugal debido a que no se podía contrariar la voluntad de las partes. Así pues, para resolver la pregunta, ¿cuáles son los bienes que ingresan a ella?, es necesario revisar la jurisprudencia, a través de la cual se han resuelto los conflictos.

Sobre este punto, los ministros han aplicado las reglas del Código de 1884. Aun cuando este ya no esté vigente, a través de diferentes sentencias, han establecido lo mismo que dicha normativa. Así, por ejemplo, la Corte definió en jurisprudencia que en caso de que no haya estipulaciones expresas, los bienes adquiridos antes de la celebración del matrimonio no entran dentro de la sociedad legal,[CXVII] tal como lo ex-

---

[CXVII]   SOCIEDAD CONYUGAL. BIENES PROPIOS ANTERIORES AL MATRIMONIO. NO SE INCLUYEN, SALVO PACTO EN CONTRARIO (LEGISLACION DEL ESTADO DE VERACRUZ). El artículo 172 del Código Civil para el Estado de Veracruz, establece: "La sociedad conyugal nace al celebrarse el matrimonio o durante él. Puede comprender no sólo los bienes de que sean dueños los esposos al formarla, sino también los bienes futuros que adquieran los consortes". Esta disposición, adminiculada al artículo 177 del

presaba un artículo del Código de 1884.[CXVIII] Esto lo subrayo porque en muchas ocasiones se suele sorprender a los notarios con sumarios de las decisiones de la Corte que no corresponden con las decisiones tomadas en la sentencia; sin embargo, es importante remarcar que no quiere decirse que los bienes que tienen los cónyuges al momento de celebrar el matrimonio no puedan entrar en la sociedad conyugal, sino que, para que entren en ésta, se necesita que los contrayentes se casen bajo ese régimen, que hagan capitulaciones expresas de sociedad conyugal; que esas capitulaciones consten en escritura, y que éstas se inscriban en el Registro Público de la Propiedad. Si no sucede lo anterior, los bienes

---

mismo código, que dispone en lo conducente que las capitulaciones matrimoniales deben contener "la lista detallada de los bienes inmuebles que cada consorte lleva a la sociedad", "la lista especificada de los bienes muebles que cada consorte introduzca a la sociedad", "la declaración expresa de si la sociedad conyugal ha de comprender todos los bienes de cada consorte o sólo parte de ellos, precisando en este último caso cuáles son los bienes que hayan de entrar en la sociedad", lleva a concluir que es potestativo de los cónyuges aportar a la sociedad conyugal los bienes adquiridos antes de la celebración del matrimonio. Es decir, que salvo pacto en contrario, los bienes propios de cada uno de los cónyuges, que tenían antes de contraer matrimonio, continúan perteneciéndoles de manera exclusiva, a pesar de que el matrimonio se haya celebrado bajo régimen de sociedad conyugal, pues las aportaciones, al implicar traslación de dominio, deben ser expresas. El mismo criterio tiene aplicación cuando en las capitulaciones matrimoniales no existe pacto de los consortes en relación a los bienes adquiridos con anterioridad a la sociedad conyugal, pues el artículo 171 de la codificación en consulta previene que en ese supuesto se aplicarán las reglas relativas al contrato de sociedad, y como los artículos 2622 y 2626, fracción IV, disponen que la aportación de bienes a la sociedad implica la transmisión de su dominio y las aportaciones de los socios deben constar en el contrato respectivo, debe entenderse que los bienes adquiridos por los socios antes de formar la sociedad siguen perteneciéndoles, si no los aportan expresamente a ella. Amparo directo 5308/74. Carmen Leal Vega. 21 de enero de 1976. Unanimidad de cuatro votos. Ponente: Salvador Mondragón Guerra. Secretario: Leandro Fernández Castillo.

[CXVIII] Artículo 1999 del Código de 1884: "Son propios de cada cónyuge los bienes de que era dueño al tiempo de celebrarse el matrimonio, y los que poseía antes de éste, aunque no fuera dueño de ellos, si los adquiere por prescripción durante la sociedad".

que tienen los cónyuges al momento de celebrar el matrimonio no entran dentro de la sociedad conyugal.

Ahora bien, es necesario decir que, aunque se tengan capitulaciones matrimoniales de sociedad conyugal, los bienes adquiridos por herencia no entran en ésta.[CXIX] Así se ha establecido en algunas sentencias que aún no forman jurisprudencia (dado que son sólo tres) y que fueron dictadas precisamente en los pasos que hemos señalado hace un momento, es decir, cuando en el acta se establece una sociedad conyugal, pero no se encuentran las capitulaciones matrimoniales. Solamente son aplicables estos criterios de la Corte a aquellos casos en los cuales la sociedad conyugal es jurisprudencial, es decir, cuando el máximo tribunal ha dictado su contenido.

VI. NATURALEZA JURÍDICA DE LA SOCIEDAD CONYUGAL

Una vez revisados los escenarios anteriores, es necesario pasar al último tema: ¿Cuál es la naturaleza jurídica de la sociedad conyugal? Esto posee un interés práctico porque, a partir de la postura que se tome, se pueden sacar conclusiones y adoptar criterios frente a los posibles dilemas. Son varias las tesis para analizar su naturaleza jurídica; una establece que es una sociedad con personalidad jurídica; otra que es una comunidad generalmente cambiante; otros hablan de una copropiedad ordinaria, de una comunidad especial; y, por último, hay quienes piensan que es una sociedad oculta que

---

[CXIX] En el sistema vigente en la Ciudad de México, donde ya se dijo prevalece la libertad contractual y dada la impericia de los jueces del Registro Civil que obligan a los contrayentes a firmar capitulaciones matrimoniales "de machote", en lugar de orientarlos para que pacten lo que mejor corresponda a sus intereses particulares, los bienes adquiridos por herencia sí entraran a la sociedad conyugal si en los citados formatos se indica —como se ha venido haciendo— que todos los bienes que adquieran los cónyuges por cualquier título. En caso de no haber suscrito estos "machotes" o de no pactar expresamente en contrario, el artículo 182 Quintus prescribe: "En la sociedad conyugal son propios de cada cónyuge, salvo pacto en contrario que conste en las capitulaciones matrimoniales: II. Los bienes que adquiera después de contraído el matrimonio, por herencia, legado, donación o don de la fortuna". De esta forma, no se puede dar una regla general en este punto, sino que en cada caso deberán revisarse las capitulaciones.

simplemente da un derecho personal a recibir una cuota de liquidación a la terminación del contrato. Si yo me coloco en medio, ¿quién podrá vender? Si tomo la postura de que existe una persona moral, ¿sería yo el administrador? Si decido que hay una comunidad, entonces, los dos tendrían que vender, y si pienso que es meramente una sociedad oculta en donde hay un derecho a una cuota de liquidación, derecho que es personal, tendría que decir que tiene que vender exclusivamente la persona a cuyo nombre está ese título, sin importar cuál es el régimen de su matrimonio, porque solamente le da a su cónyuge derechos de crédito que serán efectivos en el momento en que concluya la sociedad.

Pasemos, entonces, al análisis de las principales teorías que se han elaborado a propósito de la naturaleza jurídica de la sociedad conyugal.

La primera es aquélla que entiende que, **en la sociedad conyugal, como en las sociedades civiles o mercantiles, existe un ente jurídico distinto de los cónyuges.** El maestro Rojina Villegas sostiene esta teoría y la sostuvo también, en su tiempo, un gran profesor: Roberto Cossío y Cosío.[CXX]

¿Por qué se dice que la sociedad conyugal constituye una persona jurídica distinta de los cónyuges? Primero, porque se le llama sociedad; segundo, porque, en dicha materia, se hace una remisión al capítulo de sociedad civil para todas aquellas estipulaciones que no hubieran hecho expresamente los cónyuges a propósito de ésta;[CXXI] entonces, se estima supletoriamente aplicable su régimen y, al tener la sociedad civil perso-

---

[CXX] Señala Cossío y Cosío: "Otra de las reformas que se introdujeron en relación con el matrimonio fueron de gran importancia: el Código de 1884 establecía el régimen de la sociedad conyugal, es decir, los bienes venían a formar una entidad jurídica distinta de las personas que habían efectuado el matrimonio, venían a formar parte del patrimonio de la sociedad, excepto que se hubiese pactado en las estipulaciones matrimoniales la separación de estos". (*Primer curso de Derecho civil*, México, Suprema Corte de Justicia de la Nación, 2009, p. 245).

[CXXI] Artículo 183.- La sociedad conyugal se regirá por las capitulaciones matrimoniales que la constituyan, y en lo que no estuviere expresamente estipulado, por las disposiciones relativas al contrato de sociedad.
El precepto antes transcrito fue reformado el 25 de mayo de 2000 sustituyéndose al efecto la expresión "por las disposiciones relativas al contrato de sociedad" por la de "por las disposiciones generales de la sociedad conyugal", por lo que este argumento ya no es sostenible.

nalidad jurídica, se entiende que también la sociedad conyugal la tiene. La tesis tiene muchos argumentos en contra: en primer lugar, es claro que el nombre "sociedad conyugal" no le da una connotación clara en cuanto a su contenido ni le haría aplicable más que las disposiciones de la sociedad genérica.

Es también claro que la remisión a las normas de la sociedad civil es para aquellos pactos que no hubieren hecho los contrayentes al momento de celebrar el contrato de sociedad conyugal, no para adquirir una personalidad jurídica que se otorga a las sociedades civiles, pero que no se le da a aquella otra. Si recordamos el texto del artículo 25 que indica quiénes tienen personalidad jurídica, no encontraremos nunca a la sociedad conyugal y la remisión supletoria que hace el código es aplicable únicamente por falta de estipulaciones, no para otorgar personalidad jurídica. Además, el artículo 194 establece que: "el dominio de los bienes comunes reside en ambos cónyuges mientras subsista la sociedad conyugal". Lo anterior, excluye toda posibilidad de que el dueño de los bienes sea la sociedad conyugal como persona moral. Si esto fuera así, se diría que el dominio de los bienes reside en la sociedad conyugal como persona moral, ya que esta sería la titular de los derechos y las obligaciones.

Desde hace algunos años, ciertas disposiciones estatales establecieron que la sociedad conyugal tiene personalidad jurídica.[CXXII] Claro, en el supuesto de que el Código civil así lo marque, la postura es correcta, pero en uno como el del Distrito Federal o en los de los estados que son similares, esta opinión no puede tener un camino, ya que no puede considerarse que la sociedad conyugal constituye una persona jurídica sin sustento legal.

[CXXII] El Código Civil para el estado de Tlaxcala de 20 de octubre de 1976, inspirado en las ideas de Ernesto Gutiérrez y González, estableció: "Artículo 70.- La sociedad conyugal se rige por las capitulaciones matrimoniales que la constituyen, y por las siguientes disposiciones: I.- La sociedad conyugal es una persona jurídica cuya capacidad nace desde el momento de la celebración del matrimonio".
Por reforma de 11 de marzo de 2010 al artículo 60, se indicó que "la sociedad conyugal se regirá por las capitulaciones matrimoniales que al efecto se celebren. A falta de capitulaciones matrimoniales, los bienes que los cónyuges adquieran pertenecerán a ambos en copropiedad por partes iguales...", sin que se modificara el texto del artículo 70, fracción I, por lo que se generó una ambigüedad en respecto a si la sociedad conyugal constituye una copropiedad o una persona moral.

La segunda de las teorías es la que **equipara a la sociedad conyugal con una comunidad.** Históricamente, su argumento se funda en el artículo 194 citado. Si el dominio de los bienes comunes reside en ambos cónyuges, es evidente que se trata de una figura en donde ambos son dueños y codueños. Si son codueños, hay una comunidad. Durante mucho tiempo esta tesis fue aceptada, y las únicas divergencias se enfocaban en cuál era esa clase de comunidad. Mientras algunos, más radicales, decían que se trataba de una simple copropiedad normal, sujeta a las reglas civiles, otros pensaban que era una comunidad especial, similar a lo que era la copropiedad en mano común. Estas teorías han pretendido fundarse en el derecho germánico, inclusive en las leyes españolas con influencia de los godos, en donde había una especie de comunidad que no era exactamente igual a la comunidad de la copropiedad ordinaria. Para hacer la distinción y sin ponernos a enlistar atributos, creo que podríamos señalar ciertas cosas que son muy reales.

1. Mientras que en la copropiedad ordinaria la propiedad se ejerce sobre un solo bien, en la comunidad germánica o la comunidad de mano común se ejerce sobre una universalidad de bienes que tiene el carácter de universalidad jurídica; nunca es un solo bien, sino es una masa de bienes, una masa que inclusive puede ser movible, en la cual pueden salir o entrar bienes y, sobre todos ellos se ejercerá la comunidad.

2. No es una copropiedad que tenga normas que son comunes, ni cuotas materiales, ni cuotas ideales, se asemejaría más a una cotitularidad que a una copropiedad en donde se hace una división ideal, inclusive hablábamos no de una división material: Aquí hay dos mesas que están unidas, pero que las puedo separar y hacer dos bienes, es una manera de hacer la trasmisión. En cambio, si me refiero a una sola mesa, podría decir que hay varias otras posibilidades, hacer fragmentos físicos, materiales de esta misma mesa o, por lo menos, dividirla idealmente. ¿Cómo haría yo la división ideal de la cosa? Dicen los romanos que lo que había que entender es cada molécula de la cosa dividida en dos porciones y cada uno de los derechos de los copropietarios se ejercía sobre cada una de esas moléculas; la cosa estaba dividida idealmente, pero indivisible materialmente porque no podían separarse.

3. Frente a esas teorías, hay las que consideran que la copropiedad real es una concurrencia de derechos sobre un mismo objeto, dos dere-

chos de propiedad en manos de distintos titulares, o podríamos inclusive pensar en una sola cosa o un derecho cuyos titulares son varios y entonces estamos hablando de una cotitularidad del derecho de propiedad que sería la manera de explicar la copropiedad. Pues bien, mientras que cualquiera de estas soluciones puede caber dentro de la copropiedad normal, la única que serviría para explicar la comunidad o mancomunidad de derecho germánico sería la de la cotitularidad del derecho, en la que necesariamente para cualquier acto deben comparecer todas las personas que forman esa mancomunidad, de ahí la fórmula que se emplea en las escrituras notariales: el titular con la persona que tiene la mano común debe necesariamente comparecer otorgando su consentimiento para realizar la operación. No es lo mismo el consentimiento que la autorización, la cual sería una fórmula que contemplaría el permiso marital del Código de 1884[CXXIII] y que apareció desde hace muchos años en nuestro derecho.

4. Otra particularidad de la copropiedad germánica sería su permanencia, a diferencia de la comunidad romana, donde se puede pedir la partición por ser una situación indeseable. En materia de sociedad conyugal, la sociedad no va a ser temporal de unidad, sino que va a tener un carácter permanente. Tenemos también como una característica de la sociedad conyugal que solamente pueden formar parte de ésta aquellas personas que están unidas en el vínculo del matrimonio. No sería factible que un contrayente dijera: "cedo mis derechos sobre la sociedad a mi primo fulano de tal". No, mientras sean marido y mujer, no pueden cederlos. No se podría, tampoco, ceder una parte sobre algún bien o una cuota.

Así pues, si alguien preguntara si una persona podría comparecer al notario y decir "vendo el cincuenta por ciento que me corresponde en

---

[CXXIII] Artículo 197 del Código de 1884: "El marido es el representante legítimo de su mujer. Esta no puede, sin licencia de aquel, dada por escrito, comparecer en juicio por sí o por procurador, ni aun para la prosecución de los pleitos comenzados antes del matrimonio y pendientes en cualquiera instancia al contraerse éste; pero la autorización, una vez dada, sirve para todas las instancias, a menos que sea especial para una sola, lo que no se presume si no se expresa".
Artículo 198 del Código citado: "Tampoco puede la mujer, sin licencia de su marido, adquirir por título oneroso o lucrativo, enajenar sus bienes ni obligarse, sino en los casos especificados en la ley".

la comunidad de la casa 28, manzana 5", la respuesta sería no, ya que automáticamente, aunque vendiera su mitad, el cónyuge conservaría la suya y como el derecho se ejerce sobre una masa de bienes, quedarían exactamente en las mismas condiciones en que se encontraban antes. Es decir que solamente pueden vender los bienes de la comunidad aquellas personas que están casadas, ésta sería la particularidad principal que distinguiría a la comunidad romana de la germánica.

Hay quienes desaprueban el término comunidad germánica y prefieren hablar de comunidad especial o comunidad *sui generis.* La doctrina es la misma, las características que se señalan son precisamente éstas, aun cuando no se les dé un nombre específico, se hace constar que en el régimen del matrimonio que establece nuestro código solamente se puede entender en una comunidad con ciertas particularidades. La base de esta teoría, reitero, es precisamente el artículo 194. Tiene, por otro lado, su origen en la legislación nacional. Este precepto es aislado, pues deriva de alguna ley recopilada que pasó al Código portugués, y de ahí al nuestro de 1870, en donde se dice exactamente que el dominio de los bienes comunes reside en ambos cónyuges, de tal manera que las leyes españolas y el código citado, si en lugar de hablar de sociedad conyugal hubieran hablado de copropiedad comunal, nos hubiéramos evitado muchos problemas. En el fondo, la idea de sociedad y la idea de copropiedad no son antípodas como dicen algunos autores, no son cosas que se confundan; yo convejo en que son cosas distintas, pero no se excluyan una a la otra, bien puede haber una sociedad en la que hay copropiedad en todas aquellas sociedades que no tienen personalidad jurídica.

Si se lee a cualquier tratadista anterior a 1870 se encontrará que, al explicar la sociedad conyugal, menciona a una sociedad en la que existe una copropiedad. ¿Cómo es posible que existan las dos cosas? Si convergemos en que la sociedad conyugal no tiene personalidad jurídica, tendremos que plantearnos lo siguiente, ¿de quién son los bienes que formaban el activo de la sociedad?, ¿de los socios o forman parte de una copropiedad que ellos crean? La sociedad conyugal no es una idea antípoda de la de copropiedad, incluso, ambas figuras coexistieron y coexisten por su inclusión en el derecho español. Así, a las sociedades que no tienen personalidad jurídica, los bienes que forman el fondo de esa sociedad sin personalidad son parte de una copropiedad. Entre esos dos conceptos nace la idea de la sociedad conyugal, en los términos del artículo 194.

En la regulación de la sociedad conyugal, el legislador de 1928 se limitó a seguir el camino que establecieron sus predecesores. Esa ruta estuvo marcada por la incapacidad que sufría la mujer debido a las ideas de la época. En un principio, si no era con la autorización de su marido, no podía disponer de sus bienes. A ella solo le correspondía el dominio *in acto* pero no *in actio*, en cambio el marido tenía el dominio final *in actio*, o sea que tenía no solamente un dominio en potencia: podía libremente vender, porque durante aquella época la legislación le permitía manejar a su arbitrio el patrimonio conyugal, incluso donarlo siempre y cuando no dejara en insolvencia a la esposa.

A medida en que van desapareciendo las incapacidades de la mujer, va también variando la doctrina de los autores. Hacia mediados del siglo XIX, por ejemplo, los comentaristas del fórum mexicano, y más claro aún, Mariano Otero,^CXXIV en algún texto que está publicado en el área del fórum mexicano, o don Bernardo Couto, en un laudo que está publicado en la revista de jurisprudencia, dicen con toda claridad que el dominio de los bienes de la sociedad conyugal es un dominio que corresponde en copropiedad a los dos cónyuges, que los dos lo tienen *in actio* e *in acto*.

La última de las tesis que trata de explicar a la sociedad conyugal, vista de manera general, establece que es un contrato por el que los consortes, desde que se celebra el matrimonio, convienen en que cada uno de ellos conceda sobre determinados bienes de su propiedad al otro, una cierta participación en las utilidades, paralela a la regulación del mismo convenio [contrato]. La sociedad conyugal no genera una persona moral, tampoco da nacimiento a derechos reales ni se transmite la propiedad o la copropiedad de un cónyuge a favor del otro. Solo se trata de un derecho de crédito, a saber, el derecho a cobrar una cuota final de liquidación al terminar. Es una sociedad oculta, sin personalidad jurídica, que funciona en forma análoga a una asociación en participación, la cual genera únicamente derechos personales o de crédito que consisten en obtener una

---

CXXIV   Una de las preocupaciones centrales del pensamiento de Mariano Otero fue el de la injusta distribución de la riqueza y de la propiedad. En el artículo 26 de su *Proyecto de Ley Constitucional de Garantías Individuales* —publicado el 3 de febrero de 1849— señaló: "A nadie puede privarse de su propiedad ni del libre uso y aprovechamiento de ella, sea que consista en bienes, en derechos o en el ejercicio de alguna profesión".

cuota final de liquidación, pero no da nacimiento a un derecho real de propiedad sobre los bienes asignados a la sociedad conyugal.

Esta postura encuentra su fundamento en las ideas del maestro Ramón Sánchez Medal[CXXV] y en el artículo 204,[CXXVI] que establece la forma de liquidar la sociedad conyugal, es decir, cuando se liquide se pagarán las deudas, y una vez que sean pagadas se devolverá a cada cónyuge lo que le corresponda. Esto parece significar que en última instancia a cada uno se le va a devolver lo que aportó a la misma. Esto genera nuevas

---

[CXXV]   Sánchez Medal opina que en la sociedad conyugal existen dos clases de bienes; primero, los bienes que uno de los dos cónyuges adquiere después de haber constituido antes la sociedad conyugal, y sobre los cuales adquiere automáticamente el otro cónyuge el derecho real de copropiedad, en un cincuenta por ciento o en el diferente porcentaje que se hubiera fijado. Segundo, "los bienes que uno de los cónyuges adquirió antes de haberse constituido la sociedad conyugal y que aporta después a esta en el momento de constituirse la misma y sobre los cuales adquiere el cónyuge un derecho personal o de crédito del cincuenta por ciento o del diferente porcentaje que se haya fijado, sobre las utilidades que vayan a general dichos bienes. Este derecho de crédito solo puede hacerse efectivo y liquidarse hasta el momento en que se disuelva la sociedad conyugal, en cuyo momento se devuelven al otro cónyuge los mencionados bienes que aporto a la sociedad conyugal y se reparten al 50% o en el diferente porcentaje convenido, las utilidades generadas por dichos bienes" (*De los contratos civiles*, México, Porrúa, 2011, pp. 421- 423).

[CXXVI] A la fecha de la exposición del maestro Borja, este artículo señalaba lo siguiente: "Terminado el inventario, se pagarán los créditos que hubiere contra el fondo social, se devolverá a cada cónyuge lo que llevó al matrimonio y el sobrante, si lo hubiere, se dividirá entre los consortes en la forma convenida. En caso de que hubiere pérdidas, el importe de éstas se deducirá del haber de cada consorte en proporción a las utilidades que debían corresponderles, y si uno sólo llevó capital, de éste se deducirá la pérdida total". Fue reformado el 25 de mayo de 2000 para quedar: "Terminado el inventario, se pagarán los créditos que hubiere contra el fondo social, y el sobrante, si lo hubiere, se dividirá entre los cónyuges en los términos pactados en las capitulaciones matrimoniales, y a falta u omisión de éstas, a lo dispuesto por las disposiciones generales de la sociedad conyugal. En caso de que hubiere pérdidas, el importe de éstas se deducirá del haber de cada cónyuge en proporción a las utilidades".
Como puede notarse, algunas de las objeciones que se hacen a la última tesis, quedan sin efecto con la citada reforma. Sin embargo, pienso que el conjunto de las críticas, incluso después de la modificación, se sostienen.

interrogantes, ¿qué significa el que se devuelva a cada cónyuge lo que le corresponde? ¿Es todo lo que aportó al momento de celebrar el matrimonio o lo que durante el matrimonio estuvo aportando a la sociedad? Si es lo primero, la liquidación que se establece correspondería simplemente a una sociedad de gananciales, es decir, a una que no versaría sobre los bienes en sí, sino sobre los productos de los bienes y del trabajo.

Si se trata de la segunda posibilidad, podemos entender todo aquello que fueron aportando durante el matrimonio, naturalmente incluyendo los frutos de esos bienes, para que de esa manera no hubiera forma de que uno de los cónyuges tuviera algún derecho sobre los bienes del otro y viceversa

Me parece que esta última teoría tiene argumentos muy endebles como para sostenerla. Desde un punto de vista de leyes mejor redactadas podría ser entendible, pero el hecho es que no es lo que prescribe la legislación civil y por otra parte es contraria al texto del artículo 194 cuando señala que el dominio de los bienes de la sociedad conyugal reside en ambos cónyuges. ¿Qué explicación se le da a este artículo? ¿Qué deben considerarse como bienes comunes de los cónyuges?, ¿aquéllos que han adquirido en copropiedad o los heredados en conjunto? Si es solamente eso, entonces, ¿por qué el código dice "mientras dura la sociedad"? En ese supuesto sería no solo mientras esta subsiste, sino para siempre. En fin, esta postura tampoco resuelve cabalmente sobre qué versa ni cómo funciona la sociedad conyugal.

Han quedado expuestas de manera general las teorías que buscan explicar la naturaleza jurídica de la sociedad conyugal. De la que cada uno acepte, dependerán sus argumentos para intentar resolver los problemas que se le presenten.[CXXVII]

[CXXVII] Tal como lo demuestra en su exposición el maestro Borja, es complejo adoptar una postura unívoca sobre la naturaleza jurídica de la sociedad conyugal dada la confusión que genera la deficiente redacción del legislador. Él mismo acepta incluso que la sociedad conyugal pude tener personalidad jurídica, que es la tesis extrema, si el legislador se la reconoce, como en el caso de Tlaxcala. De esta manera, creo que podemos concluir, mientras no se uniformen criterios, con que la sociedad conyugal es lo que el legislador del lugar y la época determinada quiso que fuera. Así, no es lo mismo la sociedad conyugal de la Ciudad de México que la de Jalisco.

Representación, poder y mandato

[Publicado póstumamente en Breviario,
Colegio de Notarios del Distrito Federal en 2007.][CXXVIII]

Mi intervención debe empezar por señalar los conceptos de lo que es la representación y de lo que es el poder, y qué formas pueden revestir tanto la representación como los diversos poderes.

Entendemos dentro del Derecho civil a la representación como una institución jurídica que permite que las consecuencias de un acto, celebrado por una persona, se produzcan de manera directa e inmediata en la esfera jurídica de otra.

El fenómeno de la representación está ligado profundamente con una institución jurídica, es decir, con un medio que permite al derecho que se logre una determinada consecuencia.

La consecuencia es clara, como lo hemos manifestado hace un instante, que los efectos del acto realizado por una persona produzcan sus consecuencias en la esfera jurídica de otra.

La representación puede darse tanto en el ámbito de las relaciones patrimoniales como en el de las extrapatrimoniales. La institución de la representación pertenece, en su esencia, a lo que podríamos llamar la Teoría general del derecho. No es algo que se aplique exclusivamente a una de sus ramas, es uno de esos principios generales del Derecho civil que tienen validez tanto dentro del ámbito restringido de la rama civil como en el ámbito más amplio del derecho en general.

La representación tiene diferentes tipos; suelen los civilistas hablar fundamentalmente de tres tipos de representación:

[CXXVIII] Ahí se lee lo siguiente: "Cuando Francisco Fernández Cueto Barros fue presidente del Consejo del Colegio de Notarios del Distrito Federal (de 1986 a 1987), Manuel Borja Martínez dictó la conferencia que ahora es este breviario y cuya publicación fue autorizada por María Elena Chico viuda de Borja".

1. La representación legal.

2. La representación voluntaria, y como tercer género, como punto intermedio entre estas dos especies de representación estaría lo que podría denominarse:

3. La representación necesaria u orgánica.

Veamos, aunque sea de manera somera, cuáles son esas tres especies de la representación.

La representación legal es la que se encuentra establecida por la ley; su origen radica en un precepto legal que faculta a una persona para obrar en la esfera jurídica de otra. Sus límites y las facultades que se otorgan al representante están también determinadas por la ley. Pensemos en los casos de los padres que ejercitan la patria potestad, en los tutores, en los albaceas, y veremos que todas estas personas van a poder realizar efectos en el patrimonio de sus hijos sujetos a la patria potestad, de sus pupilos o de sus herederos en función de una autorización que les ha sido concedida por la ley y que la extensión de esas facultades está precisamente determinada por la ley.

Dentro de la representación legal suelen distinguirse dos tipos, dos clases de representaciones legales.

Una, la establecida por la ley para las personas de capacidad limitada (los menores, los incapaces). Servirán para estos casos los que he señalado hace un instante concerniente a la patria potestad o tutela.

La representación legal también puede ser dada por la ley para la administración de un patrimonio o de un conjunto de bienes ajenos. Sería éste el caso del representante del ausente, el caso del síndico en una quiebra, el administrador judicial, o el propio albacea. Existe un patrimonio que requiere una persona que pueda actuar de ese patrimonio, no significa simplemente que ese patrimonio no tenga titular; significa solamente que el titular de ese patrimonio puede en un momento dado verse imposibilitado de realizar actos jurídicos sobre el bien. Dentro de la representación legal la doctrina suele incluir lo que a veces se distingue con el nombre de "representación judicial", sería el caso en el cual el Juez, fundándose en algún precepto de derecho, viene a atribuir la representación a un determinado sujeto. En el fondo, la posibilidad de realizar este acto de representación radica en las facultades que la ley otorga al Juez para efectuar el nombramiento y en las disposiciones legales que permiten la factibilidad del nombramiento y determinan las facultades y fijan los límites, la extensión de los poderes del representante.

En la representación voluntaria las cosas acontecen tal vez con una mayor sencillez. En la representación voluntaria una parte de manera consciente y libre le encarga a otra persona que sea la que lleve su representación. La representación voluntaria tiene su origen, sus límites y sus funciones en la voluntad privada, en la voluntad de algún sujeto, que de este modo permite que otro sea el que produzca efectos en su patrimonio.

Les decía hace un momento que entre estos dos tipos de representación existe, lo que podríamos considerar como un tercer género, ese tercer género sería *la representación necesaria.*

Las personas morales, y de esto no cabe la menor duda, tienen que valerse de alguna persona física para poder realizar sus funciones; ellas no pueden hacerlo directamente, esto todo el mundo lo reconoce.

En donde existe divergencia de opinión, en donde hay varias tesis para explicar cómo funciona el fenómeno es precisamente, cuando se trata de dar una conceptuación jurídica, de dar una explicación desde el punto de vista jurídico de cómo operan las personas morales.

Dos tesis son las que fundamentalmente explican esta actuación: una que podríamos llamar *organicista,* y otra la de la representación *necesaria.*

La tesis que podríamos llamar organicista, importada del derecho público con un gran auge a principios de siglo, concibe a la persona jurídica en una asimilación casi perfecta con la persona natural.

Piensa que así, como la persona física actúa a través de sus órganos: su boca, sus manos, sus pies, así, la persona moral va a actuar también a través de otros órganos que tendrán una naturaleza diversa por el carácter específico de la persona jurídica, pero cuando un representante de una persona moral actúa por ella, no lo está haciendo tanto como un representante, sino que lo está haciendo por el hecho de poder actuar directamente. La acción es directa e inmediata a través del órgano, no puedo decir que "mi mano me represente", no puedo decir "que mi boca me represente", tampoco puedo decir que el administrador de una sociedad anónima o una asamblea dentro de la sociedad anónima represente a la persona; es la persona actuando por sí misma.

Frente a esta tesis que puede resultar un tanto artificial y que llega inclusive a extremos que suenan hasta ridículos, hay por ahí alguna disposición que habla de que la Comisión Nacional de Valores en determinados casos deberá resolver "en conciencia". Parece también que la persona moral (Comisión Nacional de Valores) tiene conciencia propia. Es llevar al extremo el símil, es llevar una analogía hasta situaciones que puedan parecer ya, francamente grotescas.

Pues bien, frente a esta teoría hay la tesis de la representación necesaria. No hay una acción directa, no hay una actuación a través de un órgano, sino que hay una efectiva y real representación. Pero esta representación tiene la particularidad de ser una representación necesaria, una representación que ha de darse, en todo caso. Debemos de concebir a la persona jurídica en un estado de incapacidad, dicen quienes aceptan esta tesis, similar a la que tienen los menores o las gentes privadas de razón aun cuando tienen entidad, no pueden hacer valer sus derechos directamente, sino a través de un representante, que por estar determinado por la ley es un representante legal. Las personas morales por su situación misma, de no poder expresarse y realizar conductas directamente, deben manifestarse a través de un representante que será su representante necesario.

Hay quien habla de "representación orgánica", buscando un puente, una conexión entre ambas teorías y pensando que, de esta manera, se unen las posibilidades de ambas representaciones. Esta representación orgánica vendría a distinguirse de la representación legal, al no estar específicamente establecida por la ley y, vendría a ser distinta de la representación voluntaria, por el hecho de la absoluta necesidad en que se halla la persona jurídica para tener que actuar a través de sus representantes.

Es, pues, un tercer género, un punto intermedio entre la representación legal y la representación voluntaria.

Nuestro código civil en su artículo 27 indica que las personas morales obran y se obligan por medio de órganos que las representan, esta expresión de nuestra ley civil da a mi juicio claramente la idea de aceptar la tesis llamada de la "representación orgánica". Está hablando por un lado de órganos y está hablando por otro lado de representantes, está hablando de que las personas morales actúan a través de los órganos que las representan; implica la aceptación de la tesis de esa representación institucional a la que se llama representación orgánica.

No quiere decir esto, naturalmente, que las personas morales no puedan tener representantes voluntarios que no estén previstos por su sistema de organización o aquellos; por ejemplo, en el caso de una asociación o de una sociedad, si solamente pudieran serlo dichas personas entonces quedarían vinculadas eventualmente con la persona moral para la realización de uno o de varios actos, pues la representación de las personas morales a través de estas personas será una representación de carácter enteramente voluntario, no se requerirá de este tipo de apoderados para la consecución de los fines de la sociedad, no se requerirá de este tipo de apoderados para el ejercicio normal de las actividades sociales, sino sólo será de manera esporádica el que se requiera de la actuación de estas personas físicas, se caería aquí, claramente, dentro del campo de la representación voluntaria. Hasta aquí la representación.

El poder

No hay una uniformidad en cuanto a la definición del poder en materia civil, hay quien de manera general concibe al poder como la fuente de la representación y de este modo se habla de poder legal, de poder necesario y, de poder voluntario.

Cuando el padre actúa en nombre de su hijo, tiene un poder que le ha conferido la ley, se le han dado facultades para que pueda obrar en nombre de su hijo, su poder será poder legal. El poder necesario será el que tendrán los órganos de las personas morales para actuar y el poder voluntario será el que se confiere expresamente a una persona para que represente a otra. Pero fuera de este campo general, lo más frecuente es que, el concepto de "poder" se circunscriba al caso de la representación voluntaria. Cuando se habla de poder, así simplemente, en un sentido más restringido, la mayoría de los juristas entiende al acto unilateral en virtud del cual el poderdante inviste de facultades al apoderado para que pueda actuar directa e inmediatamente en su esfera jurídica.

Tenemos ya un concepto mucho más restringido del poder, simplemente una declaración unilateral de voluntad, un acto sólo atribuible al poderdante, un acto en el que no tiene intervención el apoderado, un acto destinado a otorgarle facultades que éste, en un momento posterior, deberá ejercitar frente a los terceros. Este es el concepto de poder más frecuentemente aceptado por la doctrina contemporánea.

El poder es meramente la fuente de la representación voluntaria. Pero al poder suele confundírsele y se le confunde, incluso en las leyes con frecuencia, con el mandato, siendo dos cosas completamente diferentes. El poder se confunde con el mandato, especialmente por una circunstancia que implica el conocimiento de una coyuntura histórica, los redactores del Código Napoleón entendieron que el mandato al ser para ellos necesariamente representativo era un sinónimo de poder. Poder y mandato no eran sino la misma cosa, expresiones sinónimas, de este modo las emplea el napoleónico y los que lo siguen, sus hijos, sus nietos, sus bisnietos, como alguien dice con sobrada razón, es decir, los que se inspiraron de primera mano en el Código Napoleón o aquellos que se encuentran inspirados en otros códigos o a su vez inspirados en el ya mencionado.

La distinción entre el poder y el mandato se debe a la doctrina alemana, durante el siglo XIX Rudolf von Ihering, en primer lugar, Laband y más adelante Windschied, establecen de una manera muy clara la distinción entre el poder y el mandato. Me llama especialmente la atención el poder de síntesis, la claridad con que Bernard Windschied, en una simple nota a pie de página en su *Derecho de las Pandectas,* hace la distinción entre el mandato y el poder, dice Windschied y ustedes me permitirán que se los lea, es un párrafo sumamente corto, lo siguiente: "MANDATO significa que uno debe o está obligado a algo, mientras que poder supone que uno tiene la potestad de hacer. Mandato, es una relación obligatoria entre el mandante y el mandatario mientras que la idea de poder designa la posición jurídica individual de la persona del apoderado, contemplada, sobre todo, desde el lado externo, es decir, por los terceros que contratan con él. Finalmente, cabe un mandato sin poder, cuando el mandatario actúa en nombre propio y cabe un poder sin mandato". Hasta aquí Windschied.

La idea, a mi juicio, es perfectamente clara, son dos cosas diferentes. Una es el acto de apoderamiento, el acto en el que se dan facultades para actuar frente a los terceros; otra es un contrato que como cualquier otro que implica acuerdo de voluntades del que nacen derechos y obligaciones para las partes contratantes y del que nada, absolutamente nada en función de un principio generalmente aceptado en los contratos, puede producir efectos contra los terceros.

Después de Windschied la distinción entre el mandato y el poder es generalmente aceptada por la doctrina, tal vez la excepción sea la doctrina francesa que hasta la actualidad sigue considerando como sinónimos al poder y al mandato. ¿Cómo hemos de analizar las relaciones entre el mandato y el poder? En un primer momento, se entiende que mandato y poder son diferentes aspectos de una misma relación jurídica de gestión.

En función del mandato se encarga a una persona que realice determinados actos; esto es la parte interna de la relación de gestión, pero para poder lograr el que esta persona encargada cumpla su cometido, se le dan poderes, para que de este modo pueda obligar al poderdante frente a los terceros. Se ve aquí, el aspecto externo de la misma relación de gestión. Dos partes pues, de una misma relación, dos caras de una misma moneda, una misma institución vista desde el aspecto interno y contemplada desde el exterior. Pero, como bien observaba Windschied que he citado hace un momento, no siempre hay coincidencia entre las dos figuras, aun cuando es común, es frecuente que al mandato le acompañe el poder y que el poder tenga su fuente en el mandato, no necesariamente hay coincidencia, hay poderes sin mandato y mandatos sin poderes, pensemos en el mandato no representativo y en el poder que tiene su fuente en un acto distinto del mandato, pensemos en la prestación de servicios profesionales que pudieran originar el otorgamiento de un poder, pensemos en la facultad que concede una persona a otra para girar en su cuenta bancaria sin que exista un contrato de mandato, sin que le haya dado materialmente instrucciones de realizar ningún acto jurídico por su cuenta y en su nombre sino simplemente, otorgándole facultades para que pueda actuar dentro de su esfera en esta ocasión patrimonial.

Sin embargo, yo pienso que nuestro Código civil se quedó precisamente en este punto. El nuestro considera al poder y al mandato como dos aspectos de una misma relación y de ahí, que emplee frecuentemente y sin ninguna distinción los términos poder y mandato como sinónimos. Si leemos cualquiera de los preceptos, si leemos tal vez el más conocido en materia de poderes, el 2554, veremos que empieza hablando de poderes y termina platicándonos de los mandatos, mezcla las palabras como si fueran sinónimas, no se percibe la diferencia o percibiéndose la diferencia se entiende al mandato y al poder como dos partes de una misma relación y por lo mismo, sin necesidad de hacer una discriminación entre ellas y poder emplear los términos como palabras sinónimas. Creo que este, pues, es el punto en el que está, nuestro código civil.

Más adelante, la doctrina alemana ha elaborado la teoría que se llama de la abstracción del poder. Ya que esta ha considerado al poder como un negocio abstracto, como un negocio que tiene entidad por sí mismo y que va a producir consecuencias por sí mismo independientemente del fondo que lo haya generado, independientemente de la relación o de la situación que haya obligado a generar el poder, se habla por los alemanes de un negocio subyacente y de un poder aparente, de la misma manera que cuando se habla de los títulos de crédito, a propósito de su autonomía y de su abstracción; se dice que son independientes del negocio subyacente que les da origen también así, a propósito del poder los alemanes sostienen que existe una absoluta independencia.

La tesis para efectos prácticos está encaminada a proteger los intereses de los terceros; la abstracción del poder impide que al tercero que contrata con el representante se le pueda oponer cualquier excepción que no esté motivada por el poder o fundada por el poder y que tenga su origen en ese negocio que sirvió en su momento de base para el otorgamiento del poder. Pero resulta la tesis un tanto exagerada. Federico de Castro, y creo que, con acierto, sustituye la idea de abstracción del poder por la idea de lo que él llama: "funcionalidad del poder". Él entiende al poder simplemente como un negocio neutro, como un negocio dentro del cual se puede aprovechar su sustancia para poder proyectar las consecuencias que se quieren y permitir la ejecución de cualquier negocio jurídico. Es meramente un medio para que se pueda actuar.

De esta manera no quedaría la situación en el extremo de la doctrina alemana conforme a la cual hay abstracción del poder y a los terceros no les pueden ser oponibles las excepciones que se deriven del negocio subyacente, sino que, en el supuesto de que los terceros tengan conocimiento de algún vicio, de algún defecto en el negocio subyacente, podrá este vicio serles oponible en la medida en que lo hayan conocido, naturalmente respetando en esto el principio de la relatividad de los contratos. Creo que la tesis concilia de una manera en que realiza la justicia, los intereses; por un lado, de los terceros con los intereses del propio representante el cual estaría protegido por este tipo de excepciones que encuentran su origen en el negocio llamémosle subyacente.

Esto sería lo tocante al poder, al mandato, espero que hayan quedado deslindados con suficiente claridad.

Nos quedaría solamente tocar un punto, si es que no me he excedido en el tiempo que tengo asignado y sería el de considerar cuáles son los orígenes, límites y facultades de la representación legal, convencional y voluntaria.

Por lo que toca a la representación legal el problema realmente es mínimo. El origen: la ley. Sus límites y facultades: los establece la ley. Forma de acreditamiento: con los documentos que permitan demostrar fehacientemente que se encuentra uno dentro del supuesto de la ley. Si el padre en ejercicio de la patria potestad tiene por ley facultades para representar a su hijo, lo que es indispensable mediante documentos, demostrar que se es el padre y que se está en ejercicio de la patria potestad. Las actas del estado civil pueden resolver el problema.

Por lo que toca a la representación voluntaria, la cosa parece más compleja, por lo que toca al origen es claro, es la fuente la voluntad del poderdante, pero sus límites y sus facultades van a estar ligadas con la voluntad precisamente de quien otorga el poder. Nuestra ley distingue dos tipos de poderes, poderes generales y poderes especiales. Pero aquí nuestro Código de 1928 introdujo en nuestro sistema jurídico una revolución y rompió con los principios de una tradición jurídica que sustentada en el Derecho romano había sido conservada durante siglos y había sido inclusive mantenida y difundida por las disposiciones del Código Napoleón.

La influencia del código napoleón en este punto se había hecho sentir en nuestro derecho hasta los de 1870 y de 1884. Para el de 1884, el mandato puede ser general o especial, el primero, comprende todos los negocios del mandante, el segundo, se limita a ciertos y determinados negocios. De aquí lo que para estos códigos significa la distinción entre poder o mandato general o especial. Uno, para todos los negocios, otro, para un negocio en concreto. Nuestro código de 84 a través del de 70 tiene su origen en el Código Napoleón y éste a su vez en algún texto del *Digesto* conforme al cual *Procurator velomnion rerum velunius rei est e potesta,*[CXXIX]. O sea que este principio de distinción entre el mandato general y el mandato especial que arrancaba del derecho romano y que se fundaba en si era uno o varios negocios que pudiera realizar el mandatario estaba aceptado por el de 1884.

Otro punto era también sumamente importante dentro de la reglamentación que hacía el código de 1884 a los poderes o mandatos generales, el mandato general no comprende más que los actos de administración; para enajenar, hipotecar y para cualquiera otro acto de riguroso dominio el mandato debe ser especial.

Nuevamente aquí la redacción del código de 1884 se inspiraba en el código napoleón y éste, a su vez, en la tradición romana. El de Napoleón, sin embargo, contenía una palabra que no contenía el nuestro.

El Código Napoleón en lugar de decir el mandato general no comprende más que los actos de administración, decía: "El mandato concedido en términos generales no comprende más que los actos de administración" ¿por qué?, la razón del Código Napoleón, nos la explica muy claramente la reseña de su discusión en el Consejo de Estado, en la transcripción que de ella hace Jacques Maleville —uno de los redactores del Código Napoleón—. Informa que una vez que se había aceptado, siguiendo la tradición romana, la distinción entre el mandato general y el especial atendiendo a la particularidad o generalidad de negocios que podían emprenderse en función del mandato, me pregunto ¿qué hacer con aquellos contratos de mandato en los cuales, aunque designándose los negocios, no se precisarán las facultades? Y uno de los miembros del Consejo de Estado Bierling, se preguntaba lo siguiente: ¿Cómo se fijará el sentido y la expresión de los mandatos concedidos en términos generales?

Entre los diversos modos de constituir tales mandatos hay dos que ameritan una atención particular por ser los más usados, a saber: el poder de hacer todo lo que el mandatario juzgue conveniente a los intereses del mandante o el de hacer todos los actos que el mandante podría hacer él mismo. "En el examen de estas dos locuciones se ha visto a los jurisconsultos encerrar el efecto de la primera en los simples actos

---

[CXXIX] El procurador puede serlo o para todas las cosas o para una sola.

de administración y el atribuir a la segunda, efectos más extendidos y especialmente la facultad de disponer de la propiedad misma, no se ha seguido esta distinción porque en materia de propiedad no se debe fácilmente presumir que se ha dado a un tercero el poder de disponer de ella, y si se ha querido, es tan fácilmente expresarlo formalmente que bien puede la ley imponer la obligación de hacerlo, único medio de prevenir todo equívoco y de obviar las sorpresas y los errores, así aplicando y siguiendo las disposiciones del Derecho romano, todo mandato concedido en términos generales no abarca más que los actos de administración y si se trata de enajenar o hipotecar o de cualquier acto de propiedad el mandato deberá ser expreso". Hasta aquí Bierling.

Esto explica el porqué de la redacción del código napoleón, cuya repercusión llegó, como he dicho hace un momento, hasta nuestros Códigos de 1870 y de 1884. Pero en la práctica surgían problemas innumerables: ¿cómo determinar de una manera expresa y a la vez completa, todos los actos de riguroso dominio que puede una persona realizar? Esto lo daba la experiencia de los notarios recogida a través de formularios cada día más amplios.

Se podría pensar como un acto de disposición la venta, la permuta, la donación, la hipoteca, la dación en pago, la aportación a una sociedad y así seguir con la fantasía, pero realmente se necesitaba o tener una información muy amplia o una mente muy fecunda para poder comprender que en un momento dado se requería también una facultad expresa para conocer y reconocer y desconocer firmas, para comparecer en un juicio de quiebra, para nombrar al votar en el nombramiento de albacea, para poder en un momento dado, estar como liquidador dentro de una sociedad, en fin, un sinnúmero de cosas. Yo he tenido la oportunidad de ver algún formulario de un notario que ejercía sus funciones antes de 1932 en que entró en vigor el Código civil, muy completo, muy amplio, muchas páginas, diez, doce páginas y de su puño y letra agregados al margen una serie de actos nuevos que podrían ser incluidos entre los actos de dominio, seguramente agregados bajo la presión o el conocimiento de alguno de los clientes al que le faltó en el poder la facultad de realizar determinado acto, porque no se le había ocurrido ni al notario, ni al cliente, ni la experiencia lo había todavía dado, la situación era inconveniente.

Para arreglar esta situación la Ley del notariado del estado de Jalisco y posteriormente la Ley del notariado del estado de Michoacán, introdujeron una fórmula novedosa; invertían los principios. Si bien, para las disposiciones del código napoleón las facultades de dominio deberían de ser expresas, para el espíritu de la Ley del notariado de Jalisco y para la Ley del notariado de Michoacán, lo que debería de ser expreso son las limitaciones, invertían el pensamiento, decían: "Cuando tú das un poder en términos generales y facultas de manera amplia para realizar cualquier acto si es que no quieres que algún acto pueda llevarse a cabo ponlo expresamente", y de ahí surge la fórmula hoy tan conocida para nosotros de *los poderes generales*, ese 2554, artículo muy conocido, en todos los poderes generales para pleitos y cobranzas bastará que se diga que se otorgan con todas las facultades generales y especiales que requieran cláusula especial conforme a la ley, para que se entiendan conferidos sin limitación alguna; en los poderes generales para administrar bienes bastará expresar que se dan con ese carácter para que el apoderado tenga toda clase de facultades administrativas en los poderes generales para hacer actos de dominio bastará que se den con ese carácter para que el apoderado tenga todas las facultades de dueño tanto en lo relativo a los bienes como para hacer toda clase de gestiones a fin de defenderlos.

"Cuando se quisieran limitar en los tres casos antes mencionados las facultades de los apoderados, se conciliarán las limitaciones o los poderes serán especiales". Estas disposiciones de las leyes del notariado de Jalisco y Michoacán pasan al Código de Michoacán del año 1906 en la época del Gobernador Aristeo Mercado y de alguna manera tienen influencia en nuestro Código de 28, don Ignacio García Téllez uno de sus redactores, menciona frecuentemente el michoacano de Aristeo Mercado como una de las fuentes en que se inspiró el proyecto de 1928.

El proyecto de 1928 contenía una situación sorprendente; este proyecto me refiero, es el que se publicó en el mes de mayo de 1928 y que sufrió una serie de críticas y modificaciones a las que me referiré más adelante. El proyecto tal y como salió publicado contenía un primer artículo el 2533 en donde se repetía la disposición del Código de 1884 conforme a la cual el mandato puede ser general o especial, el primero comprende todos los negocios del mandante, el segundo es el que se limita a ciertos y determinados negocios. El 2535 que repetía la disposición del de 1884 conforme a la cual el mandato general no comprende más que los actos de administración y, por último, el 2535 en donde se adoptaba la fórmula del michoacano inspirada en las leyes del notariado.

Evidentemente había una enorme contradicción, había una incongruencia de criterios, había un enfrentamiento entre las disposiciones copiadas del orden antiguo y aquellas que se importaban como algo novedoso para la redacción. La Barra de Abogados, en voz de don Ismael Palomino y de don Manuel Borja Soriano, hizo notar a la comisión redactora el error y la incongruencia de estas disposiciones; resultado de la gestión fue la supresión de los dos primeros artículos, aquellos que copiaban el Código de 1884 y su sustitución por un precepto que hoy ocupa el número 2535 conforme al cual el mandato o puede ser general o especial son generales los contenidos en los tres primeros párrafos del artículo 2554 y cualquier otro mandato tendrá el carácter de especial.

En conclusión, de la adopción de este sistema se vienen a desprender ciertas consecuencias. Primero, se abandona la distinción tradicional entre el poder general y especial fundada en los negocios en los que ha de ocuparse el apoderado y se sustituye este criterio por el de considerar general el poder que se otorga para la realización de una categoría de actos de administración, pleitos y cobranzas y de disposición entendiéndose por "poder especial" solamente aquél que se da para uno o varios actos jurídicos concretos y para determinados poderes especiales tales que vender, hipotecar, no importando si se refiera a una o varias propiedades pues se establece como una limitante el hecho de que podrán imponerse a los poderes generales limitaciones.

La limitación podrá derivar de los actos que puede realizar, o sea, en otras palabras, se podrá imponer a las facultades o bien la limitación se podrá restringir atendiendo al negocio o a los bienes sobre los cuales podrán ejercitarse las facultades, si yo doy un poder general y quiero que solamente pueda ejercitarse en relación con un determinado bien inmueble, esto constituirá una limitación a mi poder general. El artículo 2554 es aplicable exclusivamente a los poderes generales, no a los especiales, absurdo es decir, como con frecuencia se hace, que se otorga un poder especial para tal y cual cosa con la amplitud del 2554, es volver a la contraposición, es volver a no distinguir entre lo que es un poder general de lo que es un poder especial.

Se restringe, pues, el ámbito de los poderes especiales aun cuando se mencionan expresamente. Es también muy importante el hacer notar que la categoría de poderes generales se refiere exclusivamente a poderes patrimoniales. Si ustedes atienden el texto del 2554 se verá que está haciendo mención necesariamente a actos de carácter patrimonial, está hablando de administrar los bienes, está hablando de poder disponer como si se fuera dueño de los bienes y de defender esos mismos bienes y en el caso de los pleitos y cobranzas se van precisamente con la idea de que se defiendan también los bienes.

Los poderes extrapatrimoniales, los poderes que se dan para el ejercicio de facultades extrapatrimoniales deberán ser poderes especiales, poderes en donde se indique que tienen la posibilidad de realizar determinados actos extrapatrimoniales. Algunos códigos civiles, como es por ejemplo el de Michoacán ya es nuevo, el de 1936 de manera explícita, después de transcribir un precepto similar a nuestro 2554 indican que siempre serán especiales y expresos los poderes que se den para contraer matrimonio, para divorciarse, para reconocer y adoptar hijos y para recoger del Archivo de Notarías los testimonios ológrafos.

El sistema que yo no vacilaría en calificar de mexicano a propósito de poderes generales ha tenido trascendencia en el ámbito internacional, fue aceptado en el año de 1940 en el protocolo sobre uniformidad del régimen legal de poderes en el continente, hecho por la Unión Panamericana, hoy la OEA, en Washington y fue aceptado también por la Convención Interamericana sobre el Régimen Legal de Poderes para ser utilizados en el extranjero, celebrada en Panamá en el año de 1975. Tiene pues ya el concepto ideado por aquellas modestas leyes del notariado de Jalisco y de Michoacán una trascendencia incluso en el ámbito internacional se ha aceptado ese criterio de distinción entre los poderes generales y los poderes especiales y son aplicables para su validez incluso en el extranjero, ésta sería la situación ideal: el mantener esa generalidad en cuanto a las facultades y ese sistema de tratar de limitar las facultades de manera expresa.

Sin embargo, la idea del legislador a veces ha quedado frustrada tanto por disposiciones legales como por criterios jurisprudenciales, como por criterios administrativos que existen, en ocasiones, con fundamento en ocasiones sin él, la existencia de facultades expresas en algunos poderes para hacerse valer.

El contrato preparatorio

[Publicado de manera póstuma en
Revista de Derecho notarial, núm. 122, 2009.]

Nota previa

El presente trabajo constituye el desarrollo de la versión taquigráfica, revisada y complementada por el autor, de una parte del curso de "Contratos Civiles", impartido durante los años de 1967 y 1968 en la Escuela de Derecho de la Universidad Iberoamericana y en la Facultad de Derecho de la Universidad Nacional Autónoma de México. En su redacción se conservó intencionalmente el carácter inicial, preferentemente expositivo y con fines didácticos, aun cuando se consideró conveniente acompañar con las notas bibliográficas propias de un trabajo de investigación.

I. IDEAS GENERALES

Tabla de concordancias

Artículo 2243. Código suizo de las obligaciones, artículo 22. Artículo 2245. Código portugués, artículo 1548.

Artículo 2246. Comentario de Schnaider y Fick al artículo 22 del Código suizo de las obligaciones.

Artículo 2247. Proyecto del código, artículo 2283; Código de procedimientos civiles de 1884, artículos 9 y 10, y Ley del notariado de 1901, artículo 59.[CXXX]

[CXXX] En la versión estenográfica original de este trabajo, se incluyó un segundo punto titulado Bibliografía General. Para una lectura más clara, decidí agregarlo en nota:
"Manuel Borja Soriano: Apuntes de contratos, pp. 2-7; MANUEL BORJA SORIANO: Caracteres de la promesa de venta que la distinguen de la venta, publicado en "La justicia", núm. 81. Marzo de 1937, pp. 1777-1780; FRANCISCO LOZANO NORIEGA: Apuntes de contratos, Edición de la "Aso-

Nota histórica

El contrato preliminar, como figura contractual independiente, no fue conocido por el Derecho romano. Sin embargo, se admitían y regulaban los pactos mediante los cuales las partes se obligaban a concluir un contrato de venta o un contrato de mutuo. Poca importancia tuvo, afirma Carrara,[407] el *pactum de vendendo*, que no se encuentra en las fuentes con el rango de convención principal, sino como pacto accesorio de otro contrato. Mayor importancia, dice el mismo Carrara, ofrecen los casos de *pacta de mutuando*, que son considerados en las fuentes como convenciones principales.

Existe un texto, continúa Carrara, que ofrece un gran interés en el estudio de la teoría del contrato preliminar, porque ha sido profundamente estudiado por la Glosa y los comentaristas, quienes generalizando han construido sobre él la doctrina de los *pacta de contrahendo*. El texto está concebido en los siguientes términos: *"Si poenam stipulatus fuero, si mihi pecuniam nom credidisses, certa est et utilis stipulatio. Quod si ila stipulctus fuero: pecuniam te mihi creditoroum spondes? incerta est stipulatio,*

---

ciación Nacional del Notariado", A. C., México 1963 pp. 36-50; AGUSTÍN GARCÍA LÓPEZ: Apuntes de Contratos, pp. 10-41 (ed. 1953) y pp. 24-48 (ed. 1942); JOSÉ DE JESUS LEDESMA LABASTIDA: Apuntes de contratos (año de 1941), pp. 15-23; PABLO MACEDO: Los contratos preparatorios, en Revista general de derecho y jurisprudencia, t. l, año de 1930, pp. 33-45; ANTONIO AGUILAR GUTIÉRREZ: El contrato preparatorio o la promesa de contrato, en Boletín del Instituto de Derecho Comparado, año I, núm. 2, mayo-agosto de 1948, pp. 39-72; RAFAEL ROJINA VILLEGAS: Derecho civil mexicano, t. 6, vol. I, 2a. ed., México 1954, pp. 85-131; RAFAEL ROJINA VILLEGAS: Compendio de Derecho Civil, t. IV (contratos), 1a. ed., México 1962, pp. 26-43; RAFAEL DE PINA: Derecho civil mexicano, t. III, 1a. ed., México 1960, pp. 319-330; LEOPOLDO AGUILAR CARVAJAL: Contratos civiles, México 1964, pp. 55-63, EDMUNDO DURÁN CASTRO: El precontrato, Puebla 1963; SCHNAIDER y Fick: Comentaire du Code Federal Suisse des Obligations, Neuchatel 1915, t. I, pp. 64 y ss; VIRGIL ROSSEL: Manuel du droit federal des obligations, 4a. ed., 1920, t. I, núm. 69; ANDREAS VON TUHR: Partie général du code federal des obligations, p. 235, núm. 33 y ss; José DIAS FERREIRA: Código civil portugués, Coimbra 1898, t. III, pp. 154-157 (Comentario al artículo 1548 del C. P.); LUIZ DA CUNHA GONÇAL-VES: Tratado de direito civil, em comentario ao código civil portugués, vol. VIII, Coimbra 1934, pp. 376-402 (comentario al artículo 1548 del C. P.).

quia id venit in stipulationem quod mea interest" (D. 45, 1, de verb. obl. f. 68, Paulus libro secundo *ad edictum*).[CXXXI]

El jurisconsulto se propone en este texto dos casos distintos, cuando se ha agregado al contrato una cláusula penal, se tiene estipulación cierta, porque en el caso de falta de ejecución de la promesa de mutuo, los daños y perjuicios están ya fijados y se podrá ser requerido con una *condictio certae pecuniae*.[CXXXII] A falta de liquidación convencional de los daños y perjuicios, se tiene por el contrario una estipulación incierta. Si el deudor se rehúsa a efectuar el mutuo no podrá ser constreñido, por el principio de que *nemo ad factum cogi potest;*[CXXXIII] pero podrá ser sujeto a una condena *ad id quod interest*[CXXXIV] porque a esta condena conduce en Derecho romano la falta de ejecución de una obligación de hacer. Lo que claramente se deriva de este texto es que el objeto de la obligación era la conclusión de un contrato de mutuo y con esto se demuestra que en el derecho justinianeo se admitía el *pactum* de mutuando.[408]

En la doctrina de la Glosa y la Posglosa encontramos un amplio desarrollo de esta materia centrándose la interpretación en la consideración de los efectos del incumplimiento de la promesa.[409] Sobre el tema señalado podemos encontrar fundamentalmente tres opiniones:

[CXXXI] Se comprenden aquí dos casos: resulta en el primero que la persona a quien se hizo la promesa estipula una pena para el caso de que no se le diera ningún préstamo. Esta pena, o señal, tiene la significación de "Reugeld", dinero de arrepentimiento, según la califican expresivamente los autores germánicos, porque mediante su entrega el prestamista puede liberarse de la celebración del contrato. Nota: La presente bibliografía incluye solamente las obras que comentan al código civil mexicano de 1928 o a sus antecedentes legislativos inmediatos que como se hace notar en la tabla de concordancias son el código federal suizo de las obligaciones y el código de Portugal. En el cuerpo del trabajo se indica la bibliografía usada para tratar los temas en particular".

[CXXXII] Acción por una cantidad determinada de dinero. Se concedía para reclamar todo crédito civil consistente en dinero, proveniente de obligación de derecho estricto, y no por delito.

[CXXXIII] Nadie puede ser obligado a realizar un acto.

[CXXXIV] Resarcimiento de daños y perjuicios. Medio subsidiario del que dispone el acreedor para ver satisfechos sus intereses en la medida de lo posible.

a) En caso de incumplimiento de la promesa unilateral, no podía tener lugar más que el resarcimiento de los daños y perjuicios, aplicando el principio *nemo ad factum praecise teneteur*. De este parecer eran: Decio, Paolo Castrense, Mantica y Voet.[410]

b) Según una segunda opinión, el promisario podía hacer la oferta del precio convenido y reclamar así *recta via* al promitente la tradición de la cosa, con lo que de hecho se perfeccionaba la venta. Esta teoría era sostenida por Tiraquello,[411] el cual se apoyaba en un decreto del parlamento de París.

c) La tercera opinión fue sostenida por Pothier,[412] quien expresa el parecer de que, en caso de incumplimiento, el prominente podía ser constreñido a la ejecución en forma específica de la obligación, de tal modo que la sentencia tuviera el lugar del contrato y sirviera de título para la toma de posesión de la cosa.

De las promesas sinalagmáticas poco se ocuparon los autores de derecho común, es necesario llegar a Molineo, quien formuló una teoría que tuvo gran influencia sobre los autores del código napoleón. Molineo sostiene que respecto a la promesa sinalagmática de vender se deben distinguir dos posibilidades: o las partes han querido obligarse a vender y a comprar en un futuro próximo o lejano, o ellas, por el contrario, han querido comprar y vender en el presente y se han obligado a estipular dentro de un cierto término un acto regular de compraventa. En el primer caso, se tiene una promesa de venta, en el segundo, por el contrario, se tiene una verdadera venta actual.[413]

En otro lugar, subraya Carrara, Molineo aclara aún mejor su teoría con las siguientes palabras: Cuando todos los elementos substanciales de la compraventa intervienen, el *pactum de vendendo* se convierte inmediatamente en venta y entonces no se tiene una promesa de venta, sino una verdadera venta.[414]

Según la doctrina y la jurisprudencia francesa, que seguía la teoría de Molineo, la promesa de venta, en la cual la voluntad de las partes se refería a un acto presente, era considerada como venta actual, en tanto que era considerada como simple promesa de venta, la venta *in futurum*.

En este estado de la jurisprudencia y la doctrina fue elaborado en el año de 1804 el código napoleón, el cual en su artículo 1589 dispone que: "La promesa de venta equivale a venta cuando hay consentimiento recíproco de las dos partes sobre la cosa y sobre el precio".

En opinión de Carrara, el legislador francés al establecer la disposición contenida en el artículo 1589 adoptó la teoría propuesta por Molineo. Esto resulta —escribe Carrara— de los trabajos preparatorios del de Napoleón. Portalis, en la *Exposición de Motivos*, se expresa del siguiente modo: "La promesa de venta equivale a venta, cuando en ella hay consentimiento recíproco de las partes sobre la cosa y sobre el precio. Se encuentra, efectivamente, en este caso, todo lo que es la substancia del contrato de venta". El tribuno Faure, en su relación al Tribunal, expresaba los mismos conceptos: "Si el contrato, en lugar de encerrar una venta, contiene una promesa de venta, la promesa tiene la misma fuerza que la venta misma desde que las tres condiciones se encuentran reunidas: la cosa, el precio y el consentimiento". Esta figura —continúa Carrara— evidentemente no es distinta de la que Molineo describe bajo el nombre de promesa de venta *de praesenti*, en ésta, como en aquélla, la voluntad de las partes se refiere a un acto presente, que contiene todas las condiciones substanciales de la venta. La teoría de Molineo es inexacta y su distinción de la promesa de venta *in praesenti e in futurum* carece de fundamento. Las promesas de venta son necesariamente *in futurum*, porque la voluntad de las partes se dirige a un acto que debe tener lugar en el futuro y la promesa de venta *de praesenti*, señalada por Molineo, no es más que una verdadera y propia venta. El legislador francés —sigue Carrara— haciendo propia la teoría de Molineo, e incurriendo en el mismo error, ha dispuesto que debe ser equiparada a la venta la promesa de vender *de praesenti*, la cual no es sino venta. ¿Cómo debe ser interpretado el artículo 1589 del código napoleón?, se pregunta Carrara y responde que el artículo contiene una disposición ociosa, puesto que no hace sino atribuir efectos de venta a contratos que tendrían el mismo efecto por sí mismos. Este regula a los contratos de venta y no a las promesas unilaterales o bilaterales de venta para las que, dentro del código, queda la cuestión sin solución.[415]

La interpretación de Carrara, fundada según nuestro punto de vista, no coincide con las opiniones de la generalidad de los autores franceses. El precepto antes transcrito, ha originado diversos comentarios de los intérpretes, de los cuales nos ocuparemos más adelante,[416] asentando desde ahora que en términos generales se pronuncian por negar la existencia de la promesa bilateral de venta como contrato autónomo de la venta.

Es de sobra conocida la amplia influencia que ejerció la codificación francesa sobre todas las legislaciones latinas posteriores a ella, y en especial el influjo que ejerció el Código Napoleón sobre nuestros códigos civiles de 1870 y 1884.[417] No obstante esta circunstancia, nuestro legislador civil de 1870 no reprodujo el texto del artículo 1589 del Código Napoleón y, por el contrario, reglamentó la promesa de venta en los siguientes preceptos:

Artículo 2947. Para que la simple promesa de compraventa tenga efectos legales, es menester que se designe la cosa vendida, si es raíz o mueble no fungible. En las cosas fungibles, bastará que se designe el género y la cantidad. En todo caso debe fijarse el precio.

Artículo 2948. Si la compraventa no se realizare y hubieren intervenido arras, el comprador perderá las que hubiere dado cuando por su culpa no tuviese efecto el contrato.

Artículo 2949. Si la culpa fuere del vendedor, éste volverá las arras con otro tanto.

La exposición de motivos del código mencionado explicaba la redacción de los artículos citados en los siguientes términos:

> La simple promesa de venta produce sin duda una obligación exigible conforme al derecho natural. Y nada importa que no se haya designado el precio; porque este requisito no es esencial para la subsistencia de la promesa: su determinación deberá tener efecto al formalizarse el contrato. Si yo prometo a Pedro que si alguna vez vendo mi casa lo haré a él con preferencia a cualquier otro, es evidente que tiene un derecho indisputable para exigirme el cumplimiento de la promesa; pero como sería fácil que yo la eludiera, exagerando inmoderadamente el precio, para retraerle de entrar en concurrencia, no ha querido la comisión que la promesa tenga efectos civiles, sino cuando al verificarlo se hayan designado la cosa y su precio. En caso contrario, no habrá sino una obligación de mero derecho natural, cuyo cumplimiento quedará confiado a la conciencia y honor del que la ha contraído.[418]

Los artículos transcritos del Código civil de 1870 fueron reproducidos, sin ninguna alteración, en el texto del de 1884, en donde figuraron con los números 2819, 2820 y 2821.[419]

Profundamente influenciado por la doctrina francesa, dominante en su época, Manuel Mateos Alarcón en sus *Estudios sobre el código civil del Distrito Federal*,[420] sin preocuparse de si en nuestra legislación existía o no un precepto semejante al artículo 1589 del Código Napoleón, enseña que la promesa bilateral de compraventa, con designación de cosa y precio constituye "un verdadero contrato de compraventa, asentado a continuación contradictoriamente, que de acuerdo con lo dispuesto por el código, las partes pueden rehusarse a convertir la promesa en un verdadero contrato de compraventa, perdiendo el uno las arras que hubiere dado, y restituyéndolas el otro duplicadas".[421]

Por el contrario, Manuel Borja Soriano, en sus apuntes de clase, sostuvo durante la vigencia del Código de 1884 la autonomía del contrato preparatorio de compraventa frente a la compraventa misma, aun cuando el acuerdo fuera bilateral y se hubiere determinado la cosa vendida y el precio que se habría de pagar por ella.[422]

Antonio Aguilar Gutiérrez afirma que durante la vigencia de la última ley menciona la Jurisprudencia, de la Corte fue adversa a la tesis negativa del contrato preparatorio, diferenciando los efectos de la promesa y de la compraventa.[423]

Como se desprende de lo expuesto hasta aquí, nuestros códigos antiguos, siguiendo el modelo de los europeos, no reglamentaban al contrato preparatorio en general ni hacían referencias a él, tan sólo mencionaban, brevemente, a la promesa de compraventa. Borja Soriano sostuvo —a nuestro juicio con acierto, durante la vigencia del Código de 1884— la posibilidad de concertar, de modo general, contratos preparatorios, considerándolos como innominados y permitidos en función del principio de la autonomía de la voluntad.

Corresponde a nuestro código vigente de 1928, el mérito de haber reglamentado, en forma general, al contrato preparatorio separándose de la mayoría de las legislaciones de la época,[424] y consagrando en sus normas principios admitidos por la doctrina. De acuerdo con las disposiciones de nuestra actual legislación civil, pueden claramente celebrarse toda clase de promesas de contrato, ya sean de compraventa o de cualquier otra índole, como por ejemplo de mutuo, de permuta, de arrendamiento, de sociedad, etcétera.

Definición

Nuestro código civil vigente contiene un concepto amplio del contrato preparatorio en sus artículos 2243 y 2244, y de ellos podemos inferir la siguiente definición de precontrato, diciendo que es aquél, por el cual, una o ambas partes contratantes asumen la obligación de celebrar un contrato futuro.[425]

Partes de la promesa de contrato

En el contrato preparatorio hay dos partes: una, llamada "promitente", que se obliga a celebrar el contrato futuro, y otra llamada "beneficiario", en favor de la cual se obliga el promitente a otorgar el contrato futuro. Cuando ambas asumen, recíprocamente, la obligación de celebrar el contrato prometido, la promesa es bilateral; de lo contrario, si tan solo una parte se obliga a ello, la promesa es unilateral. En el caso de que la promesa sea bilateral, ambas partes a la vez serán promitentes y beneficiarios.

Nombres que se ha dado a esta operación jurídica

Nuestro código emplea diferentes denominaciones para designar al contrato de que nos ocupamos. En el encabezado del título primero, de la parte segunda, del libro cuarto, le llama "contrato preparatorio", más adelante, en su artículo 2244, se refiere a él como "promesa de contrato" y "contrato preliminar". A su vez, la doctrina lo conoce con el nombre de "antecontrato" o "precontrato". Con cualquiera de estas cinco denominaciones podemos referirnos al contrato que estamos estudiando.

Como en razón del contrato preparatorio, una o ambas partes se obligan a celebrar un contrato futuro, este último también recibe diversas denominaciones. Nuestro código le llama como hemos dicho, o sea "contrato futuro" en el artículo 2243, y "contrato definitivo" en el artículo 2246. La doctrina lo designa también con el nombre de "contrato prometido".

Utilidad de la promesa de contrato

La utilidad práctica que encierra la promesa de contrato consiste en que es un medio jurídico para asegurar la celebración de un contrato futuro. Pablo Macedo[426] nos explica con toda claridad que generalmente los contratos no suelen celebrarse en un solo acto y cuando los interesados se encuentran en presencia; que para la mayoría de ellos se requieren tratos previos mediante los cuales los presuntos contratantes tratarán de ponerse de acuerdo sobre el contenido de los mismos.

Sobre los tratos previos ha escrito con acierto Giovani Carrara[427] e incluso cuando generalmente se niega el que estos tratos previos a la celebración del contrato tengan consecuencias jurídicas, la doctrina francesa contemporánea se inclina a atribuir ciertos efectos a la ruptura o rechazo de estos tratos, a los que conoce con el nombre de *Pourparleurs*, fundando la responsabilidad de quien rechaza o rompe los tratos previos, en la comisión de un acto ilícito.[428]

Lo que es perfectamente claro y universalmente admitido, es el hecho de que hasta el momento en el que las partes están de acuerdo nace el contrato, y por lo mismo queda formado el vínculo jurídico. Puede ocurrir, sin embargo, que aun estando las partes en disposición de realizar el contrato, no quieran, o no les convenga, o bien no puedan de momento, celebrar el contrato que se proponen. Esto sucede, por ejemplo, cuando una de ellas padece alguna incapacidad, necesita previamente obtener una autorización, o tiene que llenar antes de la celebración del contrato algún otro requisito. Se celebra entonces un contrato que, reuniendo en sí todos los elementos necesarios para constituir esta figura jurídica, y producir obligaciones, no requiere, sin embargo, de algún requisito sin el cual no puede llegar a ser el contrato determinado que las partes se proponen. Por ejemplo, si un extranjero quiere comprar un bien inmueble ubicado en la Ciudad de México, previamente al otorgamiento de la escritura en la que se haga constar su adquisición, deberá obtener un permiso de la Secretaría de Relaciones Exteriores[CXXXV] para efectuar la compra-

---

[CXXXV] De acuerdo con la Ley de Inversión Extranjera de 24 de diciembre de 1996, en su artículo 10 A:
Los extranjeros que pretendan adquirir bienes inmuebles fuera de la zona restringida, u obtener concesiones para la exploración y explotación de minas y aguas en el territorio nacional, deberán presentar previamente ante la Secretaría de Relaciones Exteriores un escrito en el que convengan lo dispuesto en la fracción I del artículo 27 de la Constitución Política de los Estados Unidos Mexicanos y obtener el permiso correspondiente de dicha dependencia.
Cuando el bien inmueble que se pretenda adquirir esté en un municipio totalmente ubicado fuera de la zona restringida o cuando se pretenda obtener una concesión para la explotación de minas y aguas en territorio nacional,

venta, como ese permiso requiere trámites que necesariamente dilatan la operación, el extranjero podrá celebrar un contrato preparatorio con la persona que le va a enajenar el bien, para asegurarse de que cuando se obtenga el permiso, el vendedor no haya cambiado de opinión. Como el ejemplo que hemos señalado podríamos encontrar otros muchos en los cuales las partes no pueden, o no quieren celebrar de momento un contrato, pero sí tienen la intención de asegurar para el futuro el otorgamiento del contrato en cuestión.

Función jurídica de la promesa de contrato

El contrato preparatorio sólo tiene una función jurídica y no una función de carácter económico. Por regla general, los contratos al mismo tiempo que con una función jurídica cumplen con otra de tipo económico, por excepción, la promesa de contrato sólo tiene una función de tipo jurídico.

Don Felipe Clemente de Diego[429] en su *Tratado de Derecho civil,* enseña que en virtud de que en la promesa sólo se asumen obligaciones de hacer, consistentes en la celebración de un contrato futuro, en estas obligaciones no va implícito ningún movimiento de riqueza y que, por ello, no hay en el contrato preliminar una función económica que cumplir, sino tan solo una función jurídica: la función de crear obligaciones para las partes y así asegurar la celebración de un contrato futuro.

---

el permiso se entenderá otorgado si no se publica en el Diario Oficial de la Federación la negativa de la Secretaría de Relaciones Exteriores dentro de los cinco días hábiles siguientes a la fecha de la presentación de la solicitud. Cuando el bien inmueble que se pretenda adquirir esté en un municipio parcialmente ubicado dentro de la zona restringida, la Secretaría de Relaciones Exteriores resolverá la petición dentro de los treinta días hábiles siguientes a la fecha de su presentación.
El Instituto Nacional de Estadística, Geografía e Informática publicará en el Diario Oficial de la Federación y mantendrá actualizada una lista de los municipios mencionados, así como de los que estén totalmente ubicados en la zona restringida. La Secretaría de Relaciones Exteriores podrá determinar, mediante acuerdos generales que se publicarán en el Diario Oficial de la Federación, supuestos en los que los extranjeros, para tener el derecho a que se refiere este artículo, sólo deberán presentar ante dicha dependencia un escrito en el que convengan lo dispuesto en la fracción I del artículo 27 constitucional, sin requerir el permiso correspondiente de dicha dependencia.

Clases dentro de la promesa de contrato

Ya hemos dicho que, en virtud de la promesa, las partes pueden obligarse recíprocamente a otorgar el contrato prometido, o simplemente una de ellas comprometerse a dicho otorgamiento. Si son las dos partes las que quedan obligadas a contratar, la promesa será "bilateral", y si sólo es una la que resulta obligada, el otorgamiento del contrato definitivo, la promesa será "unilateral".

Diferencia de la promesa de contrato con otras figuras jurídicas

Debemos distinguir el antecontrato de otras figuras jurídicas que le son afines, tales como la policitación y la minuta.

Como es de sobra conocido, la policitación es una oferta de contrato, es una declaración unilateral de voluntad, que tiene como consecuencia el obligar al que la hace a otorgar el contrato que ha ofrecido.[430] Esta situación se asemeja a la promesa unilateral de contrato, porque en ambos casos una parte queda obligada a celebrar en el futuro un contrato, pero se distingue del contrato preparatorio en la circunstancia de que en la policitación, la obligación de quien ofrece celebrar el contrato deriva de una declaración unilateral de voluntad, en tanto que en el contrato preliminar, aun cuando sea unilateral, la obligación nace de un acuerdo de voluntades. Ambas situaciones tienen efectos semejantes pero no idénticos, sobre todo por cuanto toca a los alcances del deber del obligado, ya que las reglas de interpretación de los contratos sólo son aplicables a las declaraciones unilaterales de la voluntad en todo aquello que no esté expresamente previsto para ellas. Desde el punto de vista fiscal también hay diferencias importantes entre la policitación y el precontrato, ya que sólo el segundo quedaría gravado por ciertas leyes, como la del Timbre.[CXXXVI] Pero lo que es más importante aún, es considerar cómo se formaría el contrato en el caso de la aceptación de la oferta y en el de la celebración del contrato definitivo. En el primer caso, bastaría con que la persona a quien se ha dirigido la policitación

---

[CXXXVI] Actualmente en el Código Fiscal de la Ciudad de México y en materia federal habría que determinar los impuestos correspondientes de conformidad a la Ley del Impuesto Sobre la Renta, y en su caso, a la correspondiente del Impuesto al Valor Agregado.

manifestara su aceptación para que se perfeccionara el contrato, y si el solicitante se rehúsa a formalizarlo, el aceptante puede acudir al juez para que, mediante una sentencia declarativa, decida el que el contrato existe desde que el aceptante otorgó su consentimiento. En el segundo caso no bastará con la sola voluntad de quien quiera llevar a efecto el contrato prometido, pues el contrato definitivo sólo se perfeccionará en el momento en que ambas partes otorguen el contrato que se ha prometido celebrar.

Por lo que toca a la minuta, esta es un documento preliminar, por así decirlo, en el que se consignan las bases de un acto o contrato que más tarde ha de ser elevado a escritura. El contrato consignado en minuta tiene, o al menos puede tener, todos sus elementos intrínsecos; pero le falta la forma. Es un contrato incompleto, y por eso no da derecho a ninguno de los contratantes a exigir las prestaciones propias del contrato. A veces los contratantes, al firmar una minuta, ejecutan total o parcialmente sus obligaciones; sin embargo, el contrato continúa siendo imperfecto porque los interesados, al escoger la forma de minuta, se colocan en la situación jurídica de no tener más derecho que el de exigir el otorgamiento de la escritura, o la indemnización de daños y perjuicios cuando proceda. Por lo mismo, las prestaciones no cumplidas siguen siendo inexigibles hasta que se otorga la escritura.[431]

Las leyes del notariado de 1901 y de 1932 reglamentaban a las minutas, pero la Ley en vigor las prohíbe, suponiendo que su función jurídica la cumple plenamente el contrato preparatorio.[CXXXVII] Sin embargo, como este ordenamiento solo se aplica en la Ciudad de México, existen algunos estados en que sus leyes permiten aún su otorgamiento.

El contrato preparatorio y el consignado en una minuta, pueden en la práctica tener una utilidad semejante, puesto que alguien, para asegurar la ejecución de una determinada obligación, puede tanto otorgar una minuta, como celebrar un contrato preparatorio. Sin embargo, desde un punto de vista técnico, y aun práctico, las distinciones entre ambas figuras jurídicas son numerosas. En primer lugar, el contrato otorgado en minuta que después se eleva a escritura, es un solo contrato, cuya eje-

---

[CXXXVII] La actual ley del notariado para la Ciudad de México no hace mención alguna a las minutas.

cución se difirió al otorgar la minuta, hasta el momento de elevar dicho contrato a escritura. Por el contrario, el contrato preparatorio da lugar al otorgamiento de un segundo contrato que es el prometido, y por lo mismo en este último supuesto existen dos contratos. En segundo término, las obligaciones que constan en una minuta no pueden exigirse sino hasta que ésta se eleva a escritura, y el contrato preparatorio es exigible inmediatamente. Podríamos seguir señalando diferencias entre ambas figuras jurídicas, pero creo que con las indicadas es suficiente para poder diferenciar estos dos actos.

II. TEORÍAS NEGATIVAS DEL CONTRATO PREPARATORIO DE REFUTACIÓN

Tesis que niegan la existencia autónoma del contrato preparatorio

Aun cuando parezca paradójico, es necesario distinguir al contrato preparatorio del definitivo, puesto que existe una fuerte corriente de doctrina que asimila ambos contratos. Existen tesis que niegan la configuración del contrato preliminar como figura jurídica autónoma y sus sostenedores identifican al precontrato con el contrato definitivo sujeto a término o a condición. A continuación, estudiaremos, en primer término, el artículo 1589 del Código Napoleón y los comentarios que ha suscitado en la doctrina francesa, y posteriormente la influencia que ha tenido dicha doctrina en el mundo jurídico.

El Código Napoleón

Las teorías que niegan la existencia autónoma del contrato preparatorio, encuentran un firme apoyo y un punto de partida en el Derecho francés. El artículo 1589 del código napoleón, dispone que: "La promesa de venta equivale a la venta cuando hay consentimiento recíproco de las dos partes sobre la cosa y el precio". Este texto ha sido interpretado de diferentes maneras por la doctrina francesa. Colin y Capitant[432] en su *Curso elemental de Derecho civil francés*, consideran que dicho precepto se refiere sólo a la promesa sinalagmática, teniendo en cuenta que en él se hace alusión al "consentimiento recíproco de las dos partes", y admiten que cuando la promesa es unilateral, esta situación no ha sido contemplada por el código civil y que en teoría con base en el principio de la autonomía de la voluntad, pueden concertarse promesas unilaterales, las cuales no son aún ventas, sino verdaderos antecontratos. La opinión de Colin y Capitant, es compartida por Josserand,[433] Mazeaud,[434] Gaudemet,[435] Aubry y Rau,[436] Baudry-Lacantinerie,[437] Laurent[438] y Demolombe[439] entre otros autores franceses. La doctrina francesa trata el problema de los contratos preparatorios a propósito del consentimiento, y a decir verdad, la mayoría de los autores citados parecen, en ocasiones, asimilar a la promesa unilateral de venta con la simple policitación u oferta de contrato, pues afirman que al otorgar el beneficiario su asentimiento para el contrato, éste queda perfeccionado, pues lo que le hacía falta era sólo a voluntad de una de las partes contratantes. Sobre este punto, debemos tener presente que en la doctrina francesa no es usual admitir a la declaración unilateral de la voluntad como fuente de obligaciones, y esta circunstancia obliga a buscar una fuente contractual para el ofrecimiento de contrato.[440] Luis Boyer[441] en un documentado estudio sobre "Las promesas sinalagmáticas de venta", publicado en la *Revista trimestral de Derecho civil*, correspondiente al primer trimestre de 1949, distingue con claridad entre la policitación y la promesas unilateral de venta y admite aún la existencia de las promesas bilaterales, incluso cuando con fundamentos distintos a los que usualmente se les atribuye en las legislaciones y doctrinas modernas.

En contraste con las opiniones mencionada, Marcel Planiol,[442] tras de afirmar que la promesa de venta es esencialmente una convención unilateral, asienta que el artículo 1589 del código napoleón se refiere precisamente a las promesas unilaterales, considerando que las promesas sinalagmáticas son operaciones lógicamente inconcebibles y que, por lo mismo, no pudo referirse a ellas el código. En consecuencia, Planiol enseña que, de acuerdo con la disposición del texto francés, toda promesa de venta debe ser equiparada a la venta.

Si la promesa sinalagmática de venta fue, durante mucho tiempo, considerada por la doctrina francesa como una operación jurídicamente inconcebible, fue porque los primeros comentaristas del código, fieles a la escuela de la exégesis, presentaron este principio como resultado de la voluntad del legislador, conforme a las enseñanzas del antiguo derecho. Actualmente, no es sólo la argumentación de carácter exegético la que lleva a negar autonomía al contrato preparatorio, sino que los autores franceses se han preocupado por fundar teóricamente su negativa.

René Demogue[443] en su *Tratado de las obligaciones en general*, sostiene con acopio de razones esta opinión. Para este autor, el precontrato es sólo una fase en la realización de un contrato, es un contrato incompleto, imperfecto —dice Demogue: "voluntad, objeto, etc., se agrupan en moldes tradicionales de actos jurídicos como el contrato, el testamento, etc., y quedan como cristalizados en ese molde, en espera de que nuevos elementos vengan a completarlos, en aquellos casos muy frecuentes en que no todos los elementos del contrato se presentan simultáneamente, sino en forma sucesiva". En estos casos, cuando los elementos del contrato van apareciendo sucesivamente, "el contrato no se forma sino hasta después de que su último elemento ha venido a añadirse y sus efectos sólo se producen cuando todos sus elementos se hayan reunido". Así se explica para Demogue la promesa de contrato, no como un contrato diverso al definitivo, sino como un contrato imperfecto. Para este autor, lo que hay en el fondo de todo contrato preliminar, es "el retardo en los efectos de la promesa, puesto que las partes convienen en que esos efectos no se presentarán sino a partir de determinada fecha". Desde el momento en que se celebra la promesa, se está celebrando el contrato, pero se retarda tal o cual efecto, sea la trasmisión de la propiedad, la entrega de las cosas, la adquisición de los riesgos, etc. En conclusión, la tesis de Demogue consiste en afirmar que el precontrato no crea una obligación de hacer (celebrar un contrato futuro), sino que asimilándose al contrato mismo, tiene como efectos crear toda clase de obligaciones que sean inherentes al contrato en cuestión, dada su naturaleza.

La doctrina

Las ideas de los autores franceses fundadas en el artículo 1589 del código napoleón, inspiraron a algunos autores italianos como Giorgi,[444] Pacificci-Mazzoni[445] y Ricci[446] y sin que en el italiano de 1865 existiera una disposición semejante a la del francés, negaron la existencia autónoma del contrato preparatorio, fundándose en consideraciones semejantes a las aducidas por los comentaristas del texto napoleónico.

En España, Calixto Valverde[447] sostiene la identidad entre el contrato preparatorio y el definitivo y José Alguer, en un documentado y profundo estudio, publicado en la *Revista de derecho privado* correspondiente al año de 1935, niega también la sustantividad del contrato preliminar. Alguer razona su postura argumentando que, si por virtud del precontrato se quiere o se declara querer el contrato futuro, es porque se quieren, para un futuro más o menos próximo, los efectos propios del contrato llamado principal. Quienes admiten la existencia del contrato preparatorio como autónomo respecto del definitivo, en opinión de Alguer, cometen un serio error al pretender desarticular el acto jurídico, de las consecuencias jurídicas del propio acto; cuando se otorga un precontrato, lo que se quiere en realidad son los efectos futuros propios de un determinado tipo de contrato. Tratándose de promesa unilateral —continúa Alguer— es más clara todavía la condición de contrato definitivo, de contrato único, sujeto a la condición *si volet.*[448]

Entre los tratadistas mexicanos, Edmundo Durán Castro[449] se adhiere a la tesis de Alguer y niega la existencia del contrato preparatorio como autónomo del definitivo.

Andreas von Tuhr[450] distingue la promesa en la cual una persona promete a otra celebrar un contrato con un tercero, de aquella en la cual los contratantes en la promesa serán los mismos que otorguen el contrato definitivo, y afirma que mientras en el primer caso hay, sin duda, dos contratos autónomos, en la segunda hipótesis "ya no es tan clara la existencia de un contrato preliminar, distinto del definitivo".[451]

Sintetizando, podríamos afirmar que existen tratadistas que asimilan la promesa bilateral al contrato definitivo sujeto a término y la promesa unilateral al contrato definitivo sujeto a condición. En el primer caso, las partes querrán, desde el primer momento, los efectos del contrato definitivo, y sólo desean diferir su ejecución; en el segundo, la voluntad del beneficiario operará como condición para que se produzcan los efectos del contrato definitivo, el cual se ha querido en forma condicional desde que las partes estuvieron de acuerdo en la celebración del pretendido contrato preparatorio. Siempre —se afirma—, la voluntad de las partes es la misma en el contrato preparatorio y en el contrato definitivo.

Además, se dice, si se acepta la existencia de dos contratos, uno de los cuales se otorga en ejecución del otro, puede muy bien suceder que la voluntad del prominente haya cambiado en el momento de tener que celebrar el contrato definitivo, y si lo celebra cumpliendo con su obligación preexistente, su voluntad no será libre, estará viciada, y, por lo mismo, el contrato definitivo no sería válido. En opinión de quienes sostienen esta teoría sólo afirmando la existencia de un negocio unitario, puede superarse esta objeción.

Construcción técnica de la promesa de contrato

El análisis de la construcción técnica de la promesa de contrato nos lleva a rechazar las teorías negativas antes expuestas. En efecto, como todos los contratos, el preparatorio se forma mediante una policitación u oferta y por la aceptación que hace la persona a quien se dirigió la policitación. Una de las partes ofrece la celebración del acto, la otra la acepta y en ese momento existe el contrato preparatorio, y salvo que se sujete expresamente a alguna modalidad, inmediatamente surgen obligaciones de hacer para una o ambas partes, según que la promesa sea unilateral o bilateral. Para cumplir con las obligaciones producidas por la promesa, las partes celebran un segundo contrato, el definitivo.

Analizando lo que antes hemos expuesto, podemos fácilmente percibir que las obligaciones para las partes contratantes, por regla general, nacen en el momento en que se perfecciona el contrato preparatorio, y que dichas obligaciones son exigibles de inmediato, sin que pueda decirse que están sujetas ni a plazo ni a condición.

Por otra parte, no siempre la persona que desea celebrar el contrato preparatorio necesita forzosamente querer el otorgamiento del contrato futuro, puede ser, y este es un caso corriente en la promesa unilateral, que el beneficiario no sepa si en el futuro le convendrá la celebración del contrato definitivo, pero lo que sí desea, es asegurarse que si sus intereses lo reclaman, se otorgará en el futuro algún contrato. La voluntad es distinta en el contrato preparatorio, y en el definitivo. Por ejemplo, si una persona pretende iniciar un negocio estableciéndose en un local que no es de su propiedad, y prevé que en cierto tiempo el auge de su empresa se verá menoscabado si tiene que cambiarse de local, y por otra parte, de momento no dispone de fondos suficientes para adquirir el inmueble en donde instalará su negocio, puede perfectamente celebrar un contrato de arrendamiento respecto del local en donde establecerá su empresa y al mismo tiempo exigir que el arrendador se obligue venderle el bien arrendado dentro de un plazo determinado, y por la cantidad que al efecto se señale, siempre y cuando el arrendatario desee hacer uso de la promesa, lo cual lo hará en el caso de que el éxito de su negocio lo requiera, o dejará de hacerlo si es que en el momento preciso, el interés del negocio ya no requiere la adquisición del local en donde está establecido. En este ejemplo, puede verse claramente cómo el que celebra el contrato preparatorio muchas veces no sabe si deseará celebrar el contrato definitivo.

Por otra parte, en el caso de que el contrato definitivo se celebre compeliéndose a una de las partes a otorgarlo, en la forma que estudiaremos posteriormente, no creo que pueda decirse que la voluntad está viciada, en el sentido previsto por nuestras leyes, ya que no se configura la violencia, sino que simplemente existe una coacción legal comúnmente admitida por la doctrina como una circunstancia que no afecta la validez del acto. En efecto, lo que ocurre es que el Juez, a instancia de la parte agraviada, obliga al contratante incumplido a lo que prometió en un contrato libremente celebrado. Louis Boyer[452] explica que el contrato preparatorio no obliga a querer, lo que sería completamente ilógico, sino a un *facere* consistente en el otorgamiento del contrato prometido. Por lo que toca a la intervención del juez para obtener la ejecución del contrato, sustituyéndose a la voluntad del promitente, nos referiremos a ella más adelante.

Además, no puede pensarse que la promesa unilateral, sea un contrato sujeto a la condición de que el beneficiario quiera celebrarlo, puesto que la voluntad de uno de los contratantes es un elemento esencial, intrínseco, del contrato y, por lo mismo, no puede servir como condición. Recuerden ustedes que la condición es un acontecimiento futuro de realización incierta del que depende la existencia o la resolución de un determinado derecho, pero que ese acontecimiento debe ser exterior, extrínseco al contrato, y que no puede ser uno de sus elementos constitutivos; con toda justificación, Etienne Bartin[453] en su *Teoría de las condiciones*, afirma que: "No hay en un acto jurídico condición propiamente dicha, más que cuando se le puede, con el pensamiento, concebir como un acto puro y simple". Por otro lado, si se tratara efectivamente de un acto sujeto a condición, de acuerdo con nuestro código civil, cumplida la presunta condición, el acto retrotraería sus efectos a la fecha en que fue celebrado, y esto no es sostenible a propósito del contrato preparatorio.

En ocasiones, se afirma que el hecho de que la pretendida condición estuviera configurada por la exclusiva voluntad de una de las partes, el que se tratara de una de las llamadas condiciones *si volet,* haría imposible su validez en nuestro derecho. No creo que sea exacto este razonamiento, ya que lo que nuestro legislador prohíbe es que el cumplimiento de la condición dependa de la exclusiva voluntad del deudor, y en el caso a examen, el cumplimiento quedaría al arbitrio no del deudor, sino del acreedor.[454] Lo que sí creo que sería aplicable, es lo dispuesto por el artículo 1797, que preceptúa que el cumplimiento y la validez de los contratos no pueden dejarse al arbitrio de uno de los contratantes.

Además, pienso que puede establecerse claramente la diferencia entre el contrato preparatorio y el definitivo, tanto por lo que se refiere al consentimiento como por lo que toca al objeto. En primer lugar, como ya hemos visto, el consentimiento es diferente para celebrar uno y otro contrato, quien otorga un precontrato puede querer, o no, el que se celebre el contrato definitivo, lo único que necesariamente debe querer, es obligar a la otra parte u obligarse ambos, a celebrar el contrato definitivo. En segundo lugar, el objeto de ambo contratos es distinto: en el primero, el objeto consiste exclusivamente en producir cierto tipo de obligaciones de hacer; en cambio, en el segundo, el objeto puede consistir en la producción de obligaciones de cualquier género, ya sean de dar, de hacer, o de no hacer.

De lo hasta aquí expuesto, podemos concluir que siendo diferentes en sus elementos esenciales el contrato preparatorio y el definitivo, existe una diferencia radical entre ambos y debe considerárseles como negocios jurídicos distintos, sin que pueda asimilarse el uno al otro. Además, nuestro derecho positivo con toda claridad reglamenta al contrato preparatorio como una institución autónoma, y distinta del definitivo. Esta situación se ha reconocido ampliamente por la jurisprudencia de la Suprema Corte de justicia.[455]

III. ELEMENTOS DE EXISTENCIA Y REQUISITOS DE VALIDEZ

El consentimiento

En la promesa, como en todo contrato, los elementos de existencia son dos: el consentimiento y el objeto. Por lo que toca al consentimiento, sólo debemos señalar que consiste en el acuerdo de voluntades entre las partes contratantes, acerca del efecto productor de obligaciones de hacer, relativas a la celebración de un contrato futuro que surgirán como consecuencia del preparatorio. Es conveniente recordar acerca del consentimiento la teoría general de las obligaciones.[456]

El objeto

El segundo de los elementos de existencia de la promesa es el objeto. Como ya hemos dicho, el objeto directo de dicho contrato es el producir una obligación de hacer consistente en el otorgamiento del contrato prometido. En el sentido del artículo 1824, el objeto de la promesa es el contrato prometido. A este respecto, el código civil vigente, en su artículo 2246, siguiendo las ideas de Albert Schnaider y Henri Fick[457] exige que en el ante contrato se consignen los elementos esenciales del contrato definitivo. Debemos recordar en relación con este tema, que en todo contrato hay tres clases de cláusulas: las esenciales, las naturales, y las accidentales. Las cláusulas esenciales son aquellas que son indispensables para la existencia misma del contrato, son las que lo caracterizan y en cuya ausencia no puede concebirse. Las cláusulas naturales son las que la Ley supone que existen en el contrato, en ausencia de la voluntad de las partes. Por último, las cláusulas accidentales son aquellas que los contratantes pueden establecer libremente, pero que si no constan en forma expresa no se tienen por existentes. Ahora bien, de estas tres clases de cláusulas, solamente es indispensable que consten en el precontrato las cláusulas esenciales. Este es el requisito que nuestro código estable. La no observancia de esta disposición produce la inexistencia de la promesa, ya que, al faltar un elemento esencial, no podrá configurarse el contrato prometido y por lo mismo faltará el objeto preparatorio y, de acuerdo con las reglas generales, esta circunstancia acarreará su inexistencia.

Aunque el contrato preparatorio y el definitivo son independientes entre sí por lo que toca al objeto, existen ciertas relaciones entre ambos; hay un encadenamiento entre la licitud y la posibilidad del objeto del contrato definitivo con la licitud y la posibilidad del preparatorio. Si el objeto del definitivo es imposible, también el preparatorio tendrá un objeto imposible y, por lo mismo, será inexistente. Tan imposible es la venta de la luna, como la promesa de venta de la luna. Si el objeto del contrato definitivo es ilícito, también el objeto del preparatorio lo será.

Tan ilícito es obligarse a matar a una persona, como ilícito es prometer obligarse a matarla. Aun cuando son figuras jurídicas autónomas, existen relaciones entre ambas.

Ausencia de vicios en el consentimiento

En lo relativo a la ausencia de vicios en el consentimiento del contrato preparatorio, no existe ninguna norma especial y serán aplicables al caso las disposiciones generales sobre la materia contenida en la *Teoría general de las obligaciones*.[458]

Capacidad de las partes contratantes

Tampoco sobre este requisito de validez existen reglas especiales, por lo que son aplicables las reglas de la *Teoría general de las obligaciones*,[459] sólo es necesario enfatizar el hecho de que, entre la capacidad para celebrar el contrato preparatorio y la que es necesaria para otorgar el contrato definitivo, no existe identidad.

Forma

Tampoco en lo que toca a la forma, hay relación entre la que se requiere para celebrar el contrato preparatorio y la necesaria para otorgar el definitivo, a diferencia de lo que establecen algunos códigos extranjeros, e independientemente de que el contrato prometido deba constar en escrito privado, en escritura, o sea consensual, nuestro Código dispone —en su artículo 2246—, que el contrato preliminar debe consignarse simplemente por escrito, debiendo entenderse que la forma requerida es la de escrito privado. Como requisito de validez, no es necesario que al otorgamiento de la promesa concurran testigos, ni que se extiendan varias copias del documento, basta un solo ejemplar formado por las partes contratantes.[460]

Objeto, motivo o fin lícitos

Salvo lo que hemos indicado en las líneas anteriores, en relación con la licitud del objeto, motivo o fin del contrato definitivo con la del preparatorio, son aplicables al precontrato las reglas generales sobre licitud.[461]

Necesidad de limitar la promesa a cierto tiempo

Nuestro código, en su artículo 2246, al establecer los requisitos específicos de eficacia de la promesa de contrato, de acuerdo con Schnaider y Fick[462] señala que ésta debe limitarse a cierto tiempo, o sea que todo contrato preparatorio debe tener un plazo de carácter extintivo.

La obligación de celebrar el contrato prometido, que surge de la promesa, termina al cumplirse el plazo señalado, y una vez transcurrido éste, la parte queda libre de su obligación para con la otra. El que se establezca este plazo, es indispensable por dos razones: primero, por una razón jurídica: no pueden existir obligaciones perpetuas; segundo, por una razón económica: si no se fija un límite temporal a la obligación, el bien, objeto de ésta, vendría a quedar substraído a la libre circulación de la riqueza.

Existe discrepancia entre la doctrina mexicana acerca de las consecuencias que acarrearía la falta de fijación del plazo en el contrato preparatorio. El doctor Francisco Lozano Noriega[463] piensa que la disposición que exige la fijación del plazo, es de orden público, y que por esta razón, si se infringe, el contrato quedará viciado de nulidad absoluta; por el contrario, don Agustín García López[464] y Rafael Rojina Villegas[465] sostienen que en el caso de que no se fije el plazo, nada impide que las partes con posterioridad lo determinen y purguen así el vicio original que existía en el contrato, y en consecuencia, que la promesa en la que no se fijó plazo solo está viciada de nulidad relativa. En un sentido semejante al del maestro García López, se expresa don Pablo Macedo.[466] Desde mi punto de vista, de acuerdo con la teoría de Bonnecase,[467] que en materia de nulidades es la aplicable a nuestro derecho positivo, pienso que siendo la nulidad una sanción, sus efectos no deben ir más allá del interés tutelado por la norma que se transgrede, y que por lo mismo si las partes no han fijado en la promesa plazo para su celebración, pueden, en un momento posterior, señalarlo y convalidar así el acto que sólo estaba viciado con una nulidad relativa.

IV. EFECTOS DEL CONTRATO

Creación de obligaciones de hacer

Como ya hemos señalado anteriormente, el contrato que estudiamos tiene como efecto, exclusivamente, el producir obligaciones de hacer consistentes en la celebración del contrato definitivo. No obstante, esta idea, que incluso está específicamente consagrada en el artículo 2245, y confirmada por la jurisprudencia definida de la Corte[468] con frecuencia se celebran actos a los que se llama de promesa de venta, en los que no se cumple con esta circunstancia. En efecto, con facilidad pueden encontrarse "contratos de promesa de venta", que comúnmente celebran algunas compañías fraccionadoras o personas que se dedican a la venta de bienes raíces, por medio de los cuales se entrega la posesión material de un terreno a una persona que "promete comprarlo", y a su vez se obliga a pagar una cantidad como "enganche" y varios abonos hasta saldar totalmente el precio, y en ese momento, afirma el contrato, "se celebrará el contrato definitivo de compraventa". Estos actos no son en realidad preparatorios, sino verdaderos contratos definitivos de compraventa, ya que no producen obligaciones de hacer, sino de dar. A este respecto, la Suprema Corte de Justicia ha establecido acertadamente, en jurisprudencia definida (tesis 109 y 110), lo que antes hemos afirmado, considerando que para clasificar un contrato debe atenderse al contenido de sus cláusulas y no al nombre que las partes le den.[469] Ahora bien, debemos señalar que algunas leyes de orden fiscal si consideran a los contratos en cuestión como verdaderas promesas. Sobre este punto, volveremos más adelante al analizar el régimen fiscal de la promesa de compraventa.

Muchas veces sucede también en la práctica, que se celebran contratos unilaterales de promesa de compraventa, en los cuales el beneficiario se obliga a pagar al promitente, como compensación por la obligación que asume de vender durante un tiempo determinado, en las condiciones del contrato de promesa, una cantidad en efectivo. En estos casos, el beneficiario asume una obligación de dar consistente en el pago de una suma de dinero, la cantidad que entrega no es a cuenta del precio, sino que sólo se paga como compensación por la obligación del promitente. En este caso, lo que existe es un contrato complejo, que no sólo es de promesa de venta, y que, además, en su conjunto, no es unilateral sino bilateral, ya que ambas partes contratantes tienen obligaciones. La promesa no ha creado obligación de dar sino la estipulación que se le ha añadido, y que ya no es propia del simple precontrato. La existencia de esa estipulación anexa convierte al contrato en complejo y se regirá por las reglas de este tipo de contratos.

En conclusión, el único efecto de la promesa es crear obligaciones de hacer consistentes en la celebración del contrato definitivo.

Incumplimiento del contrato

Si el promitente se rehúsa a otorgar el contrato definitivo, surge el problema de conocer cuáles son las consecuencias de su incumplimiento.

Un amplio sector de la doctrina italiana sostiene que la circunstancia antes apuntada sólo tendría como consecuencia el obligarlo a pagar los daños y perjuicios que hubiere ocasionado su conducta, razonando que sería imposible el constreñirlo a prestar un consentimiento en contra de su voluntad o facultar al juez para que substituyéndose a la voluntad del prominente, otorgue el contrato, "si en la promesa bilateral, enseña Degni,[470] el contenido de las obligaciones respectivas de las partes, es hacer surgir con ulteriores declaraciones de voluntad, el contrato definitivo, cuando uno de los promitentes rehúsa a ello, estamos precisamente en la hipótesis de una imposibilidad del exacto cumplimiento de las obligaciones, ya que su declaración de voluntad, indispensable para que surja el contrato, es por su misma naturaleza, un hecho humano incoercible y exclusivamente personal". En sentido semejante a Degni, se expresa Coviello.[471]

Por el contrario, Barassi[472] admite la posibilidad de ejecución coactiva de la obligación, fundando su razonamiento en la necesidad de garantizar más eficazmente las relaciones sociales y de tutelar firmemente las expectativas de terceros. Barassi, después de indicar que la opinión prevaleciente fue la de considerar imposible la ejecución forzada de la obligación en virtud del principio *nemo cogi potest ad factum,*[CXXXVIII] señala que desde su punto de vista la promesa de contrato tiene "la misma coercibilidad que cualquier otro contrato; el juez puede, más bien debe,

---

[CXXXVIII] "Nadie puede ser forzado a un acto específico".

constreñir a la parte renuente a participar en la estipulación del contrato, y en caso de persistencia en la negativa, la sentencia tendrá el lugar del consentimiento del renuente".[473]

Es de resaltarse que Barassi enseña, no que el juez representa al promitente que se rehúsa a la prestación, sino que la sentencia se sobrepone a la voluntad rebelde y es cosa distinta de la declaración de voluntad, aun cuando se obtienen los mismos efectos del contrato no cumplido. "Puesta la cosa en estos términos, la cuestión de si es o no contrato viene a ser meramente académica".[474] El derecho moderno ya no se apoya exclusivamente sobre el dogma de la voluntad, en cuanto éste se ve atemperado con el criterio de la sociabilidad, que se manifiesta continuamente en el derecho positivo.

La ejecución forzada no puede darse en todos los casos, admite límites entre los que está "la posibilidad de la ejecución en forma específica, que podría quedar excluida por la naturaleza insubstituiblemente personal de la prestación principal que deberá ser objeto del contrato futuro. En tal caso, no queda más que el resarcimiento de daños".[475]

En el mismo sentido que Barassi, Chiovenda,[476] el ilustre procesalista italiano, partiendo del concepto de la sentencia llamada constitutiva, acepta la intervención del juez para ejecutar el contrato preparatorio y afirma que no se trata de constituir con la sentencia el contrato definitivo; se trata de hacerlo en su defecto. La sentencia no será constitutiva porque constituya el contrato, sino porque constituye directamente el derecho a que se tiende. El Estado, actuando en el proceso de su propia voluntad, prescinde lo más posible de la voluntad del particular: se incauta sus bienes, lo desposee de cosas, destruye sus actos ilegales, todo contra su voluntad. El Estado en el proceso quiere, por su propia cuenta, a despecho del particular, y substituye la actividad ajena, solamente en el sentido de que obtiene con la voluntad propia, resultados económicos y jurídicos, que por regla general hubieran podido obtenerse con la actividad del obligado. Esta tendencia del proceso a dar cuanto más es posible dar al acreedor, continúa Chiovenda, encuentra límites, límites de derecho e imposibilidades de hecho. Los límites jurídicos se manifiestan particularmente en la posibilidad o admisibilidad de los medios ejecutivos. La infungibilidad de la prestación, ciertamente, es una imposibilidad de hecho, pero en el caso no se trata de infungibilidad jurídica, porque el efecto jurídico del acto de voluntad puede conseguirse de otro modo. La autonomía de la voluntad no entra aquí, porque ese principio que tiene una amplia esfera de aplicación en el campo de la constitución de los derechos, no tiene ninguna en el del cumplimiento. Del contrato preliminar de compraventa, nace ciertamente, en primer lugar, un derecho tendiente a la prestación de un acto de voluntad del obligado, a favor de aquel que ha prometido comprar y en contra de aquel que se ha obligado a vender; pero en el caso de incumplimiento de esa obligación, surge a favor del contratante un derecho encaminado al efecto jurídico que constituye la finalidad de la promesa, esto es, el derecho a la propiedad; y este derecho será actuado por vía de acción.

La tesis de Chiovenda, a decir de Gian Antonio Micheli[477] ha sido aceptada por el artículo 2932 del Código italiano de 1942.

En nuestro derecho positivo vigente, el artículo 2247, admite expresamente la posibilidad de la ejecución forzada para obtener el cumplimiento de la promesa en muchos casos, y dispone lo siguiente: "Si el promitente rehúsa firmar los documentos necesarios para dar forma legal al contrato concertado, en su rebeldía los firmará el juez; salvo el caso de que la cosa ofrecida haya pasado por título oneroso a la propiedad de tercero de buena fe, pues entonces la promesa quedará sin efecto, siendo responsable el que la hizo de todos los daños y perjuicios que se hayan originado a la otra parte".[478]

Este precepto contiene tres errores notables de redacción: primero, tal parece que concibe al contrato preparatorio y al definitivo como un solo acto, ya que habla de que algunos de los contratantes se rehuse a "dar forma legal al contrato concertado"; segundo, supone falsamente que el contrato definitivo es contrato formal, ya que establece que el juez lo firmará en rebeldía del demandado; y tercero, por último, también erróneamente, supone que el contrato prometido tiene como objeto en todo caso bienes materiales, pues habla de que si "la cosa" ofrecida ha pasado por título oneroso a la propiedad de un tercero de buena fe, el contrato quedará sin efecto.

El primero de los errores de redacción del código no tiene ninguna trascendencia, puesto que de todos los demás preceptos que regulan la materia, claramente se ve que nuestro legislador civil de 1928 concibe al contrato preparatorio y al definitivo como figuras autónomas. La Suprema Corte de Justicia ha puesto de relieve lo infundado que sería en el supuesto de la existencia de un contrato preparatorio de compraventa

el exigir judicialmente la simple formalización del contrato de compraventa y no el otorgamiento del contrato definitivo y así aparece en la
sentencia que copiamos en nota.[479]

Por lo que toca al segundo, y al tercero aun cuando es verdad que
no siempre el contrato prometido es formal, ni tampoco siempre tiene
por objeto cosas, el error no es de trascendencia, puesto que puede sub-
sanarse aplicando las disposiciones generales que existen en el propio
código en materia de obligaciones y en el de procedimientos civiles.
En efecto, el artículo 2104 establece que: "El que estuviere obligado a
prestar un hecho y dejase de prestarlo o no lo prestare conforme a lo
convenido, será responsable de los daños y perjuicios en los términos
siguientes: I. Si la obligación fuere a plazo comenzará la responsabilidad
desde el vencimiento de éste. II. Si la obligación no dependiere de plazo
cierto, se observará lo dispuesto en la parte final del artículo 2080. El
que contraviene una obligación de no hacer, pagará daños y perjuicios,
por el solo hecho de la contravención". Como puede verse, el artículo
2104 establece para todos los casos la necesidad de pagar daños y perjuicios en caso de incumplimiento.

Por otra parte, el código de procedimientos civiles también nos da
un camino para el otorgamiento forzoso del contrato prometido, aun
cuando éste no sea un contrato formal. El artículo 73 de este texto establece: "Los jueces, para hacer cumplir sus determinaciones, pueden
emplear cualquiera de los siguientes medios de apremio que juzguen
eficaces: I. La multa desde cinco hasta cien pesos, que se duplicará en
caso de reincidencia; II. El auxilio de la fuerza pública; III. El cateo por
orden escrita; IV. El arresto hasta por quince días. Si el caso exige mayor
sanción, se dará parte a las autoridades competentes". Es decir, si una de
las partes se obliga a celebrar un contrato y no se allana a cumplir con su
obligación, el juez podrá constreñirlo para que lo otorgue, empleando
alguno de los medios de apremio a que alude el artículo 73 del Código
de procedimientos civiles. Además, el artículo 517, fracción tercera, establece en forma expresa la posibilidad de que el juez otorgue el contrato prometido en rebeldía del demandado, aun cuando ese contrato no
sea formal cuando dice: "Si la sentencia condena a hacer alguna cosa, el
juez señalará, al que fue condenado, un plazo prudente para el cumplimiento, atendidas las circunstancias del hecho y de las personas. Si pasado el plazo el obligado no cumpliere, se observará la regla siguiente:
[…]III. Si el hecho consiste en el otorgamiento de algún instrumento o

la celebración de un acto jurídico, el juez lo ejecutará por el obligado, expresando en el documento, que se otorgó en rebeldía". Así pues, si el contrato definitivo no es formal y por lo mismo no cabe aplicar el artículo 2247 del código civil, sí será aplicable la fracción tercera del artículo 517 del Código adjetivo.

Posibilidad de inscripción del contrato preparatorio

La promesa de contrato no es inscribible en el registro público, y no inscribible porque el artículo 3002[CXXXIX] del Código civil no establece que se pueda inscribir; además, la promesa de contrato no crea derechos reales sobre el bien objeto de la promesa, sino que simplemente produce derechos personales a favor del beneficiario y a cargo del promitente. Sólo pueden inscribirse en el registro de minería las promesas de compraventa sobre fondos mineros. Antonio Aguilar Gutiérrez[480]

[CXXXIX] El artículo 3002 al que se hace referencia, al momento de publicarse este ensayo establecía que:

Se inscribirán en el Registro: I.- Los títulos por los cuales se adquiere, transmite, modifica, grava o extingue el dominio, la posesión o los, demás derechos reales sobre inmuebles; II.- La constitución del patrimonio (le familia; III.- Los contratos de arrendamiento de bienes inmuebles por un período mayor de seis años y aquellos en que hayan anticipos de rentas por más de tres; IV.- La condición resolutoria en las ventas a que se refieren las fracciones I y II del artículo 2,310; V.- Los contratos de prenda que menciona el artículo 2.539; VI.- La escritura constitutiva de las sociedades civiles y la que la reforme; VII.- La escritura constitutiva de las asociaciones y la que la reforme; VIII.- Las fundaciones de beneficencia privada; IX.- Las resoluciones judiciales o de árbitros o arbitradores que produzcan algunos de los efectos mencionados en la fracción I; X.- Los testamentos por efectos de los cuales la propiedad de bienes raíces, o de derechos reales, haciéndose el registro después de la muerte del testador; XI.- En los casos de intestado, el auto declaratorio de los herederos legítimos y el nombramiento de albacea definitivo; En los casos previstos en las dos fracciones anteriores, se tomará razón del acta de defunción del autor de la herencia; XII.- Las resoluciones judiciales en que se declare un concurso o se admita un sesión de bienes; XIII.- El testimonio de las informaciones ad-perpetuam promovidas y protocolizadas de acuerdo con lo que disponga el Código de Procedimientos Civiles; XIV.- Los demás títulos que la ley ordene expresamente que sean registrados.

Actualmente dicha disposición se encuentra regulada en los artículos 3005 y 3006 del Código Civil para el Distrito Federal.

defiende con argumentos muy claros y acertados el sistema de nuestro código civil, según el cual no deben inscribirse en el registro público los contratos preparatorios y critica con toda razón a los códigos de Nuevo León[CXL] y Chihuahua,[CXLI] que exigen el registro de la promesa, demostrando, inclusive, que la inscripción en el registro público del contrato preparatorio no permite siempre el ejercicio de la acción Pauliana.

Cesión de la promesa de contrato

Podemos plantearnos a continuación el problema tocante a determinar si es posible que las partes que celebraron el contrato preparatorio puedan ceder sus derechos a un tercero y que por lo mismo el contrato definitivo sea celebrado por personas distintas de las que otorgaron el precontrato.

No podemos dar una solución en bloque, debemos distinguir el caso de que el contrato preparatorio sea bilateral del supuesto de que éste sea unilateral. En ninguna de las dos hipótesis enunciadas encontraremos solución expresa al problema planteado, y por lo mismo ambos casos sólo podremos resolverlos aplicando las reglas que existen en la *Teoría general de las obligaciones* respecto a la cesión de derechos y a la cesión de deuda.

El promitente, no podrá ceder el contrato si no es con el consentimiento del beneficiario, puesto que está cediendo deuda y debe aplicarse al caso lo dispuesto por el artículo 2051 del código civil; por el contrario, el beneficiario podrá ceder a su arbitrio los derechos adquiridos en razón del contrato, sin más obligación que la de hacer saber su deter-

---

[CXL] Artículo 2894.- Se inscribirán en el Registro: XIV.- La promesa de contratar para que surta efectos contra tercero.

[CXLI] Artículo 2130.- El contrato de promesa relativo a bienes inmuebles o derechos reales, cuyo contrato definitivo deba ser inscrito en el Registro Público de la Propiedad, también debe inscribirse para que produzca efectos con relación a terceros. En este caso, el contrato de promesa deberá otorgarse en escritura pública (sic), si el precio del inmueble o derecho real excede del equivalente a quinientas veces el salario mínimo. En caso contrario, bastará un escrito privado debidamente ratificado ante fedatario público. [Artículo reformado mediante Decreto No. 432-00 III P.E. publicado en el Periódico Oficial No. 8 del 26 de enero de 2000].

minación al promitente, aplicándose al caso lo que sobre el particular dispone el artículo 2030. Cuando la promesa es bilateral y ambas partes son, por lo mismo, promitentes y beneficiarios a la vez, no podrán ceder el contrato si no cuentan con la autorización de su contraparte.

V. RÉGIMEN FISCAL

Promesa de contrato en general[CXLII]

La promesa de cualquier contrato, salvo la promesa de compraventa, de la que nos ocuparemos posteriormente, está gravada por la Ley General del Timbre.[CXLIII] Esta ley considera a la promesa de contratar como "contrato no especificado", y dispone lo siguiente: "artículo 32[...] Los contratos preparatorios y, en general, la promesa de contratar, ya sea unilateral o bilateral, causarán el impuesto de cuota fija que corresponda según la formalidad que se emplee, de acuerdo con el inciso *B*) de la fracción IX de la Tarifa, excepto los casos a que se refiere la fracción XVIII de la misma Tarifa.[481] A su vez, el inciso *B*) de la fracción IX de la tarifa de esta Ley establece el pago de una cuota fija de diez pesos en el caso de que el contrato preparatorio se consigne en una escritura y el pago de una cuota fija de dos pesos en el supuesto de que

---

[CXLII] Actualmente el régimen fiscal de la promesa se encuentra en el Código Fiscal de la entidad federativa de que se trate. En el caso de la CDMX en el Código Fiscal de la CDMX.
Artículo 115.- Para los efectos de este Capítulo, se entiende por adquisición, la que derive de:
III. La promesa de adquirir, cuando el futuro comprador entre en posesión de los bienes o el futuro vendedor reciba el precio de la venta o parte de él, antes de que se celebre el contrato prometido o cuando se pacte alguna de estas circunstancias. IV. La cesión de derechos del comprador o del futuro comprador, en los casos de las fracciones II y III que anteceden, respectivamente.
Es importante mencionar que, si se llega a dar alguno de los supuestos mencionados, el impuesto nace con el contrato y con él la exigibilidad del pago, en el plazo que marca la ley. Actualmente el impuesto se causa únicamente en la promesa cuando en ésta exista un principio de ejecución y recaiga sobre inmuebles.

[CXLIII] Ley abrogada.

el contrato se otorgue en escrito privado". La fracción XVIII, del artículo cuarto, que contiene la tarifa, se refiere a la promesa de compraventa y la analizaremos más adelante. Ejemplo: Si se celebra un contrato de promesa de arrendamiento de sociedad o de mutuo, se deberá pagar una cuota fija de diez pesos, si se hace constar en una escritura o de dos pesos si se consigna en escrito privado. Para el pago del timbre, no tiene relevancia el valor o el contenido económico del contrato definitivo, así en el ejemplo propuesto no tendría ninguna importancia la renta del arrendamiento definitivo, el capital de la sociedad prometida, o el monto del capital que se prometa prestar. Lo anterior es una consecuencia lógica del hecho de que la promesa de contrato no tiene un contenido económico.

Promesa de compraventa

La promesa de celebrar un contrato de compraventa está gravada por la fracción XVIII del artículo cuarto de la Ley,[CXLIV] en la siguiente forma:

XVIII. Promesa de venta o de compra:

Sobre el precio de la cosa que se promete vender o comprar.

Si la promesa se consigna en escritura..................... 1.5%

Si se consigna en documento privado................…..……1.0%

Ejemplo: Si prometo vender mi casa en cien mil pesos, y consigno el contrato en una escritura, tendré que pagar mil quinientos pesos de impuesto, y si lo hago constar en un simple escrito privado, solo deberé pagar mil pesos.

Si el contrato de promesa de venta no determinamos la cantidad que debe de servir de precio al contrato de compraventa definitivo, sino que sólo sentamos las bases conforme a las cuales se deberá fijar el precio, o lo que es lo mismo, el precio en el contrato definitivo de compraventa no es determinado, sino solo determinable; entonces, conforme al

---

[CXLIV]   Actualmente el impuesto se determina aplicando la tarifa contenida en el artículo 113 del Código Fiscal de la Ciudad de México, siempre y cuando recaiga sobre un inmueble y tenga "principios de ejecución".

inciso B), de la fracción XVIII, del artículo cuarta, la promesa de compraventa causa el timbre como cualquier otro contrato preparatorio, es decir, cuota fija de diez pesos si se otorga en escritura, y de dos pesos si se consigna en documento privado.

Ejemplo: Si se promete vender un terreno circunscrito por determinados linderos, dentro de un plazo máximo de un mes, y que en esa compraventa servirá como precio la cantidad de cien pesos por metro cuadrado, el precio no está determinado, sino que será simplemente determinable, puesto que sólo cuando se haya practicado la medición de la finca se sabrá qué cantidad es la que tendrá que pagar el comprador al vendedor, y el contrato de promesa de venta causará un impuesto de diez pesos si se otorgó en escritura o de dos pesos si se hizo en contrato privado.

Según el artículo 38 de la Ley: "En los casos de promesas de venta o de compra, cuando solamente se determine el mínimo del precio de la cosa que se promete vender o comprar, y se pacten, además, presentaciones indeterminadas, el impuesto se cubrirá de acuerdo con la cuota por valor sobre el mínimo estipulado, y se pagará también la cuota fija que corresponda, por el precio indeterminado".

Ejemplo: Si se conviene en vender una casa en el precio que determine una Institución Bancaria señalada al efecto por las partes contratantes, pero se establece que el precio que se fije no podrá ser inferior a cien mil pesos, el impuesto deberá cubrirse pagando mil, o mil quinientos pesos, según corresponda por haberse otorgado el contrato en escrito privado o en escritura, y además deberán pagarse dos o diez pesos, de acuerdo con la forma que se haya dado al contrato.

No consideramos acertado el hecho de que se grave en algunas circunstancias (artículo 4, fracción XVIII, inciso A) a la promesa de compraventa con un porcentaje sobre el precio del contrato prometido, puesto que creemos, siguiendo el pensamiento de Felipe Clemente de Diego, que los contratos preparatorios no tienen ninguna función económica y en ellos no existe ningún movimiento de riqueza, por lo que de acuerdo con la ortodoxia fiscal no deberían ser gravados con un porcentaje sobre el precio del contrato futuro, sino hasta el momento en el que se operara la transmisión de la riqueza, es decir, hasta cuando se consumara la operación definitiva de compraventa. En resumen, pensamos que los contratos preparatorios solo deberían pagar el impuesto del timbre de acuerdo con una cuota fija y que las tarifas proporcionales sólo deberían dejarse para algunos contratos definitivos.

Las razones del legislador fiscal para gravar indebidamente a los contratos preparatorios de compraventa, las encontramos en la forma también indebida en la que, de manera infortunada, se celebran habitualmente los precontratos de compraventa. Esta relación entre la práctica viciosa y la legislación fiscal, se pone de manifiesto en el artículo 39 de la Ley que dispone: "Los contratos de promesa de venta o de compra en los que se pacte que el futuro comprador tomará posesión de los bienes antes de la celebración de la compraventa, o que el futuro vendedor recibirá antes de esa misma operación el precio de venta o parte de él, causarán el impuesto según el caso, de acuerdo con la fracción XVIl de la tarifa. Transcurrido el plazo señalado para la celebración del contrato de compraventa o el término de un año, si no se fijó plazo, y aun cuando se estipule condición, se causará el impuesto sobre compraventa, salvo el caso de que las partes hagan constar en el mismo documento en que se consigna el contrato de promesa o en un instrumento público por separado, que no fue celebrado el contrato prometido. Si no se hace tal declaración, se presumirá la omisión del impuesto y se aplicará la sanción que corresponda".

El artículo transcrito contiene dos supuestos que son contrarios a las normas de nuestra legislación: Primero: Que en un contrato preparatorio pueden establecerse obligaciones de dar a cargo de las partes contratantes, como serían las de establecer que el que promete vender se obliga a entregar la posesión del bien al que promete comprar o la de estipular que el que promete comprar se compromete a pagar al que promete vender, el precio, o parte de él antes de la celebración del contrato de compraventa. Dentro del criterio de nuestro Código civil, las operaciones en exámenes serían de compraventa y no simplemente de promesa de venta. En efecto, según el artículo 2244 de nuestro ordenamiento civil: "la promesa de contrato *sólo* da origen a obligaciones de hacer, consistentes en celebrar el contrato respectivo de acuerdo con lo ofrecido", y en el caso de que en el contrato se hicieren constar las obligaciones de dar a que hace referencia la Ley del Timbre, serían propias de un contrato de compraventa,[482] y como tal contrato deberían ser consideradas fiscalmente. Sólo una práctica viciosa, aunque general, ha podido inducir a los redactores de esta ley a una concepción sin duda errónea del contrato preliminar de compraventa.

Segundo: Es también discordante con las disposiciones civiles, la idea del legislador fiscal, relativa a que en la promesa de compraventa pueden las partes dejar sin precisar el término dentro del cual deberá otorgarse el contrato prometido, puesto que el código civil, en su artículo 2246, con toda claridad dispone que: "Para que la promesa de contratar sea válida, debe[…] limitarse a cierto tiempo", de donde resulta la necesidad de precisar el plazo dentro del cual debe otorgarse el contrato prometido, bajo la pena, en caso de inobservancia del precepto, de la invalidez del contrato preparatorio. Según una muy autorizada doctrina[483] la invalidez del precontrato sería en el grado de nulidad absoluta y de acuerdo con lo que hemos sostenido con anterioridad, nulidad relativa, pero de cualquier manera un contrato nulo, y un contrato viciado de nulidad, no deberá ser objeto de un trato fiscal especial, sino que procediendo de acuerdo con las normas de la doctrina civil, debería procurarse reducir, y si es posible, suprimir sus efectos. El impuesto sobre promesa de venta se causará en cada traspaso a cesión de los derechos del futuro comprador. El propietario de los bienes tiene, además, responsabilidad solidaria por el pago del impuesto relativo a los traspasos.[484]

Los llamados impropiamente contratos de "promesa de compraventa" en los que se pacta que el vendedor recibirá el precio o parte de él, desde la fecha del pretendido contrato preparatorio, pueden causar el impuesto sobre la renta[485] y el impuesto sobre producto de capitales[CXLV] establecido en la Ley de Hacienda del Departamento del Distrito Federal[486] en la misma forma que los contratos definitivos de compraventa en abonos, de los que nos ocuparemos posteriormente al analizar el régimen fiscal de esta modalidad de la compraventa.

De acuerdo con la segunda parte del citado artículo treinta y nueve de la citada Ley:[CXLVI] "El impuesto sobre promesa de venta se causará en cada traspaso o cesión de los derechos del futuro comprador. El propietario de los bienes tiene también responsabilidad solidaria por el pago del impuesto relativo a los traspasos o cesiones".

[CXLV]   Este impuesto actualmente está suprimido.
[CXLVI]   Actualmente se encuentra regulado en el artículo 115 del Código Fiscal de la Ciudad de México, con las salvedades indicadas.

Vida y obra del escribano Don José Febrero

[Escrito el 31 de diciembre de 1984. Publicado póstumamente por el entonces Colegio de Notarios del Distrito Federal el 25 de marzo de 1992.]

CAPÍTULO I
DATOS BIOGRÁFICOS DE DON JOSÉ FEBRERO

Poco es en realidad lo que se sabe sobre la vida de don José Febrero. Su existencia, modesta y callada, lejos del brillo del poder y de los honores de la cátedra, da poco material para seguir su vida, que transcurrió tranquila entre el ejercicio de su profesión como Escribano Real y su labor como escritor jurídico. Sólo el afecto fraternal de sus compañeros de profesión pudo rescatar, a fines del siglo XIX, algunas noticias de su vida, que de otro modo hubieran permanecido en el más completo olvido.

Los datos sucintos y escuetos que hoy conocemos sobre su existencia provienen de su propios escritos y del recuerdo que le consagraron entre los años de 1877 y 1897, don Bienvenido Oliver, Subdirector de los Registros Civil y de la Propiedad y del Notariado, don Pablo de la Lastra, Decano del Colegio Notarial de Madrid y Vicepresidente de la Academia Matritense del Notariado, don Francisco Morcillo y León, Vicepresidente de la citada Academia, don José Gonzalo de las Casas, Notario y Director de la Gaceta del Notariado, y don Manuel Mato y Vizoso.

Según los datos de Mato y Vizoso, nació Febrero en Mondoñedo, Provincia de Lugo, España, el día 7 de enero de 1733,[CXLVII] hijo

---

[CXLVII] Mato y Vizoso, siguiendo a Gonzalo de las Casas asienta:
Casados los padres de Febrero en 23 de noviembre de 1729..., nace un hijo de este matrimonio en 5 de agosto de 1730, a las cuatro de la mañana, bautizado con el nombre de José Antonio Salvador...; pero tres años más tarde, en 7 de enero de 1733, a las cuatro de la tarde, nace otro niño de este matrimonio y pónesele el nombre de José Antonio Ventura, que en 6 de junio de 1757 (fecha en que solicitó su título de Notario de Madrid), sólo contaba veinticuatro años y medio. ¿Cuál de estos dos hermanos será el autor que celebramos? Ni en los archivos de la Cámara y Consejo de Castilla, ni en su

de don José Antonio Febrero Bermúdez, natural de la parroquia de Santa María Mayor de Tardade, Distrito de Villalba, y doña María de la Carrera y Fernández, que hacía uso de los apellidos maternos de Fernández das Rivas, natural de Mondoñedo. Huérfano a muy corta edad, quedó al cuidado del presbítero don Juan Bermúdez quien se encargó de educarle y de su primera enseñanza, así como de que hiciera los estudios de latín —que habrían de serle tan útiles para sus obras— tal vez en el Seminario de Mondoñedo. A la muerte de don Juan Bermúdez y aún siendo muy joven, Febrero decidió marchar a la Corte, y ya en Madrid, logró la protección de don Pedro Rodríguez de Campomanes, Conde de Campomanes, Fiscal del Consejo de Castilla, Ministro del Rey don Carlos III y Director de la Real Academia de la Historia. Merced a los favores de su protector se dedicó primero a ejercer como Agente de Negocios de los Reales Consejos, y en 1757 obtuvo del Rey don Fernando VI la cédula de Escribano Notario Real de los Reinos.

Establecido en Madrid, casó don José Febrero con doña María Antonia de Borgoñón, con la que no tuvo descendencia.

---

testamento, ni en sus protocolos, ni en su partida de defunción, ni en parte alguna hemos podido identificar la edad que tenía Febrero en cualquiera de esas épocas para deducir cual es la verdadera partida de las dos citadas. El buen sentido práctico y la costumbre de todos los tiempos parece indicar, sin embargo, de un modo indudable, que el hecho de haberse bautizado el segundo hijo con los mismos nombres de José Antonio, variando sólo el tercero, que en el primero es Salvador y en el segundo es Ventura, convence que el autor que celebramos debió ser el segundo, José Antonio Ventura, y que hubo de morir antes del nacimiento de éste su hermano José Antonio Salvador... De otro modo, no se concibe, o por lo menos es bastante extraordinario, que un padre ponga los mismos nombres a dos hijos varones, introduciendo la confusión en los derechos de la familia. Es verdad que el segundo José... sólo contaba veinticuatro años y medio en junio de 1757, en que el Notario Febrero comenzó a ejercer su cargo, para el que necesitó tener veinticinco años. Pero ¿no es lógico creer, una vez adquirida la convicción moral de aquel hecho, que le fuesen dispensados los seis meses de edad que le faltaban teniendo como tenía padrino tan poderoso como el Conde de Campomanes? Esto es lo más natural y por esta opinión nos decidimos...". (Mato y Vizoso, Manuel, "Biografía de don José Febrero: importancia de sus obras jurídicas; noticias de sus reformadores y continuadores", en *Revista de Derecho Notarial*, año XVII, núm. LXVIII, abril-junio de 1970. pp. 9 y 10.)

Desempeñó nuestro Escribano sus funciones durante cerca de treinta y tres años y con ellas alternó su actividad como escritor. "Se puede
decir con verdad —afirma uno de sus biógrafos[CXLVIII]— que Febrero
vivió para escribir sus obras. Le ocuparon desde su juventud hasta los
últimos días de su existencia; fueron su recreo y su única distracción, y
sacrificó por ellas su tranquilidad, su reposo, y sus intereses; absorbie-
ron sus pensamientos y le abismaron en meditaciones profundas, tanto
que en el uso de su oficio se olvidaba a veces del signo y de la firma,
según él confiesa, siquiera achaque estas distracciones a la debilidad de
su memoria".

Su carácter modesto queda de manifiesto en el prólogo de su obra,
pleno de protestas en las que patentiza su humildad. Confiesa sin am-
bages que tiene "talentos muy limitados y poca práctica", que no ha
"saludado la jurisprudencia" y que se considera "exhausto de fuerzas
para empresa propia y digna de pluma más bien cortada que la mía, y de
ingenio más eminente, y que por lo mismo no sólo me sería inasequible,
sino que todos me increparían justamente de temerario". Sólo el deseo
de servicio a sus compañeros de profesión lo decide a publicar su obra,
confiando cristianamente en que "se vale Dios de medios e instrumentos débiles para hacer más portentosos sus prodigios, e inspira y revela a
los párvulos lo que ocultó a los sabios y prudentes".[CXLIX]

El ocho de septiembre de 1790, a escasos ocho días de haber dado
los últimos toques a la cuarta edición de su *Librería*, falleció don José
Febrero en Madrid habiendo sido sepultado en la Iglesia de San Martín,
próxima a la casa en que habitaba.

CAPÍTULO II
CARÁCTER DE LA OBRA

Afirma Febrero que concibió su libro como simples notas destinadas
a facilitar el propio ejercicio profesional, sin deseo alguno de darlo a
la luz. Sólo la reflexión sobre la utilidad que podría tener para quienes

---

[CXLVIII] Mato y Vizoso, Manuel, ibídem, p. 28.
[CXLIX] Prólogo que aparece en el tomo I de la Primera Parte de la Librería de Escribanos o Instrucción Teórico-Práctica de Principiantes.

como él practicaban la Escribanía, y las instancias de sus "amigos inteligentes" lo persuadieron a publicarlo en 1769.

Al iniciarse el último tercio del siglo XVIII, la labor de los escribanos se apoyaba frecuentemente en el empleo de formularios que por su redacción escueta, por su obsolescencia y por los defectos de su redacción, les prestaban poca ayuda. Los libros formularios que corrían en manos de los escribanos de la época generalmente se limitaban a presentar modelos y en ocasiones a explicarlos mediante breves introducciones o notas marginales en las que remitían a la legislación aplicable y a la doctrina.[CL] Así las obras de Ribera,[CLI] Torneo,[CLII] Monterroso,[CLIII] Argüello,[CLIV] Palomares,[CLV] Melgarejo[CLVI] y Villarroel,[CLVII] que redactadas en los siglos XVI y XVII, al decir de Febrero seguían utilizándose. En especial, las obras de Melgarejo y de Villarroel habían sido objeto de nuevas y frecuentes ediciones que permitían su consulta. "Los dos primeros tercios del siglo XVIII —escribe José Bono y Huerta— se caracterizan por la absoluta improductividad en el campo de la literatura notarial. La razón de ello está en que, tanto en Castilla como en Aragón,

---

CL   Un examen del contenido y de la naturaleza de estas obras puede encontrarse en el texto de José Bono y Huerta "Los formularios notariales españoles de los siglos XVI, VII y XVIII", en *Anales de la Academia Matritense del Notariado*, Madrid, tomo XXII, vol. I, Editorial Revista de Derecho Privado, 1978, pp. 289-317.

CLI   De Ribera, Diego, *Escrituras y orden de partición*, Granada, 1560 (última edición: 1621).

CLII   González de Torneo, Francisco, *Práctica de escrivanos, que contiene la judicial y orden de examinar testigos... y escrituras de estilo extenso*, Alcalá de Henares, 1587 (última edición: 1716).

CLIII   De Monterroso y Alvarado, Gabriel, *Práctica Civil y Criminal y Instrucción de Escrivanos Valladolid*, 1563 (última edición: 1662).

CLIV   De Argüello, Antonio, *Tratado de escrituras y contratos públicos, con sus anotaciones*, Madrid 1620 (última edición: 1651).

CLV   De Palomares, Tomás, *Nuevo estilo de escrituras públicas y práctica de los privilegios de los escribanos de Sevilla*, Sevilla 1645.

CLVI   Melgarejo Manrique de Lara, Pedro, *Compendio de contratos públicos, autos de particiones, executivos y de residencia, con el género del papel sellado que a cada despacho toca*, Granada, 1652 (última edición: 1791).

CLVII   González de Villarroel, Diego, *Examen y práctica de escrivanos e índice de las provisiones que se despachan por ordinarias en el Consejo*, Madrid, 1641 (última edición: 1728).

Cataluña y Valencia, se había iniciado una muy lenta transformación en la redacción del documento público, que empieza a ser concebido de una manera coherente y con clara tendencia a la brevedad, sin la 'prolixidad y verbosidad de razones', que caracterizaban las escrituras del siglo XVII, lo que hace menos necesarios los formularios antiguos, porque era deficiente su parte doctrinal y anticuados sus modelos. Por otra parte, era un trabajo arduo renovar las antiguas obras, y por ello se siguen utilizando algunos manuales anteriores".[CLVIII]

Febrero, pensando que la lectura de los formularios usuales no "comunicaba las luces necesarias para resolver las diarias dudas" que se presentaban, consideró que "el único medio de conseguirlo era leer con reflexión y cuidado las leyes del Reino y Expositores que con tanto acierto las interpretaron, dándoles el genuino y verdadero sentido e inteligencia" y extraer la médula para exponerla en su obra. De este modo los escribanos no se verían ya "perplexos y confusos" para conocer la ley y su interpretación correcta y no dirían más que asientan tal o cual cláusula porque "así lo dice Melgarejo; así lo he visto practicar a Fulano mi maestro, en vez de decir; así lo manda la Ley, de que se evidenciaba que hacían lo que el papagayo y mona, que hablan hacen lo que ven y les enseñan, sin saber lo que es, por cuya razón están reputados y tratados como ignorantes, y como tales, despreciados con justa razón".[CLIX] Para los escribanos significa la *Librería* de Febrero uno de los factores que contribuyen al tránsito de prácticos a juristas, que habrá de culminar en el siglo XX. Pese a sus imperfecciones, y aún a sus defectos, constituye esta obra un valioso esfuerzo para dotarlos de una instrucción más amplia, alejándolos del uso irreflexivo de simples formularios e introduciéndoles en el verdadero conocimiento del Derecho Real y de las opiniones de la doctrina.

Por su amplitud, por su estructura, por la variedad de materias que trata y por el detalle con que se ocupa de los distintos temas, la obra de Febrero, al mismo tiempo que formulario completo de escrituras y actuaciones judiciales, constituye una verdadera enciclopedia del Derecho positivo castellano.

CLVIII   Bono y Huerta, José, op.cit., pp. 311 y 312.
CLIX   Febrero, José, *Librería de Escribanos e Instrucción Jurídica Theórico Práctica de Principiantes, Tomo primero*, Madrid, Imprenta de don Pedro Marín, 1789.

Pero la inercia es difícil de vencer. "La misma extensión de la obra —escribe Bono y Huerta— la hizo inapropiada para su utilización didáctica, en la que se acostumbraba usar textos breves como la Cartilla Real. Por ello, pronto surgió un resumen de la obra de Febrero, que el *prontuario de testamentos y contratos* del escribano del número de Madrid Juan Manuel López Fando, en la que en forma de "Cartilla", esto es, en preguntas y respuestas, se trate muy sumariamente de la materia testamentaria y contractual, intercalando algún modelo de cláusula instrumental; la exposición está puesta al día, citándose en su caso, las disposiciones pertinentes".[CLX]

Febrero escribió su obra en una época de crisis y controversia sobre la creación y aplicación del Derecho en España. El absolutismo introducido por los Borbones, la pugna entre la aplicación del Derecho Romano y el Derecho Real y el descrédito en que había caído la técnica de "Recopilaciones" empleada por los monarcas españoles, produjo durante el siglo XVIII una profunda crisis del Derecho que se reflejó en una notoria baja en la calidad y profundidad de los trabajos jurídicos y en un auge de las obras elaboradas por los "prácticos" destinadas a permitir el ejercicio profesional sin necesidad de recurrir a una "teoría universitaria" formada al influjo de la legislación romana de sus comentaristas seculares.

Con el absolutismo se tendió a la creación de un Derecho iluminado por las *luces de la razón* y emanado de la autoridad soberana del rey absoluto. En este empeño destacaron Carlos III y sus ministros, entre los que suele mencionarse siempre, en forma destacada, a Campomanes, protector de Febrero.

La invocación de las Leyes y de la doctrina romanas, favorecida cinco siglos antes por los reyes, quienes entonces las consideraban convenientes para fortalecer una visión centralizada del poder político, cambió su

---

[CLX]   Bono y Huerta, José, op. cit., p. 313. La obra de López Fando fue editada en Madrid en la imprenta de don Benito Cano, en dos volúmenes que aparecieron, el primero en 1798 y el segundo en 1799. Un ejemplar de ella se encuentra en la Biblioteca Nacional de México. Según el Catálogo de don José María Vigil, en la Biblioteca Nacional se encuentra una edición mexicana del Prontuario de López Fando "corregida y aumentada por el escribano C. Francisco Miguel Celápiz", (México, imprenta de Tomás Uribe y Alcalde, 1837).

curso, y en el siglo XVIII fue reputada como contraria a la potestad legislativa del monarca. A partir de Felipe V, los reyes españoles reiteraron día a día y cada vez con mayor énfasis, la necesidad de estudiar y aplicar las leyes reales y de considerar a los comentaristas del Derecho Real con preferencia sobre los intérpretes del *Derecho Común*.

Con mano magistral, don Francisco Tomás y Valiente describe la situación de los estudios de derecho y de la doctrina españolas a lo largo del siglo XVIII y al inicio del XIX.

Al inicio del siglo XVIII el único Derecho enseñado en las universidades peninsulares era el Derecho Romano que aunado al Derecho Canónico constituía el *ius comune* aceptado en el mundo occidental. Relata Tomás y Valiente[CLXI] los reiterados esfuerzos de los reyes Borbones para lograr la inclusión de los estudios universitarios de las Leyes del reino, constituidas por las disposiciones emanadas de los reyes y que por ese motivo recibían el nombre del *Derecho Real*.

La inclusión del *Derecho Real* en los estudios universitarios sólo pudo lograrse —afirma Tomás y Valiente siguiendo a Mariano Peset— mediante tres vías: "a) El establecimiento de las concordancias y diferencias con el romano; b) El estudio directo de nuestros textos legales; y c) La lectura de Manuales en los que se contuviera una visión panorámica y sistematizada de nuestras leyes. Las tres, y por el orden indicado, se pusieron en práctica sucesivamente a lo largo del siglo".[CLXII]

Por auto acordado de 29 de mayo de 1741, Felipe V decidió la introducción de la enseñanza de las leyes patrias, pero sin intentar sustituir la del Derecho Romano. "Por el contrario, se ordena que se explique 'con el Derecho de los romanos las Leyes del reino correspondientes a la materia' contenida en aquellas, enseñando las concordancias a las diferencias de las leyes reales en relación con las del Derecho Romano. De tal forma la docencia de éste quedó confirmada incluso como básica, ya que la del Derecho Real había de hacerse en función de la del Derecho contendido en los textos romanos".[CLXIII]

[CLXI]   El autor no precisó esta cita.
[CLXII] Tomás y Valiente, Francisco, *Manual de Historia del Derecho Español*, Madrid, Editorial Tecnos, 1979. p. 389.
[CLXIII] Ibídem.

Para lograr el propósito del Rey eran necesarios libros adecuados. "Fuera de España se habían escrito (naturalmente en latín) pequeños comentarios a las *Instituta* de Justiniano con fines docentes; destacaron en este género las obras de Hotman, Galtier, Heineccio (1681-1741) y sobre todas las del jurista holandés Vinnio (1588-1657). Arnoldo Vinnio concordaba en su comentario las *Instituta* de Justiniano con otros textos del Derecho holandés. A pesar de que, como es obvio, ésta última faceta era inútil en España, los comentarios de Vinnio se utilizaron mucho en las Universidades españolas durante gran parte del siglo XVIII [...] Pero lo más interesante de la obra de Vinnio es que sirvió de modelo para que otros juristas españoles escribieran comentarios a las *Instituciones* de Justiniano, respetando el texto de la obra clásica, pero introduciendo en ella como término de comparación referencias al Derecho Patrio. La primera obra de estos "institutistas" es la de Antonio de Torres y Velasco publicada en 1735; años después, en 1745, José Berní y Catalá, publicó en castellano su *Instituta Civil y Real*, y en 1777 apareció otra obra de este género escrita por José Maymó y Ribes. Son obras sencillas, en las que el Derecho romano continúa siendo la estructura básica, pero donde se da entrada a citas y comparaciones con leyes del Derecho Real, de partidas, de las recopilaciones oficiales y con pasajes de autores castellanos. Aunque las obras de Vinnio y Heineccio continuaban siendo por aquellas fechas los libros más estudiados en nuestras universidades, estas obritas mencionadas de los institutistas españolas contribuyeron a la introducción, todavía escasa y tímida, de la enseñanza del Derecho Real en las aulas, tal como había dispuesto Felipe V en 1741" (pp. 389 y 390, Tomás y Valiente).

> En 1771, Carlos III dio nuevos planes de estudio a las universidades de Valladolid, Salamanca y Alcalá y en años siguientes a las de Santiago, Oviedo, Granada y Valencia, todos ellos muy semejantes entre sí. En tales planes, se establecen cátedras para la enseñanza del Derecho del Derecho Real, con la particularidad de que éste ya no ha de ser comentado en función del Derecho Romano (cuya docencia, sin embargo, permanece) sino explicado por el catedrático utilizando como esquema y base 'las rúbricas de los nueve libros y títulos de la Nueva Recopilación', 'con lo cual se enteren los alumnos de las leyes del Reino, de su equidad y justicia, sin perder de vista las del Derecho común de los romanos'. Esta era la segunda vía de las antes enumeradas: durante algunos años estudio del Derecho Patrio se hizo leyendo directamente en la cátedra las leyes reales. El avance no era revolucionario, pero sí *muy notable* (p. 390).

Faltaba, sin embargo, un complemento necesario para la docencia: un *Manual* que ofreciera una visión panorámica del Derecho Real en forma ordenada y sencilla y que permitiera la introducción de la tercera vía de estudio antes indicada. Esta necesidad fue satisfecha con la publicación, en 1771, de la primera edición de las *Instituciones del Derecho Civil de Castilla* que escribieron los doctores aragoneses Ignacio Jordán de Asso y Miguel de Manuel Rodríguez... La construcción de las *Instituciones* de Asso y de Manuel seguía el molde clásico (personas, cosas y acciones) de la obra de Justiniano, pero si la forma era clásica, el contenido era el Derecho Real de Castilla con alusiones comparativas al de Aragón. Las citas, frecuentísimas, ya no aluden a los comentaristas del *mos itálicus* sino al Derecho de Partidas, a las leyes recopiladas y a los juristas prácticos.

> La obra de Asso y de Manuel tuvo un éxito rápido, general y duradero. En las Universidades de Granada y de Valencia se puso como libro de texto, indicando que se estudiase durante todo un año, sin excluir la introducción histórica... No fue la única de este género. En Valencia, Juan Sala, Pavorde de la Catedral y catedrático de Prima de leyes en la universidad valenciana, publicó en 1803 su *Ilustración del Derecho Real de España*. La obra está también precedida de una *Breve Historia del Derecho de España*, mucho más elemental y sucinta que la de Asso y de Manuel". En el Prólogo de su *Ilustración*, Sala escribe el siguiente párrafo: "Hemos querido notar las leyes romanas concordantes de las nuestras españolas, porque aunque éstas, para tener completa fuerza no necesitan de apoyos extranjeros, ni éstos pueden tener alguna para obligarnos, debemos, sin embargo, confesar, que no deja de honrar e ilustrar nuestras decisiones el ver que también las establecieron los romanos en sus leyes, tan llenas, por lo común de justicia, moralidad y prudencia, que han admirado y admirarán siempre los doctos de todas las naciones". Se habían cambiado las formas. Lo que ahora se enseñaba y comentaba era el Derecho Real "...el Derecho Romano se batía en retirada...[CLXIV]

Es en este contexto en el que don José Febrero elaboró su *Librería*, obra de carácter práctico, destinada a facilitar a los escribanos el ejercicio de su profesión, que no por esto deja de aspirar a una cierta altura doctrinal. Febrero en el prólogo de su obra declara su adhesión y preferencia por las leyes reales y por sus comentaristas. Critica los formularios empleados hasta entonces por los escribanos ya que éstos parecen ignorar que "habiendo leyes reales... que como sujetos a ellos debemos observar, y no las extrañas, por no tener en estos dominios fuerza de

---

[CLXIV]   El autor no precisó esta cita.

tales" a ellas se debe atender y a sus comentaristas, pero los autores referidos parece que "no las habían visto, o que se habían empeñado en no mencionarlas en las escrituras, sino a las civiles, que por estar en latín no entendían los romancistas, como si éstas tuvieran más vigor que aquellas o subsistiera aún sobre nosotros el Imperio Romano". No obstante lo anterior, en el mismo prólogo Febrero insiste en que sus comentarios, además de las leyes patrias y de los autores nacionales, están "sacados" de disposiciones "Reales, Civiles y Canónicas, y de sus Expositores". Febrero publicó en tres tomos la primera parte de su obra en 1769 con el título de *Librería de Escribanos e Instrucción Jurídica Teórico Práctica de principiantes,* en donde trató solamente de los testamentos y contratos. Años después (la edición que conozco es la publicada de 1789 a 1790) dio a luz *Los Cinco Juicios de Inventario y Partición de Bienes, Ordinario, Ejecutivo y de Concurso y Prelación de Acreedores,* dividida en tres libros que forman cuatro tomos.

La obra de Febrero fue recibida con gran aceptación pública por su "fino criterio" y "solidez de razones" "que honrarían a un jurisconsulto profundo y que no eran de esperar en un simple notario de reinos" (Reseña Crítica de las Varias Ediciones y Reformas de Febrero, inserta en el *Febrero de Goyena*). Suele atribuirse parte del mérito de la obra al Magistrado don Pedro Rodríguez Campomanes, Fiscal a la sazón del Real y Supremo Consejo de Cámara de Castilla, quien auxilió a Febrero en la composición de su obra con su consejo "y tal vez con su pluma" (*ídem*).

El prólogo de la obra original de Febrero puede consultarse en el *Febrero Adicionado* de 1806. En él explica el autor los motivos y la forma en que realizó su trabajo.

En el año de 1801, don José Marcos Gutiérrez publicó una nueva edición con el nombre de *Librería de Escribanos, Abogados y Jueces* reformada en su lenguaje, estilo, método y muchas de sus doctrinas, ilustrándola y enriqueciéndola con varias notas y adiciones, para que la que se han tenido presentes las Reales Ordenes más modernas.

Al principio de la obra, Gutiérrez dedica un amplio prólogo a resaltar los defectos del original y las grandes ventajas obtenidas al reformarlo.

Para el *reformador,* en las ediciones anteriores de la *Librería* se emplea un método defectuoso, "o por mejor decir, Febrero no ha seguido ningún método. Ni hay orden en los capítulos, ni en los párrafos, ni a veces en los números, cláusulas, ni oraciones, de suerte que las materias y las especies parecen colocadas por casualidad, o según han ido ocurriendo a la imaginación" (pág. III).

Al lado de tan severo cargo, Gutiérrez añade que en la obra original "también se advierten no pocos defectos en el lenguaje y estilo" (pág. III) que han inducido a los Escribanos y Profesores de Jurisprudencia que emplean la obra, a usar un lenguaje bastante obscuro e impropio y "aún chabacano y grosero" (pág. VI) de modo que "causa risa y fastidio leer sus escritos" (pág. VI).

Como si fuera poco lo antes asentado, don José Marcos Gutiérrez censura la inclusión de innumerables citas que considera inútiles. "Al parecer Febrero —afirma el *reformador*— se dejó llevar del envejecido prurito de ostentar grande lectura, erudición, y manejo de los cuerpos del Derecho y de los autores de Jurisprudencia. Así vemos su librería atestada de citas de leyes romanas y canónicas, aun cuando apoye enteramente sus proposiciones en otras nuestras" (pág. IX). Parece así que Gutiérrez se hace eco de las críticas, entonces tan en boga, externadas por Mora y Jaraba y Juan Francisco de Castro, que consideran las largas retahílas de leyes y autores propias de molestos reclamadores o vocingleros que apoyan la justicia de sus clientes en un molesto amontonamiento de autoridades, burlándose a cada paso del espíritu de las leyes con dar más peso a los caprichos de unos necios y bárbaros intérpretes.

Purgada de sus defectos, reformada y mejorada la *Librería de Escribanos,* a cuyo título podría sustituirse el de *Librería de Derecho Español Para Toda Clase de Personas* quedaría como "la obra de jurisprudencia española, entre todas cuantas tenemos, que más puede instruirnos y en menos tiempo, y la única de que pueden valerse nuestros compatriotas para cumplir con un importantísimo precepto de nuestras leyes, que impone a todos, fuera de la mujer, del menor pastor y simple labrador o aldeano, la obligación de saberlas, prohibiendo que se les admita su ignorancia por excusa"[CLXV]

Años más tarde, en 1806 (?), una nueva edición de la obra de Febrero vio la luz, también en Madrid, esta vez con el nombre de *Febrero Adicionado,* o *Librerías de Escribanos, Instrucción Teórico Práctica para Principiantes,*

[CLXV] El autor no precisó esta cita.

"corregida y notablemente mejorada con muchas notas y apéndices que ilustran algunos puntos interesantes, y las reales cédulas últimamente publicadas relativas a las materias que se tratan".

Los autores de esta nueva publicación de la *Librería* conservaron el anonimato, pero años más tarde, en 1825 al reeditarse la obra, salió firmada por don Miguel Aznar, abogado del Ilustre Colegio de Madrid, y declarándose en el tomo cuarto de la misma, haber tenido participación en ella don Diego Notario, abogado de los Reales Consejos y relator de la Junta de Comercio y Moneda.

En el prólogo de esta edición de hace severa crítica a la reforma de Gutiérrez, defendiendo la obra original contra los cargos que le habían sido formulados por su *reformador*. Con vehemencia, Aznar y Notario censuran a Gutiérrez las reformas introducidas, cuestionando el derecho de *desfigurar* los textos originales usando al mismo tiempo el nombre de Febrero, sus doctrinas, y el prestigio que había alcanzado en el foro. ¿Por qué no hizo Gutiérrez una obra propia, si tan inconvenientes le resultaban las opiniones de Febrero? ¿Por qué mutilar los argumentos del autor original? ¿Habría que temer, dice Aznar, que pronto Gutiérrez publicará un Homero reformado, un Tulio reformado, las Partidas reformadas, un Marina reformado y hasta una Biblia y los Evangelios reformados?, se puede contradecir una obra, se le puede ilustrar, pero se respeta la integridad de la misma. Mutilar el texto de Febrero equivale a taparle la boca y ahogarle la voz, para que no hable y nadie lo oiga. Esto no es justo, tanto más cuanto se aprovechan sin ningún recato sus trabajos.

Aznar y Notario dedican largas páginas a defender las opiniones de Febrero de las acerbas críticas de su reformador, y en especial se muestran inconformes con la supresión de las citas del Derecho Romano que ilustran las razones expuestas en el original. "Nada fomenta más la ignorancia, y nada hay más que consuele al ignorante, que la inutilidad que él se imagina de lo que otros saben y estudian, y el ignora. O no ha de haber citas en los libros de jurisprudencia, salvo la de las leyes patrias o las leyes romanas han de ir las primeras, aún antes, en casi todas las cuestiones, que las de nuestros intérpretes. Estos, lo mismo que los intérpretes ultramontanos, no son más por lo común que comentadores de ellas. Si explican alguna ley nacional, dan principio alegando la Ley Romana, concordante u análoga; si no hay ley patria, sus resoluciones se fundan también en la ley Romana, o expresa, o semejante, o que tenga afinidad, bien o mal traída. ¿No estará más bien establecida la resolución con la autoridad del maestro, que con la del discípulo? ¿A que dar preferencia al señor Covarrubias, a Gómez y a otros, cuando su decisión es una Ley Romana, o un texto canónico, o una opinión de Bartolo, o Jacobo de Vellosillo, u otro antiguo comentador? ¿Para que andar por rodeos? Basta que en su aplicación, en su interpretación, o cuando no hay texto expreso, luzca su juicio y talento y adquiera un lugar respetable"[CLXVI]

Aznar y Notario concluyen su extenso prólogo (78 páginas) afirmando que "las obras literarias se compendian, se extractan o se adicionan, ilustran o refutan, pero no se reforma" (pág. LXXVII) y por ende ellos se han limitado, al presentar nuevamente la obra de Febrero, conservando en todo lo posible la integridad del original, variando solo a veces "algunos períodos en obsequio de la claridad", rectificando alguna cita de leyes y doctrinas, "restituyéndolas bien sus palabras, o su genuina inteligencia" (*ibídem*) sustituyendo "algunas definiciones, con otras tomadas de las leyes mismas, que sin duda con más propias y exactas" (*ibídem*) agregando *Apéndices* con notas necesarias para ilustrar varios puntos, con las Cédulas y órdenes Reales "que dicen relación con las materias"; y con otras materias de especial interés tales como el arrendamiento de yerbas y pastos, el contrato de fletamento, el de seguro, a las sociedades y compañías de comercio y a las letras de cambio.[CLXVII]

Gutiérrez en las posteriores ediciones de su obra se defiende de las impugnaciones de Aznar y Notario refutando sus cargos en una "Apología del *Febrero Reformado y Anotado* contra la Impugnación de esta obra hecha en el prólogo del tomo primero del *Febrero Adicionado*, según se le intitula" (135 páginas).

Se inicia así una rivalidad, mantenida durante más de veinte años (1806-1829) entre el *Febrero Reformado* de don José Marcos Gutiérrez y el *Febrero Adicionado* de y don Miguel Aznar y don Diego Notario. Con esos nombres se suelen designar al citarlos las obras indicadas, que como hemos visto difieren en sus enseñanzas y en su estructura.

En 1828 apareció en Valencia, la nueva reforma de la obra de Febrero, debida esta vez a la pluma de don Eugenio de Tapia, con el título de *Febre-*

CLXVI   El autor no precisó esta cita.
CLXVII   El autor no precisó esta cita.

ro Novísimo, o *Librería de Jueces, Abogados, Escribanos y Médicos Legistas* refundida, ordenada bajo nuevo método y adicionada con un Tratado del Juicio Criminal y algunos otros. En ella se refundió la obra de Febrero "bajo un nuevo y acertado método". Dividióse la obra en tres libros, conforme a los tres objetos del derecho, personas, cosas y acciones o procedimientos, entresacándose de la librería de escribanos las doctrinas y las disposiciones que versan sobre cada una de estas materias para insertarlas en el libro y lugar respectivo. Adicionándose, según había efectuado el señor Gutiérrez, con el juicio criminal, las apelaciones, recursos de súplica, etc., completose el tratado de jurisprudencia mercantil con arreglo a las ordenanzas de Bilbao; adoptáronse varias notas de las ediciones anteriores y se insertaron diversos apéndices sobre el juicio criminal y otras materias. La obra de don Eugenio de Tapia, se ajusta más a las opiniones de Gutiérrez que a las de Aznar y Notario, no obstante, a veces "se siguen con sobrada escrupulosidad las opiniones de Febrero" fieles a los textos del Derecho Romano y contradictorias a las disposiciones del Derecho Real.

A la edición de 1828 se sucedieron varias otras en las que el mismo don Eugenio de Tapia incluyó los cambios habidos en la legislación española hasta 1845 fecha en la que apareció la última edición de esta obra, conocida en el foro con el nombre de *Febrero de Tapia*.

En el año de 1841 los señores don Florencio García Goyena y don Joaquín Aguirre escribieron una nueva adaptación del libro de Febrero con el título de *Febrero, o Librería de Jueces, Abogados y Escribanos, comprensiva de los códigos civil, criminal, administrativo, tanto en parte teórica como en la práctica con arreglo en un todo a la legislación hoy vigente*, la cual fue corregida y aumentada en 1845 y 1847 por don Joaquín Aguirre y don Juan Manuel de Montalbán y reformada y considerablemente aumentada en el año de 1852 por don José de Vicente Caravantes. A esta nueva obra suele llamársele *Febrero de Goyena*.

Aprovechando la reforma de don Eugenio de Tapia, ampliamente difundida en México y de la que Mariano Galván Rivera había hecho una reimpresión en México el año de 1831, don Anastasio de la Pascua publicó en México, el año de 1834 su *Febrero Mexicano*, en la que se adiciona el *Febrero de Tapia*, con las disposiciones de los Códigos Nacionales hasta esa fecha.

Esta obra suele designarse dentro de nuestra literatura jurídica con el *Febrero de Pascua*, y su influencia es notable en las obras mexicanas posteriores.

Con base en el *Febrero de Pascua,* don Mariano Galván Rivera dio a estampa, en 1850 un *Nuevo Febrero Mexicano,* al que suele designarse con el nombre de *Febrero de Galván,* aludiendo al editor. En algunas obras posteriores suele también llamarse al "*Febrero de Galván* con el nombre de *Novísimo Febrero Mexicano* (v. gr., en la Curia Filípica Mexicana, el *Novísimo Escribano Instruído,* y en la lista de obras que se expenden en la librería de Maillefert que aparece al final de la *Práctica Forense* de Roa Bárcena. Gomis Soler y Muñoz, t. I, de su Derecho Civil, hablan de un *Novísimo Febrero Mexicano de Zarco Galván,* que no conozco)".

El *Febrero de Goyena* fue utilizado por don Francisco de P. Ruanova en sus *Lecciones.*

Atenta la exposición anterior sobre las diferentes ediciones del libro de don Francisco Tomás y Valiente, para quien "el *Febrero* vino a convertirse en una especie de recopilación doctrinal, confusa y creciente, en la que se yuxtaponían partes dedicadas al estudio de textos legales antiguos, aunque vigentes, con otras dedicadas a analizar leyes ya derogadas, otras comentando disposiciones de muy reciente promulgación, y páginas destinadas al adoctrinamiento práctico de los profesionales del foro por medio de formularios. El interés de *Febrero* no está —dice Tomás y Valiente— en la calidad de su contenido, por lo demás no desdeñable, sino en que constituye un reflejo de la convivencia entre el Derecho viejo y el Derecho nuevo desde el punto de vista doctrinal y también en que es el más destacado ejemplo de la supervivencia en pleno siglo XIX de uno de los modos de hacer ciencia jurídica carentes de estilo nuevo, de empuje teórico".[CLXVIII]

Con cuánta razón habría podido decir don José Febrero, tal y como lo supone Aznar y Notario: ¿Cuántos Febreros ha habido en el mundo? Ha habido más que uno, y ese soy yo, que sea Autor de la Librería de Escribanos ¿Cuántas personas se quieren poner en mi única naturaleza? No siendo yo más que uno, y quizá ni aun medio, se me han hecho dos (porque se habla de varios *Febreros*), pues que, ¿puedo yo ser de nadie, sino de mí mismo, y de Dios que me crió?

[CLXVIII] Tomás y Valiente, Francisco, op.cit., p. 620.

Reseña del libro Apuntes de Derecho civil, tercer curso, *de Ramón Sánchez Medal*

[Publicado originalmente en el número 5 (1973) de *Jurídica*. Anuario del Departamento de Derecho de la Universidad iberoamericana.]

En edición mimeográfica con carácter provisional, y con el depósito manifiesto de servir como guía a sus alumnos de la Escuela Libre de Derecho de esta Ciudad, el profesor Ramón Sánchez Medal ha publicado sus apuntes de clase del tercer curso de Derecho civil relativo a los "Contratos en particular".

Con la modestia propia del hombre de ciencia, el profesor Sánchez Medal explica en su "Presentación" que sus apuntes son "sólo notas o guías deshilvanadas que, con algunos retoques... sirven de orientación al exponer mis lecciones de clase". Sin embargo, un juicio imparcial, sin la obligada modestia del autor, nos lleva a la conclusión que la obra de Sánchez Medal es de gran mérito y que impulsa en mucho la doctrina nacional en la materia.

La aportación personal que en estos apuntes se contiene es de gran valor. Revela la sólida formación académica de su autor y pone de manifiesto la experiencia profesional que por más de veinticinco años ha acumulado el profesor Sánchez Medal como litigante. En efecto, el manejo de la doctrina y la aplicación de ella por nuestros tribunales están presentes a través de las explicaciones con que ilustra a sus alumnos el profesor de la Escuela Libre de Derecho. Difícilmente se encuentra dentro de la literatura jurídica nacional una obra en la que se maneje, con la maestría de Sánchez Medal, la doctrina mexicana y extranjera y al mismo tiempo se informe de la asimilación de ella por los jueces.

Puede afirmarse, sin lugar a duda, que desde el año 1947 en el que aparecieron los Apuntes de cátedra del doctor Francisco Lozano Noriega, no se había publicado en México ninguna obra que representara un avance tan importante, en materia de contratos, como el que significa la de Ramón Sánchez Medal. Es de desearse que en breve plazo sean publicados, ya como libro, estas notas, revisadas y complementadas por el autor, con referencias y citas bibliográficas y con una presentación más adecuada a su contenido.

La obra que reseñamos está dividida en tres partes, la primera destinada a la exposición de la "Teoría general de contrato", la segunda al análisis de los "contratos en especial" y la tercera al estudio del "Registro Público de la Propiedad".

Al exponer la "Teoría general del contrato" el profesor Sánchez Medal aborda temas de interés crucial tales como la libertad en el contrato, el dirigismo contractual, el Estado y el contrato y el principio de la autonomía de la voluntad, ilustrando sus explicaciones no sólo con la doctrina extranjera más reciente sino también con la aplicación que estos conceptos han tenido en nuestro derecho positivo. Analiza también en esta parte, los elementos de existencia y los requisitos de validez, incluyendo el estudio de la "legitimación" como requisito de "eficacia", siguiendo en esto las orientaciones de autores italianos tales como Trabucchi y Messineo. Al explicar el objeto en los contratos y consecuentemente las obligaciones que se derivan de ellos, distingue entre las "obligaciones de medios" y las "obligaciones de resultados" que, discernidas claramente en el derecho extranjero, no son sin embargo diferenciadas por la generalidad de los tratadistas nacionales.

La interpretación de los contratos, sus efectos, su fuerza obligatoria y las diferentes clasificaciones que de ellos se han hecho, ocupan la atención de Sánchez Medal en esta primera parte de su obra. A propósito de los contratos bilaterales o sinalagmáticos, en la obra que reseñamos se acepta la tesis de Trabucchi que distingue entre el "vínculo sinalagmático genético" y el "vínculo sinalagmático funcional", distinción que al estudiar los contratos en especial aplica a los efectos que producen estas dos clases de sinalagma.

Concluye la primera parte de la obra con los modos de terminación del contrato y con los casos de frustración de este.

Una vez explicada la teoría general del contrato y expuestos los puntos de vista del autor sobre la temática común y de aplicación general a todos ellos. Sánchez Medal comprende la parte medular de su trabajo: el análisis de los diferentes contratos en especial. En la obra que comentamos se estudian el contrato preparatorio, la compraventa y sus modalidades (a las que divide en modalidades del consentimiento y del objeto), la permuta, la donación, el mutuo, el arrendamiento, el comodato, el depósito, el mandato, la prestación de servicios profesionales, el contrato de obra a precio alzado, el transporte, el hospedaje, la asociación civil, la sociedad civil, la aparcería, los contratos aleatorios (en especial juego y apuesta y renta vitalicia), la fianza, la prenda, la hipoteca, la transacción, el contrato de compromiso y por último los contratos innominados o atípicos.

La enumeración de los contratos elaborada por Sánchez Medal, pone de relieve el interés desarrollado por el autor para tratar la mayoría de los contratos regulados por nuestras leyes y el hecho poco común de incluir en sus lecciones de estudio de los no regulados en forma expresa.

Excedería con mucho los límites de esta nota el comentar, pormenorizadamente, todas las interesantes opiniones y puntos de vista del profesor Sánchez Medal a propósito de los contratos que analiza y por eso nos limitamos a reseñar el método con que expone sus principios.

Apartándose del sistema tradicional en México, que realiza el estudio de los contratos en particular exponiendo su concepto, sus notas esenciales, su clasificación, sus elementos de existencia, sus requisitos de validez, sus efectos, su terminación y sus particularidades, Sánchez Medal, siguiendo a la doctrina española (en especial Federico de Castro y José Castán Tobeñas) emprende su estudio señalando en cada contrato especial: su definición, su clasificación, su historia, su distinción con figuras afines, sus especies, sus elementos personales, reales y formales, su contenido obligacional, su incumplimiento, su terminación y sus particularidades.

La obra concluye con el estudio del Registro Público de la Propiedad, haciendo notar sus objetivos, dando noticia de los diferentes sistemas registrales, explicando sus principios y clasificando las inscripciones. Esta última parte está concebida sólo como un complemento del curso y su exposición es una vista panorámica a los problemas registrales, de innegable utilidad si se tiene en cuenta que dentro de los programas de estudio de la carrera de licenciado en derecho generalmente no se incluye como materia obligatoria el estudio del Registro Público de la Propiedad.

Concluimos nuestra nota con la expresión de deseo ya manifestado. Esperamos ver pronto, con la forma de un libro, el trabajo del profesor

Ramón Sánchez Medal tan valioso y profundo, para que así pueda tener la difusión que merece y que la edición mimeográfica que reseñamos le impide.[CLXIX]

[CLXIX] Estos apuntes fueron la base para el libro "De los Contratos Civiles" del maestro Sánchez Medal, publicado en 1976. Actualmente tiene 25 ediciones y 2 reimpresiones.

Prefacio a Historia de la escribanía en la nueva España y del notariado en México *de Bernardo Pérez Fernández del Castillo*

[Publicado originalmente en *Historia de la Escribanía en la Nueva España y del Notariado en México*, Colegio de Notarios del Distrito Federal, 2da. Ed., 1988.]

Hace ya varios años que uno de los más destacados profesores mexicanos de historia del derecho, don Toribio Esquivel Obregón, puso de relieve la importancia de los estudios históricos jurídicos, afirmando su indudable valor para la formación del criterio que ha de servir como sustento al auténtico jurista.

La historia de las instituciones revela muchas veces la causa de las leyes vigentes, que sin ese antecedente pueden aparecer como el sólo producto de la mente del legislador, incontrolada por la realidad, como un mundo de abstracciones y de meras creaciones mentales, independientes de toda objetividad.

No es vano que una escuela de jurisconsultos, encabezada por un genial autor, Federico Carlos von Savigny, haya sostenido, tal vez con exceso, que el derecho es producto de la historia y que un ilustre romanista, inolvidable por su certero análisis de la historia de la legislación romana y por su explicación histórica de las instituciones del emperador Justiniano, Ortolán, haya afirmado que todo jurisconsulto debería ser historiador.

La historia de nuestras leyes, de las que eran nuestras, es decir, de las que eran la consecuencia lógica de nuestra propia naturaleza, no sólo es un paso en pro de la aplicación de la ley de la casualidad en el campo jurídico, sino una labor inspirada en el más puro patriotismo, para reivindicar el honor de lo nuestro.

Las raíces de una institución la nutren, la vigorizan y la sostienen, haciendo que por su presencia secular forme parte de la cultura de un pueblo.

Tal vez sea el notariado una de las instituciones jurídicas actuales que con mayor profundidad están enraizadas en el pasado. Desde los tiempos más remotos se encuentran vestigios de su presencia, que revelan hasta qué punto han sido necesarios en toda sociedad los encargados de dejar una constancia fehaciente del acontecer jurídico, de los tratos entre los particulares, y muchas veces, de los hechos que han formado la historia.

Es por esto que la obra que hoy nos presenta Bernardo Pérez Fernández del Castillo reviste un particular interés. En ella encontramos la reseña de la evolución del notariado desde sus más remotos orígenes europeos y americanos hasta nuestros días. Entre las fuentes europeas el autor destaca las menciones contenidas en el Corpus Iuris Civilis y en especial en la glosa medieval de Rolandino Passaggeri, la célebre Aurora, punto seguro de partida en los estudios notariales. Los orígenes americanos del notariado los encuentra el profesor Pérez Fernández del Castillo en los tlacuilos, a quienes "la práctica en la redacción de contratos, relación de hechos y sus conocimientos legales, los habilitaba para confeccionar documentos y asesorar a los contratantes cuando se necesitaba concertar una operación".

Al consumarse la conquista, en el siglo XVI, se aplican en el territorio de la Nueva España las leyes castellanas y entre ellas las Siete Partidas, el Ordenamiento de Alcalá, las Leyes de Toro y más tarde las recopilaciones de Castilla, así como las disposiciones dictadas exprofeso para la América Española, que constituyen las Leyes de Indias. Durante tres siglos hubieron de aplicarse en nuestro territorio estas leyes, que con el tiempo formaron parte de la cultura nacional y de nuestra tradición jurídica.

Particularmente interesante es el estudio que Bernardo Pérez Fernández del Castillo realiza de los protocolos existentes en el Archivo General de Notarías, en donde figuran como los más antiguos, los usados en el siglo XVI por don Juan Fernández del Castillo, tal vez remoto antepasado de nuestro autor. "A través del estudio de los protocolos antiguos, afirma Pérez Fernández del Castillo, los investigadores han dado valiosas aportaciones en el campo del saber humano".

Los registros notariales proporcionan datos biográficos de personajes, genealogía, lugar de origen, estado civil, ocupación, acontecimientos y circunstancias que los rodearon. El estudio de estos instrumentos nos permite colocarnos espacio y temporalmente, como si fuésemos testigos presenciales, lo que nos da elementos para analizar críticamente el pasado. Especial importancia tienen los testamentos en donde los testadores declaraban y hacían asentar datos que de otra forma hubiesen permanecido ocultos.

Los filólogos, al revisar los protocolos, observan claramente la evolución del lenguaje; analizan el significado que tenían las palabras en otras épocas y su transformación; el estilo y sintaxis de los textos; signos, abreviaturas, caligrafía, etcétera.

El economista obtiene información sobre la circulación y distribución de la riqueza, el intercambio de bienes y servicios; valor de las construcciones; cuáles eran las instituciones y organizaciones sociales económicamente activas; tipo de instituciones que congelaban o activaban la economía; circulación y respaldo de la moneda, etcétera.

El sociólogo encuentra datos sobre la forma de organización de la familia y la sociedad; el mayorazgo, la esclavitud y los contratos de trabajo; órganos de poder y medios de presión política, etcétera.

En el aspecto jurídico, el aprovechamiento es considerable. El investigador logra saber cómo se aplicaba el Derecho indiano y las leyes castellanas en la Nueva España; cómo funcionaban las instituciones administrativas y judiciales; cuáles eran las leyes aplicables en las épocas de la Colonia e Independencia; evolución de los contratos, en cuanto a la forma del consentimiento, objeto, causa de invalidez, capacidad de las partes; instituciones que existían y que actualmente son anacrónicas, pero que sirvieron de antecedentes a las contemporáneas, por ejemplo, censos, anticresis, dote, etcétera.

Con acuciosidad se examinan en la obra de Bernardo Pérez Fernández del Castillo las disposiciones que reglamentaron al notariado después de la independencia; primero en forma incidental y fragmentaria, y después orgánicamente, sujetándolo a las disposiciones de las leyes expedidas para el arreglo de la administración de la justicia, particularmente la del 16 de diciembre de 1853 dictada por el gobierno del general Santa Anna y la de 29 de noviembre de 1858 promulgada durante la administración del presidente Zuloaga.

A nadie se oculta la precaria situación y las graves deficiencias que durante los primeros años que siguieron a la independencia afligieron a todos los curiales y entre ellos a los escribanos. La lectura de las Memorias presentadas por los ministros de Justicia al Congreso de la Unión, nos pone de relieve la difícil situación por la que atravesó el notariado en esa época. Desde la primera, presentada por don Pablo de la Llave en el año de 1822, hasta la que en 1867 entregó don Antonio Martínez de Castro, contienen un constante lamento del estado en el que se encontraban los escribanos. Sólo al expedirse la Ley Orgánica de Notarios y Actuarios del Distrito Federal de 29 de diciembre de 1867, se puso fin a tan impropia situación que Martínez de Castro describió certeramente en esta forma:

> No se había cuidado de darles a los escribanos la menor instrucción y se había permitido imprudentemente que adoptara esa carrera todo el que quería, sin más requisito que el de haber estado cierto tiempo de dependiente de algún escribano, trayendo y llevando autos o sirviendo de amanuense en el protocolo. Si a pesar de esto hay algunos escribanos verdaderamente instruidos, es porque ellos mismos se han formado, pero son muchos los que carecen de esa circunstancia, tan necesaria como la de honradez para el desempeño de su honorífica, respetable y delicada profesión.

Efectivamente, es con la Ley de 1867 cuando en verdad se inicia el proceso de dignificación del notariado. Aun cuando en la ley orgánica del notariado y del oficio de Escribano de 30 de diciembre de 1865 el emperador Maximiliano sentó bases para un correcto ejercicio de la función notarial, su efímera vigencia y las difíciles condiciones políticas y sociales del momento impidieron ver logrados los fines perseguidos en ella y no es hasta 1867, una vez restaurada la República, cuando en forma definitiva se aborda, con criterios acertados, la reglamentación del notariado. La acción de la Ley del presidente Juárez quedó complementada con la expedición, casi simultánea, de la Ley de instrucción pública del Distrito Federal de 2 de diciembre de 1867, que señaló los estudios que deberían cursar los escribanos para poder desempeñar el cargo, dando así mayor seguridad sobre su competencia y preparación. Las leyes posteriores, de 19 de diciembre de 1901, 9 de enero de 1932 y 31 de diciembre de 1945, continuaron en proceso. Deben destacarse: la Ley de 1901 que exigió el título de abogado para poder ejercer el notariado, y la última de las señaladas, la de 1945 que al establecer el sistema de oposición como único medio de acceso al notariado aseguró eficientemente el buen nivel de los conocimientos con que debe contar el notario y terminó con las corruptelas que en la práctica permitían la venta o herencia de las notarías.

El análisis, somero y claro de estas leyes, así como de la que actualmente está en vigor, del 8 de enero de 1980, lo realiza Bernardo Pérez Fernández del Castillo en las páginas de la obra que prologamos. El estudio constituye una nueva versión, amplia, refundida y mejorada, de las notas que en el año de 1979 publicó el autor bajo los auspicios de la Asociación Nacional del Notariado Mexicano, A.C., y que obtuvieron en su fecha una muy favorable acogida del notariado nacional e internacional, al presentarse en las reuniones celebradas en la ciudad de Querétaro y en la república de Guatemala.

Significa la obra un importante avance para el estudio de la historia del notariado mexicano, a la que han dedicado esfuerzos fructíferos en otras ocasiones: don Felipe Carrasco Zanini, en 1929, al publicar su *Ensayo histórico del notariado;* don Francisco Vázquez Pérez y don Mario Monroy Estrada en 1962, con su *Ensayo sobre el notariado mexicano;* don Luis Carral y de Teresa, en 1965, al salir a la luz la primera edición de su *Derecho Notarial y Derecho registral;* y un numeroso y destacado grupo de notarios que con conocimientos y precisión informaron sobre la evolución del notariado en los diversos estados que integran la Federación, al celebrarse el año de 1962 en la ciudad de Puebla, el Cuarto Congreso Nacional del Notariado Mexicano.

No quiero terminar estas líneas introductorias sin decir siquiera unas cuantas palabras sobre el autor.

Bernardo Pérez Fernández del Castillo reúne en su persona los atributos del notario y del historiador, heredados ambos de sus ancestros. Por la línea paterna es hijo y nieto de notarios y por la materna, nieto de don Francisco Fernández del Castillo, a quien tanto debe la investigación histórica. Preocupado desde hace varios años por las materias histórico-jurídicas ha publicado: *Apuntes para la historia del notariado en México, Los documentos notariales del Archivo de Notarías como fuente de investigación histórica* y *Apuntes para la historia del Registro Público de la Propiedad.* Su inquietud por los temas jurídicos, en especial notariales, lo han llevado a escribir numerosos ensayos, entre los que destacan: *Las capitulaciones matrimoniales y su inscripción en el Registro Público de la Propiedad, La transmisión de propiedad en el contrato de compraventa, Aspectos jurídicos y civiles de la tarjeta de crédito, La forma en los actos jurídicos y en los contratos, Responsabilidad notarial, El examen de oposición como forma de ingreso al notariado* y, *¿Es el Estado o el presidente de la República el titular de la fe pública* *notarial?*, y sobre todo su *Derecho notarial* publicado en 1981, única obra que comenta, íntegramente, las disposiciones de la Ley del Notariado actualmente vigente en el Distrito Federal.

Asombra la tenacidad con que acomete la labor académica sin que sea obstáculo para ello el agobiante trabajo de la notaría. Sin menoscabo de su desempeño profesional, celosamente cumplido con probidad y eficiencia, se da tiempo para desarrollar una incansable actividad docente y de investigación. Su servicio en la cátedra y su participación constante en las reuniones y congresos, nacionales e internacionales, celebrados por el notariado, le han dado una amplia reputación, y sus estudios y comentarios son siempre recibidos con interés en el medio notarial. Pero entre todas sus virtudes destaca, inigualable, su calidad humana, que se trasluce en un deseo de servicio poco común, en una lealtad inquebrantable y en una amistad cordial, sincera y comprensiva, de la que nos enorgullecemos todos lo que tenemos la fortuna de ser sus amigos.

Prólogo al libro Derecho civil: parte general, *de Jorge Alfredo Domínguez Martínez*

[Publicado originalmente en Domínguez Martínez, Jorge, *Derecho civil: parte general, personas, cosas, negocio jurídico e invalidez*, México, Porrúa, 1989.]

Tiene el lector ante sus ojos un nuevo libro de Derecho civil. Un libro escrito para los estudiantes que por primera vez abordan los temas de esta disciplina, básica para la formación de un verdadero jurista. No contiene todo el Derecho civil, sólo la parte que, conforme al plan de estudios vigente en la Facultad de Derecho de la Universidad Nacional Autónoma de México, y en otras universidades del país, constituye el objeto del primer curso. Pero no siendo todo el Derecho civil, sí comprende en sus páginas temas de capital importancia en la materia, expuestos en forma sucinta, pero no superficial. Se ocupa el doctor Domínguez, en primer término, del concepto mismo del Derecho civil, de su evolución histórica y de su contenido actual, mostrándose partidario de una concepción orgánica que incluya en su ámbito al Derecho de familia y rechazando, con acierto, las teorías disgregadoras que pretenden hacer de este último una rama separada y autónoma.

Prosigue el autor tratando los temas relativos a la teoría de la ley, contenidos en las disposiciones preliminares del código civil, que junto con otras materias dan al Derecho civil su dimensión de derecho común. Se ocupa así de la forma y contenido de la ley, de su vigencia y obligatoriedad, de su ámbito de aplicación temporal y espacial, y de su interpretación.

En la segunda parte atiende el doctor Domínguez al derecho de la persona, tema central de la materia. En el estudio de la persona se encuentra el eje sobre el que gira el contenido de la disciplina. No es casual que los civilistas contemporáneos tomen el concepto de persona como sustento para difundir el Derecho civil. Frente a definiciones meramente descriptivas, por otra parte tan usuales, que pretenden dar un concepto de la materia enumerando de manera más o menos inconexa los temas que tradicionalmente la componen, surge el intento de elaborar una definición sintética que llegue a la raíz y que encuentre el concepto que sirva para aglutinar su contenido. Este concepto es, sin duda, el de persona; de él se deriva la regularización de su estructura orgánica, de los derechos que le corresponden como tal, y de las relaciones derivadas de su integración en la familia y de ser sujeto de un patrimonio dentro de la comunidad, como acertadamente lo ha hecho notar Antonio Hernández Gil.

Es claro que la noción de persona es anterior a la de derecho. El ser persona no es una concesión del ordenamiento jurídico; no se es persona en cuanto se tiene capacidad jurídica; se ostenta capacidad en cuanto se es persona, pero la prioridad de la persona respecto del derecho no trae como consecuencia que quede fuera de la ordenación jurídica, si no que ésta ha de plegarse a algo que existe con validez objetiva anterior.

El primer encuentro, el encuentro primordial del derecho con la persona, se da precisamente en el Derecho civil. El Derecho civil es, en síntesis, el derecho potencial de la persona, de toda persona, de cualquier persona, sin atributos limitativos que la contemplen dentro de un ámbito de su actividad, y por lo mismo aplicable a todos y, en principio, a todas las relaciones humanas. De ahí que el Derecho civil sea, al mismo tiempo que el derecho de la persona, el derecho común, el derecho que organiza lo que Federico de Castro ha llamado certeramente "la vida íntima de una nación".

Se ocupa el doctor Domínguez de las personas físicas, de sus atributos, y de los derechos de la personalidad, tema a todas luces importante en una época, como la nuestra, tan inclinada al materialismo. Trata también el autor de las personas morales, entes de creciente importancia en el derecho moderno.

Analiza con acertado criterio a los bienes, en su significado económico y jurídico, y determina el concepto de comerciabilidad con matices muchas veces inadvertidos por nuestros tratadistas. Se ocupa de la propiedad, de los medios para adquirirla, de su extensión y de sus formas especiales como la copropiedad y el régimen de propiedad y condominio en los inmuebles. Estudia las desmembraciones de la propiedad tales como el usufructo, el uso y la habitación, las servidumbres y los derechos de autor, para concluir el capítulo con el análisis de la posesión.

El último tema lo constituye la consideración del negocio jurídico, tema abordado ya por el autor, con notable acierto, en su tesis doctoral relacionándolo, en esa ocasión, con el fideicomiso y tratado hoy ya de manera general.

Debo admitir que aun cuando en punto de detalle conservo posiciones un tanto diferentes a las del doctor Jorge Domínguez, no puedo dejar de reconocer la fuerza de sus argumentos y la coherencia lógica con los que están expuestos. Un atractivo innegable es la forma de los conceptos que se contienen en esta obra.

Un libro de Derecho civil es un libro básico. Mucho más que otro que se ocupe de alguna de las ramas del derecho. Los temas del Derecho civil no pueden desconocerse cualquiera que sea la materia del conocimiento jurídico que se aborde, porque necesariamente al analizar los problemas que plantean las ramas habrá que llegar al tronco.

El libro que prologamos es, ya lo hemos dicho, un libro escrito para estudiantes, destinado ante todo a proporcionar lo indispensable para la comprensión de la materia. Claro, preciso, sintético, está orientado al aprendizaje de los conocimientos básicos que han de marcar indeleblemente la formación jurídica de los lectores.

Con razón Luis Diez Picazo nos llama la atención sobre la distinta influencia que ejerce sobre nosotros el derecho que se estudia y el que no se estudia en las Facultades. El primero constituye la base sobre la que reposa el resto. "Todos sabemos bien, escribe Díez Picazo, que sólo aquello que efectivamente estudiamos en la carrera se integró con nosotros formando un conglomerado con nuestra conciencia y que lo hemos conocido, después ha quedado sólo superficialmente adherido". De allí la importancia de los buenos maestros y de los buenos textos. Si lo aprendido es correcto, el alumno estará formado con un criterio sólido que le permitirá emprender su camino como jurista con una base firme sobre la que podrá acumular, sin perder orden y sistema, los nuevos conocimientos. Si el cimento es endeble, no resistirá el peso de lo que, con el tiempo, se le añada y producirá algo semejante a un derrumbe con una inevitable confusión de ideas incoherentes y desordenadas imposibles de ser armonizadas y encuadradas dentro de un esquema bien planteado.

La obra del doctor Domínguez cumple sobradamente con las cualidades de un buen texto y hace posible que de ella se obtengan los mejores frutos; pero no es sólo y nada más un buen texto, es un libro en el que no únicamente los estudiantes pueden encontrar utilidad. Aún quienes salidos de las aulas y ya en el ejercicio de la profesión deben enfrentar los problemas de interpretación que suscitan nuestras leyes, encontrarán en sus páginas una visión clara y adecuada de los temas que trata.

Un cambio en el plan de estudios produce en la doctrina un doble efecto: por una parte, disminuye la utilidad de los viejos libros de texto, escritos como ayuda para los estudiantes conforme al plan antiguo. Las opiniones de los autores y sus explicaciones sobre la materia no pierden valor y actualidad, pero su utilidad como texto se ve menguada por su falta de ajuste al nuevo plan. Muchas veces, para el estudio completo de una sola materia, se requiere la consulta de varios libros que la tratan parcialmente y en un orden distinto al exigido por el nuevo sistema escolar. Así, lenta y paulatinamente, las obras escritas conforme a la ordenación antigua pierden su popularidad entre estudiantes y maestros y pese a que muchas veces son de gran valor, se ven desplazadas por notas o apuntes tomados de la exposición oral de los profesores. Por otra parte, como compensación, el cambio impulsa la elaboración de nuevos textos ceñidos a las modificaciones y es ocasión propicia para la renovación de la doctrina, que replantea con nuevos enfoques los viejos problemas. Los profesores encuentran en el cambio un aliciente para escribir y para exponer en sus libros el resultado de sus investigaciones y de su pensamiento.

La historia de nuestra literatura jurídica demuestra hasta qué punto han estado ligadas la docencia y la investigación científica del derecho.

Desde el inicio del siglo XIX se percibe un vínculo entre las obras jurídicas y la enseñanza del derecho. Basta recordar las obras más representativas de nuestra literatura jurídica, en materia civil, para encontrar su relación con la enseñanza. La obra española de Juan Sala Bañuls, *Ilustración del derecho real de España,* fue "mexicanizada" adaptándola a nuestra realidad jurídica, primero por don Juan Wenceslao Sánchez de la Barquera en 1807, después en 1835 por don Antonio Fernández de Monjardín y más adelante, en 1858 complementada por el ilustre don José María de Lacunza, con unas notas escritas para el uso de sus alumnos en el Nacional Colegio de San Juan de Letrán. Debía esta obra servir como texto para la explicación del "derecho patrio" que los planes de estudio de 1835 a 1867 listaban en el *curriculum* de materias a cursar para la carrera del foro. Era labor de los profesores, utilizando esta obra, explicar "las diferencias cardinales que hay en cada materia entre el Derecho romano y el patrio".

Similar es el caso de las *Lecciones de Derecho civil* de Francisco de Paula Ruanova, publicadas en Puebla en el año de 1871 para sus alumnos del Seminario Palafoxiano, y el de las *Instituciones de Derecho civil según el código del Distrito Federal y Territorio de la Baja California* de Esteban Calva y Francisco de P. Segura, escritas entre 1874 y 1883 y adoptadas por la Junta del Profesores de la entonces Escuela Especial de Jurisprudencia, para la enseñanza del Derecho civil que establecían los planes de estudios de 1867, 1869 y 1889.

Ante la exigencia del plan de estudios de 1889, que requería el estudio de las "leyes civiles especiales", entendiendo por tales las no comprendidas dentro del cuerpo del código civil, Jacinto Pallares coordinó el trabajo de un grupo de sus alumnos dando a la luz pública la *Legislación federal complementaria del Derecho civil mexicano* en el año de 1897 que sirvió de texto para la materia impartida en la entonces Escuela Nacional de Jurisprudencia.

Tal vez los casos más notables de excepción para esta regla sean, en el siglo XIX los *Principios de Derecho civil mexicano* de Agustín Verdugo, publicados durante los años de 1885 a 1890, y los *Estudios sobre el código civil del Distrito Federal promulgado en 1870, con anotaciones relativas a las reformas introducidas por el código de 1884*, escritos por Manuel Mateos Alarcón de 1885 a 1900. Estas obras, constituyendo verdaderos *tratados* por su extensión y detalle, estaban más bien destinadas a la consulta de los letrados que al aprendizaje de los estudiantes. En los primeros años del siglo XX ocurre un movimiento que desplaza los textos mexicanos y los substituye por obras extranjeras, particularmente por el *Tratado elemental de Derecho civil* de Marcel Planiol, obra señalada en el plan de estudios de 1910 para servir de texto en los distintos cursos de Derecho civil. La promulgación del Código civil de 1928 contribuyó notablemente a un movimiento renovador, iniciando años antes en las aulas universitarias. Con la publicación del código los libros extranjeros, particularmente los franceses, resultaron insuficientes, dado el origen diverso de los preceptos del nuevo código. A diferencia de sus antecesores de 1870 y 1884 que en su gran mayoría reproducían preceptos del Código Napoleón o de "sus hijos" como el proyecto español de García Goyena de 1851, el Código italiano de 1865 o el Código portugués de 1867, el Código de 1828 incorporaba en sus disposiciones, además de las reglas heredadas del Derecho francés, textos provenientes del código alemán de 1900, del suizo de las obligaciones, del brasileño, del argentino y de otros códigos, leyes y proyectos recientes en esa época, tales como el Proyecto Franco-Italiano de Código de Obligaciones de 1927.

Las necesidades de apoyo a la enseñanza se veían mal cubiertas con la obra de Planiol y se colmaron entonces con la versión taquigráfica de las lecciones que los profesores impartían en esa época. Se inició el reinado de los "apuntes" que no habría de desaparecer sino hasta fines de la década de los cincuentas. Mucho se ha dicho, y con razón, en contra del sistema de "apuntes", defectos naturales de la exposición oral, lagunas, repeticiones, errores en la transcripción, infidelidades al pensamiento del autor y muchos otros vicios han sido señalados para censurarlos. Pero al lado de los defectos hay también en los "apuntes" mucho de bueno, mucho de originalidad, mucho de problemas bien plantados y bien resueltos.

Algunos "apuntes", por desgracia los menos, fueron la génesis de bien logados libros, pero hay que lamentar que las enseñanzas de muchos de los más destacados civilistas mexicanos de la primera mitad del siglo XX hayan quedado plasmadas sólo en estos apuntes que van quedando cada vez más en el olvido. Para medir el daño basta pensar en Gabriel García Rojas, Agustín García López, Manuel Gual Vidal, Roberto Cossío y Cosío, Francisco H. Ruíz, José de Jesús Ledesma Labastida, Onésimo Cepeda Villareal y en otros muchos juristas todos de muy altos quilates, de los que en obra escrita no conocemos sino aislados artículos publicados en las revistas jurídicas de la época y sus "apuntes" de clase editados en forma mecanográfica o mimeográfica, que el tiempo ha convertido en obras casi desconocidas.

Con justicia se destaca actualmente el movimiento iniciado en 1939 con la publicación de la *Teoría general de las obligaciones* de Manuel Borja Soriano y continuado por ilustres civilistas como Rafael Rojina Villegas, Francisco Lozano Noriega, Ignacio Galindo Garfias, Raúl Ortiz Urquidi, Ramón Sánchez Medal, Manuel Bejarano Sánchez, Miguel Ángel Zamora y Valencia, y muchos otros, que al escribir sus libros sobre las materias que imparten en la universidad proporcionan un firme apoyo para el estudio de sus alumnos. En este movimiento se inserta la obra que hoy prolongamos.

Con la obra que hoy sale a la luz da el doctor Jorge Alfredo Domínguez Martínez un paso más en su ascendente carrera de investigador iniciada hace ya varios años con su tesis doctoral *El fideicomiso ante la teoría general del negocio jurídico,* publicada por Editorial Porrúa, S.A., en 1972 y continuada con valiosos estudios sobre temas de Derecho civil, Derecho mercantil y Derecho fiscal, tales como: *Consideraciones en relación con derecho al dividendo en las sociedades anónimas* (publicando en "Jurídica, Anuario del Departamento de derecho de la Universidad Iberoamericana", núm. 7, julio de 1975); *Consideraciones en relación con el régimen fiscal actual aplicable al fideicomiso* (también publicadas en "Jurídica", núm. 9, julio de 1977); su estudio sobre los *Alcances de los certificados de participación para la titulación de inmuebles* (publicado en la "Memoria de la academia de Derecho notarial", tomo II, México, 1984); y en su brillante conferencia sobre *Algunos temas relacionados con la administración del condominio,* sustentada el año de 1978 en el auditorio del Instituto del Fondo Nacional de la Vivienda para los Trabajadores (INFONAVIT) y publicada, ese mismo año, por dicha institución.

No puedo pasar en silencio mi vieja amistad, mi aprecio y estima por el autor de la obra. Conocí a Jorge Alfredo Domínguez Martínez hace ya más de veinticinco años en las aulas de la Facultad de Derecho de la Universidad Nacional Autónoma de México en donde él cursaba la licenciatura. Un incidente escolar me puso de relieve su combatividad y su espíritu de justicia.[CLXX] Más tarde fue mi alumno en el curso de Derecho civil que yo impartía en el programa de Disciplinas jurídicas

---

[CLXX] Al preguntarle al doctor Domínguez Martínez sobre su trato con el maestro Borja, expresó lo siguiente:
La Ley del Notariado impone a quienes desempeñamos la función, conducirnos con probidad e imparcialidad en cuantas acciones llevamos a cabo en ese desempeño, sea en asesoría, en la redacción del instrumento, al examinar para aspirante y en oposición, en fin, la investidura que el orden legal nos ha impuesto trae consigo depositar en nosotros toda la confianza lo cual, si bien nos honra, al mismo tiempo nos impone la responsabilidad de desempeñarnos en todo proceder con probidad; con el máximo de cono-

básicas para el desempeño de la función notarial organizado por el Colegio de Notarios del Distrito Federal, entonces con el patrocinio de la división de Estudios Superiores de la Facultad de Derecho de la Universidad Nacional Autónoma de México. Desde entonces quedó sellada, para siempre una amistad nunca desmentida. Practicó en mi despacho el ejercicio de la notaría y el trato continuo me hizo testigo de su dedicación y amor al estudio. Lo he visto por largos años dedicado a la investigación jurídica y al ejercicio del notariado, con entusiasmo y vocación. Lo he visto servir con singular acierto sus cátedras en la Universidad Nacional Autónoma de México y en la Universidad Iberoamericana. Lo he visto actuar como notario con probidad, cuidado y dedicación ejemplares. He visto su empeño y tesón en la organización de los cursos para los aspirantes al notariado, y muchas veces he escuchado sus lecciones, siempre valiosas y profundas, en los cursos que ha impartido.

El volumen que hoy tenemos en las manos no es sino el resultado natural de los pacientes esfuerzos de muchos años, que paso a paso, ha venido sumando y orientando hacia metas precisas y bien logradas el doctor Jorge Alfredo Domínguez Martínez.

La literatura jurídica mexicana debe congratularse con la aparición de esta obra, llena de madurez y reflexión, que mucho beneficiará a los estudiantes y en general a todos lo que tenemos interés por el Derecho civil.

---

cimientos y de diligencia, así como con el mejor afán de servicio, porque dicho sea de paso, si no servimos, pues no servimos.

Tales cualidades eran innatas en la persona de Manuel Borja Martínez. Conocimientos; probidad; propensión a la ayuda y a la orientación intelectuales y profesionales; desinterés por lo material; imparcialidad a toda prueba; en fin, jurista ejemplar; académico ejemplar; notario ejemplar y amigo ejemplar.

Podría señalar varias vivencias, que me constan, las cuales ponen de manifiesto su proceder siempre imparcial; en todas con la honestidad y el apego a la ley por delante; la firma de una carta poder con los testigos presentes; el resultado de una auditoría fiscal federal practicada a él como contribuyente arrojó una diferencia de diez centavos (a su favor por cierto); su voto, que era y fue decisivo en un examen de oposición muy cerrado en el resultado para una notaría de la ciudad, a favor de quien su actitud en el examen había sido arrogante y antipática y no a favor de quien, por el contrario, había tenido un proceder tranquilo, sin ostentaciones, de manera que no obstante las características personales de los sustentantes, se inclinó tomando en cuenta solo los conocimientos y no otros factores; en fin, Manuel siempre con una actitud digna.

Índice de autores citados por Manuel Borja Martínez

Dada la importante, numerosa y a veces poco conocida bibliografía que el maestro Borja Martínez utilizaba, nos dimos a la tarea de preparar un índice de algunos de los autores citados, con una nota biográfica, para que el interesado pueda profundizar en los temas de su interés. La biblioteca del maestro Borja Martínez, fusionada con la de su abuelo Manuel Borja Soriano, fue donada al Instituto de Investigaciones Jurídicas de la UNAM.

Abarca Landero, Ricardo. Abogado mexicano. Es autor de *Algunos datos acerca de la subjetividad jurídica* y coautor de *Cooperación interamericana en los procedimientos civiles y mercantiles*

Aguilar Carvajal, Leopoldo. Jurista mexicano (Querétaro, 20 de julio de 1901-Ciudad de México, 9 de octubre de 1983). Catedrático universitario, autor de *Segundo curso de derecho civil* y *Contratos civiles*.

Aguilar Gutiérrez, Antonio. Abogado mexicano. Es autor de *Panorama de la legislación civil de México* (1960) y *Síntesis del derecho civil* (1966).

Adickes Franz Burchard, Ernst Friedrich. Jurista aleman. Autor de *Sobre la doctrina de las condiciones bajo la ley romana y actual: un trabajo preliminar para el Código Civil Alemán (1876)*.

Albaladejo, Manuel. Jurista español (Cartagena, Murcia, 24 de octubre de 1920-Madrid, 7 de abril de 2012). Impulsó el concepto de negocio jurídico en la doctrina española a través de la obra que lleva el mismo nombre.

Alguer y Micó, José. Abogado español (Madrid, 10 de marzo de 1900-Barcelona, 25 de agosto de 1937). Tradujo y anotó, en mancuerna con Blas Pérez González, el famoso tratado de Ennecerus, Kipp y Wolff.

Arce y Cervantes, José G. Notario mexicano, autor del libro *De las Sucesiones* y *De los Bienes*. Impartió cátedra de sucesiones en la Universidad Panamericana.

Arnaiz Amigo, Aurora. Jurista española y mexicana (Sestao, 15 de mayo de 1913-Ciudad de México, 21 de enero de 2009). Especialista en derecho constitucional y teoría del Estado. Fue directora del seminario de esta última disciplina en la Facultad de Derecho de la UNAM.

Arndts von Arnesberg, Ludwig. Jurista alemán (Arnsberg, 19 de agosto de 1803-Viena, 1 de marzo de 1878). Autor del libro *Lehrbuch Der Pandekten*.

Artolózaga Noriega, Francisco. Notario número 10 de San Luis Potosí.

Aubry, Charles. Jurista francés (Saverne, Bajo Rin, 20 de junio de 1803-Ibídem, 12 de marzo de 1883). Colaboró con Charles-Frédéric Rau, cuyo trabajo se considera el encuentro del espíritu latino y germánico. Publicaron por primera vez en 1838 su obra principal: *Cours de droit civil d'après la méthode de Zachariae (1869 à 1877)*.

Antonio Micheli, Gian. Jurista italiano (26 de septiembre de 1913-Roma, 27 de septiembre de 1980). Sus principales contribuciones fueron en el derecho procesal civil y derecho tributario. Escribió, entre otros títulos, *La rinuncia agli atti del giudizio* y *La prova a futura memoria*.

Azcárate, Juan Francisco. Abogado mexicano (Ciudad de México, 11 de julio de 1767-Ibídem, 1831). En 1790 se recibió como abogado en la Real Audiencia. Obtuvo el cargo de conciliario de la Universidad de México.

Bandera Olavarría, José. Notario mexicano. Obtuvo el cargo en 1946, ocupando la notaría 28 de la Ciudad de México.

Bañuelos Sánchez, Froylán. Abogado mexicano. Notario de la Ciudad de México. Autor del libro *Derecho Notarial*.

Baqueiro Rojas, Edgard. Abogado mexicano. (Campeche, 4 de octubre de 1920-Ciudad de México, 9 de julio de 1999). Licenciado en derecho por la Universidad Nacional Autónoma de México (UNAM). Coautor de *Derecho de familia, Derecho sucesorio* e *Introducción al derecho ecológico*, obras publicadas en Oxford University Press México.

Barassi, Ludovico. Jurista italiano (Milán, 3 de octubre de 1973-Ibídem, 6 de febrero de 1961). Influyó en el derecho civil de su país y en el desarrollo de la legislación del trabajo.

Barde, Louis. Jurista francés (Burdeos, 12 de marzo de 1852-Ibídem, 25 de enero de 1932). Profesor en la Facultad de Montpellier. Publicó, entre otros, *Vers le socialisme agraire le mouvement social dans nos campagnes* y *De l'extinction des privilèges et hypothèques*.

Bartin, Étienne-Adolphe. Jurista francés. (Chauriat, 2 de octubre de 1860-París, diciembre de 1948). Escribió sobre temas de Derecho Civil y de Derecho internacional Privado.

Barroso Figueroa, José. Jurista mexicano (Oaxaca, 9 de julio de 1934-Ciudad de México, 13 de febrero de 2019). Fue director del Seminario de Derecho Civil de la Facultad de Derecho de la UNAM.

Batlle Vázquez, Manuel. Jurista español (Alicante, 15 de octubre de 1905-Murcia, 6 de julio de 1977). Escribió, entre muchos otros títulos, *La propiedad de casas por pisos.*

Baudry Lacantinerie, Marie-Paul-Gabriel. Jurista francés (Nueva Aquitania, 14 de junio de 1837-Ibídem, 17 de enero de 1913). Autor prolífico, entre otros, del *Traité théorique et pratique de droit civil.*

Bautista Jordano, Juan. Jurista español. Profesor de Derecho civil de la Universidad de Sevilla y doctor *honoris causa* por la Universidad de Córdoba.

Baz, Eduardo. Abogado mexicano. Fue profesor de Derecho civil y secretario de la UNAM.

Bejarano Sánchez, Manuel. Jurista mexicano (Ciudad de México, 25 de enero de 1927). Su libro más importante se titula *Obligaciones civiles.*

Bermúdez Zozaya, Manuel. Diplomático mexicano. Primer embajador del Imperio Mexicano Independiente ante los Estados Unidos.

Betti, Emilio. Jurista italiano (Camerino, 20 de agosto de 1890-Ibídem, 11 de agosto 1968). Fue un importante colaborador en la creación del Código civil italiano de 1942.

Bernal de Bugeda, Beatriz. En 1974 escribió la obra intitulada *Sobre la jurisprudencia romana (sus características y tendencias, la literatura jurídica y las escuelas de Derecho).*

Beudant, Charles. Abogado francés (1829-1895). Publicó *Cours de droit civil français, Le droit individuel et l'État: introduction à l'étude du droit y De l'indication de la loi pénale dans la discussion devant le jury; étude sur le jury.*

Bialostosky Barshavsky, Sara. Jurista mexicana (Ciudad de México, 10 de marzo de 1929-Ibídem, 20 de junio de 2016). Fue directora del Seminario de Derecho Romano de la Facultad de Derecho de la UNAM.

Bierling, Ernst Rudolf. Jurista y político alemán (Sajonia, 7 de enero de 1841-Greifswald, 8 de noviembre de 1919). Exponente principal de la teoría del reconocimiento.

Bonnecase, Julien. Jurista francés (Nueva Aquitania, 6 de mayo de 1878-Sena y Marne, 30 de diciembre de 1950). Fue profesor de derecho civil en la Facultad de Grenoble.

Borja Covarrubias, Manuel. Jurista mexicano. Fue profesor en la UNAM y notario 47 de la Ciudad de México.

Borja Martínez, Ignacio. Jurista mexicano. Nieto de don Manuel Borja Soriano, fue profesor en la UNAM y notario 36 de la Ciudad de México. También fue director de la Universidad Iberoamericana.

Borja Soriano, Manuel. Jurista mexicano (Ciudad de México, 13 de agosto de 1873-Ibídem, 23 de enero de 1967). Abuelo de don Manuel Borja Martínez. Es considerado una de las principales influencias en la creación del Código civil de 1928.

Boeuf, François. Jurista francés. Fue crítico del Código Napoleón.

Bosisio, Oliviero. Abogado italiano. Autor de la obra *Guida pratica del condominio.*

Boulanger, Jean. Jurista francés (Normandía, 7 de febrero de 1900-París, 10 de octubre de 1966). Colaboró en la magna obra *Traité pratique de droit civil français,* la cual fue encabezada por su colega Marcel Planiol.

Boyer, Louis. Jurista francés. Autor de *Les promesses synallagmatiques de vente.*

Branca, Giussepe Jurista italiano (La Maddalena, 21 de marzo de 1907-Pésaro, 14 de agosto de 1987). Autor de del libro *Collegialità nei giudizi della Corte costituzionale,* entre otros.

Brinz, Alois Von. Jurista alemán. (Weiler-Simmerberg 25 de febrero de 1820-Múnich 13 de septiembre de 1887). Entre otros, escribió *Die Lehre von der Compensation: eine civilistische Abhandlung,*

Buen Lozano, Demófilo de. Jurista español (Madrid, 22 de julio de 1890-Ciudad de México, 23 de junio de 1946). Exiliado en México, fue profesor de Derecho civil en la Escuela Nacional de Jurisprudencia.

Bugueda Lanzas, Jesús. Jurista español (Andalucía, 10 de julio de 1931). Obtuvo el premio Cué y Abreu y Ricardo Dolz. Matriculado como doctor en Derecho en 1953 en Cuba donde pasó el mayor tiempo de vida. Autor del libro *La Propiedad Horizontal*.

Calva Rojas, Esteban. Abogado mexicano. (Puebla, 1844-Ciudad de México, 12 de marzo de 1883). Juez segundo de lo civil. Coautor, con Francisco de P. Segura, del libro *Instituciones de derecho civil según el Código Civil del Distrito Federal y Territorio de la Baja California*.

Capitant, Henri. Jurista francés (Grenoble, 15 de septiembre de 1865-Allinges, 21 de septiembre de 1937). Su obra fue trascendente en el derecho francés, planteando la unificación entre jurisprudencia y legislación. Fue cofundador del Instituto de Derecho Comparado de París.

Cariota Ferrara, Luigi. Jurista italiano (Nápoles, 17 de septiembre de 1908-Ibídem, 12 de marzo de 1994). Fue alumno de Leonardo Coviello [padre], una de sus obras más importantes es *I negozi sul patrimonio altrui: con particolare riguardo alla vendita di cosa altrui*.

Carrara, Giovani. Jurista italiano. Fue catedrático de derecho romano en la Universidad de Torino.

Carrasco Zanini, Felipe. Jurista mexicano. Fue notario número 3 de la Ciudad de México.

Carreras Maldonado, María Margarita. Jurista mexicana (Ciudad de México, 20 de julio de 1922-Ibídem, 22 de febrero de 2009). Además de su labor académica, dirigió la Defensoría de los derechos universitarios en la UNAM.

Castán Tobeñas, José. Jurista español (Zaragoza, 11 de julio de 1889-Madrid, 10 de junio de 1969). Escribió una monumental obra: *Derecho civil español*, común y foral.

Castro y Bravo, Federico de. Jurista español (Sevilla, 21 de octubre de 1903-Madrid, 19 de abril de 1983). Es conocido por ser autor de *Derecho civil de España* y *El negocio jurídico*, obras que aportaron al pensamiento jurídico español de finales del siglo XX.

Castro Estrada, José. Jurista mexicano (Morelia, 9 de diciembre de 1908-Ciudad de México, 1 de diciembre de 1980). Catedrático de derecho administrativo y ministro de la Suprema Corte. Entre su obra destaca *La teoría del servicio público en el derecho mexicano*.

Castro Figueroa, Jesús. Fue notario 38 de la Ciudad de México.

Castrense, Paolo. Jurista italiano (Lazio, c.a. 1632-Siena, 22 de junio de 1441). Es considerado como uno de los juristas más eminentes del siglo XV.

Chauveau. Jurista francés. Fue profesor en la Universidad de Renees.

Colin Sánchez, Guillermo. Jurista mexicano (Atlacomulco, 11 de enero de 1924-Ciudad de México, 16 de enero de 1999). Fue especialista en la materia procesal penal y en derecho registral.

Colin, Ambroise. Jurista francés (París, 28 de abril de 1862-Royat, 12 de septiembre de 1929). Coautor del célebre *Traité de droit civil*, en el que también intervino Henri Capitant.

Collantes y Buenrostro, Pedro. Junto con Eduardo Ruiz y Miguel Macedo fue encargado de revisar el Código civil de 1870.

Corona, Fernando. Fue presidente del Tribunal Superior de Justicia de Veracruz. Formuló los ordenamientos conocidos como "Códigos Corona"

Cossío y Cosío, Roberto. Jurista mexicano (Ciudad de México, 13 de febrero de 1904-Ibídem, 26 de octubre de 1985). Impartió la cátedra de derecho civil en la Facultad de Derecho de la UNAM durante 25 años.

Coviello, Leonardo [hijo]. Jurista italiano (Catania, 8 de enero de 1905-Nápoles, 26 de marzo de 1995). En 1938 escribió el trabajo *Colpa aquiliana e prevedibilità del danno*.

Coviello, Nicolás. Jurista italiano (Tolve, 2 de noviembre de 1867-Nápoles, 1° de agosto de 1913). Su obra más connotada se titula *Manuale di diritto civile italiano*.

Creixell del Moral, Javier. Abogado mexicano (26 de noviembre de 1918-5 de octubre de 1992). Director de la Escuela de Derecho de la Universidad Anáhuac y miembro de la Barra Mexicana, Colegio de Abogados y de la Academia Mexicana de Jurisprudencia y Legislación.

Cunha Gonçalves, Luis da. Jurista portugués (Nueva Goa, 24 de agosto de 1875-Lisboa, 24 de marzo de 1956). Fue uno de los juristas lusitanos más importantes del siglo XX. Su obra influenció de manera importante en el desarrollo del derecho civil portugués.

Danvila, Manuel. Abogado, político e historiador español (Valencia, 31 de diciembre de 1830-Málaga, 21 de febrero de 1906). Como jurista destaca en obras como *El libro del propietario* o *El contrato de arrendamiento y el juicio de desahucio.*

Dernburg, Heinrich. Jurista alemán (Maguncia, 3 de marzo de 1829-25 de noviembre de 1907). Fue uno de los principales elaboradores del Código civil prusiano.

Decio, Filippo. Jurista italiano (Milán, 1454-Pisa, 1535 aproximadamente). Fue uno de los más importantes juristas entre los miembros de la tradición medieval.

Diego Felipe, Clemente de. Jurista español (Guadamur, 21 de mayo 1866-Pozuelo de Alarcón, 15 de agosto de 1945) catedrático de Derecho civil español, presidente del Tribunal Supremo de Justicia y procurador en las Cortes Españolas durante parte de las primeras legislaturas del período franquista.

Gennaro, Ginno De. Jurista italiano, autor de *I contratti misti, delimitazione e disciplina; negotia mista cum donatione.*

Icaza Dufour, Francisco De. Notario e historiador mexicano (Ciudad de México, 4 de enero de 1944). Entre otras obras, ha publicado *Plus ultra. La monarquía católica en Indias 1492-1898* y *La abogacía en el Reino de Nueva España. 1521-1821.*

Degni, Francisco. Abogado italiano. En 1957 escribió un libro titulado *La compraventa.*

Demogue, René. Jurista francés (Reims 17 de diciembre de 1872-Épernay, 1938). Se doctoró en derecho en 1897 con una tesis titulada *De la réparation civile des délits.* Profesor en la Facultad de Derecho de París de 1898 a 1901.

Demolombe, Jean-Charles Florent. Jurista francés (La Fère, 22 de julio de 1804-Caen, 21 de febrero de 1887). Es conocido principalmente por sus amplios comentarios sobre el Código civil francés.

Días Ferreira, José. Jurista portugués (Arganil, Pombeiro da Beira, 30 de noviembre de 1837-Chaves, Vidago, 8 de setiembre de 1909). Entre otras obras, es autor de *O Código Civil Português*, con varias ediciones.

Diez Picazo, Luis. Jurista español (Burgos, 1 de septiembre de 1931-Madrid, 31 de octubre de 2015). Profesor universitario y escritor de obras jurídicas. También fue magistrado del Tribunal Constitucional entre 1980 y 1989.

D´Ors y Pérez-Peix, Álvaro. Jurista español (Barcelona, 14 de abril de 1915-Pamplona, 1 de febrero de 2004). Fue uno de los romanistas más importantes del siglo pasado.

Domínguez, Miguel. Abogado mexicano (Ciudad de México, 20 de enero de 1759-Ibídem, 22 de abril de 1830). Fue miembro del Supremo Poder Ejecutivo de México y participó en el movimiento independentista.

Domínguez Amezcua, Virgilio. Jurista mexicano. (Ciudad de México, 12 de junio de 1904-Ibídem, 11 de diciembre de 1985). Fue director de la Escuela Nacional de Jurisprudencia.

Domínguez Martínez, Jorge Alfredo. Jurista mexicano. (Ciudad de México, 14 de agosto de 1941). Prolífico autor de derecho civil cuyo trabajo abarca todas las áreas integrantes de la mencionada materia.

Domat, Jean. Jurista francés (Clermont-Ferrand, 30 de noviembre de 1625-París, 14 de marzo de 1696). Promotor del movimiento racionalista en Francia, siguiendo la codificación de los principios generales del derecho.

Dualde Gómez, Joaquín. Abogado y político español (Valencia, 15 de agosto de 1875-Barcelona, 20 de enero de 1963). Ministro de Instrucción Pública y Bellas Artes durante la Segunda República Española.

Dublán Fernández de Varela, Manuel. Abogado mexicano. (Oaxaca, 1 de abril de 1830-Ciudad de México, 31 de mayo de 1891). Fue ministro de la Suprema Corte de Justicia. Compilador de la importante obra *Legislación mexicana o Colección completa de las disposiciones legislativas expedidas desde la independencia de la República*.

Durán Castro, Edmundo. Abogado mexicano. Fue secretario de Estudio y Cuenta de la H. Suprema corte de Justicia.

Duvergier, Jean-Baptiste-Marie Jurista francés (25 de agosto de 1792-2 de noviembre de 1877) fue un abogado y experto en jurisprudencia francés, conocido por su labor de recopilación y publicación de leyes y ordenanzas. Fue ministro de Justicia y Cultos en el gobierno de Luis Napoleón Bonaparte del 17 de julio de 1869 al 2 de enero de 1870.

Eguía Lis, Joaquín. Jurista mexicano. (Ciudad de México, 17 de agosto de 1833-Ibídem, 8 de julio de 1917). Fue el primer rector de la Universidad Nacional.

Enneccerus, Ludwig. Jurista alemán (Hannover, 1 de abril de 1843-Marburgo, 31 de mayo de 1928). Fue autor de uno de los libros más conocidos sobre el Código civil alemán.

Enríquez, Gumersindo. Abogado mexicano. Fue gobernador del estado de México cuando Porfirio Díaz se levantó contra el gobierno de Lerdo de Tejada.

Escriche Martín, Joaquín. Jurista, traductor y político español (Caminreal, 10 de septiembre de 1784-Barcelona, 16 de noviembre de 1847). Fue autor del *Diccionario de Legislación y Jurisprudencia* y del *Manual del abogado americano.*

Escudero y Echánove, Pedro. Fue Ministro de Justicia durante el mandato de Maximiliano.

Esquivel Obregón, Toribio. Abogado, político, periodista e historiador mexicano (Guanajuato, 5 de septiembre de 1864-Ciudad de México, 24 de mayo de 1946). Entre otras obras, destaca *Apuntes para la historia del derecho en México.*

Fagoaga, José María. Abogado español (Rentería, 1764-México, 27 de enero de 1837). Insurgente Vasco que participó en la Guerra de Independencia. Formó parte de la Junta Provisional Gubernativa, y fue uno de los fundadores de la masonería en México.

Febrero, José. Escribano notario real español (Mondoñedo, 7 de enero de 1733-Madrid, 8 de septiembre de 1790). Autor de *Librería de escribanos o Instrucción jurídica teórico-práctica de principiantes* (1769).

Ferrara, Francesco. Jurista italiano (Palermo, 7 de diciembre de 1810-Venecia, 22 de enero de 1900). Introdujo la teoría económica clásica de Adam Smith, David Ricardo y John Stuart Mill en el estudio jurídico italiano.

Peretti-Griva, Domenico Riccardo. Jurista italiano (Turín, 28 de noviembre de 1882-Ibídem, 12 de julio de 1962). Fue el primer presidente del Tribunal de Apelación de Turín y presidente de la sección honoraria de la Corte de Casación.

Fernández Mondoño, Justino. Jurista mexicano (Ciudad de México, 22 de junio de 1828-Ibídem, 19 de agosto de 1911). Fue director de la Escuela Nacional de Jurisprudencia.

Fernández Cueto, Francisco. Jurista mexicano. Fue profesor de Contratos en la Universidad Iberoamericana.

Fernández de Monjardín, Antonio. Fue senador en el congreso nacional y magistrado del tribunal superior de Puebla.

Fernández del Castillo, Francisco. Historiador, investigador y académico mexicano (Ciudad de México, 1864-ibídem, 1936). Abuelo de don Bernardo Pérez Fernández del Castillo.

Fick, Henri. Abogado alemán (Cassel, 12 de julio de 1822-Zúrich, 22 de septiembre de 1895). Catedrático de derecho romano y rector en la Universidad de Zúrich de 1884 a 1886.

Fitting, Hermann. Jurista alemán (Mauchenheim, 27 de agosto de 1831-íbidem, 3 de diciembre de 1918). En 1857 fue nombrado profesor de derecho romano en Basilea, y en 1862 fue llamado en la misma capacidad que Halle.

Flores Barroeta, Benjamín. Abogado mexicano (Xalapa, 1923-Ciudad de México, 1985). Fue autor del libro *Lecciones del primer curso de derecho civil.*

Floris Margadant, Guillermo. Jurista mexicano (La Haya, 12 de diciembre de 1924-Ciudad de México, 2 de marzo de 2002). Fue fundador y director del Seminario de derecho romano e historia del derecho. Asimismo, autor de importantes obras como *Derecho privado romano.*

Frisch Phillipp, Walter. Jurista austriaco (Viena, 2 de agosto de 1921-Ciudad de México, 19 de agosto de 2005). Impartió la cátedra de derecho mercantil y escribió diversos libros sobre la materia.

Fubini, Riccardo. Jurista italiano (Turín, 10 de marzo de 1874-Ibídem, 1964). Fue profesor en la Universidad de Turín. Escribió un libro titulado *Il Contratto di locazione di cose.*

Fuentes García, José. Es autor del libro *Sentido y proyección de la constitución mexicana de 1917.*

G. Escobedo, Manuel. Fue presidente de la Barra Mexicana de Abogados, autor de *Evolución del derecho mercantil mexicano: (1912-1942).*

Galindo Garfias, Ignacio. Jurista mexicano (Ciudad de México, 7 de noviembre de 1911-Ibídem, 24 de junio de 2008). Catedrático de derecho civil. Su obra abarca todas las áreas integrantes de la mencionada materia.

García Goyena, Florencio. Jurista y político español (Tafalla, 27 de octubre de 1783-Madrid, 3 de junio de 1855). Fue el introductor del *habeas corpus* en la legislación española y el principal redactor del Código civil español de 1851.

García López, Agustín. Abogado mexicano (Toluca, 28 de mayo de 1900-Ciudad de México, 15 de enero de 1976). Egresado de la Escuela Nacional de Jurisprudencia. Fue un destacado catedrático cuyas notas para clase fueron recopiladas en dos volúmenes, los cuales llevaron por título *Apuntes de obligaciones* y *Apuntes de contratos.*

García Peña, Ángel. Abogado mexicano. Junto con Francisco H. Ruiz e Ignacio García Téllez, preparó el proyecto de Código civil de 1928.

García Rojas, Gabriel. Jurista mexicano. (Pinos, 12 de mayo de 1893-Ciudad de México, 13 de septiembre de 1981). Catedrático de la Facultad de Derecho de la UNAM, llegó a ser ministro de la Suprema Corte.

García Téllez, Ignacio. Abogado y político mexicano (Guanajuato, 21 de mayo de 1897-Cuernavaca, 14 de noviembre de 1985). Fue el primer rector de la Universidad Autónoma. Asimismo, fungió como Secretario de Educación Pública de 1934 a 1935, y secretario de Gobernación en 1938.

Gaudemet François, Eugène Henri. Jurista francés (Vosne-Romanée, 13 de octubre de 1872-Estrasburgo, 2 de abril de 1933). Profesor de Derecho Privado en la Facultad de Derecho de Dijon. Autor del libro *L'Interprétation du Code civil en France depuis 1804.*

Gual Vidal, Manuel. Jurista mexicano. (Campeche, 3 de agosto de 1903-Ciudad de México, 7 de agosto de 1954). Fue director de la Escuela Nacional de Jurisprudencia.

Guerra, Benito José. Político mexicano (1777). Fue síndico y regidor constitucional en el Ayuntamiento de la Ciudad de México durante 1820.

Gullón, Antonio. Jurista mexicano. Autor, junto con Luis Díez Picazo, de la obra intitulada *Sistema de Derecho civil.*

Gian, Antonio Micheli. Jurista italiano (Roma, 26 de septiembre de 1913-íbidem, 27 de septiembre de 1980) Aportó sus estudios a la teoría del derecho procesal civil, a las obras del derecho fiscal, habiendo ocupado la primera cátedra de este tema establecida en Italia.

Girard, Paul-Frédéric. Jurista francés (Guingamp, 26 de octubre de 1852-Caen, 11 de octubre de 1926). Profesor de derecho romano en Montpellier y París. Autor del texto *Manuel élémentaire de droit romain.*

Girard, Paul Fréderic. (1852-1926) Autor de *Revue historique de droit français et étranger.*

Giorgi, Giorgio. Jurista italiano. Es autor de la *Teoria delle obbligazioni nel diritto moderno italiano.*

Gómez Robledo, Antonio. Jurista mexicano (Guadalajara, 7 de noviembre de 1908-Ciudad de México, 13 de octubre de 1994). Fue miembro de El Colegio Nacional y del Servicio Exterior Mexicano, siendo embajador en distintos organismos internacionales. Escribió ensayos sobre justicia y derecho internacional.

González de Castro, Vicente. Abogado mexicano (¿?-Guadalajara, 3 de septiembre de 1854). Fue autor de *Redacción del Código Civil de México: que se contiene en las leyes españolas, y demás vigentes en nuestra república.*

González Domínguez, María del Refugio. Abogada mexicana (). Investigadora Titular del Instituto de Investigaciones Jurídicas de la UNAM e Investigadora Nacional. Ha impartido cursos de Historia del Derecho, Principios Generales del Derecho y Teoría Jurídica Contemporánea en la División de Estudios de Postgrado de la Facultad de Derecho de la UNAM.

González Martínez, Jerónimo. Jurista español (Asturias, 12 de febrero de 1875-Ibídem, 9 de noviembre de 1946). Fue fundador de la revista *Derecho Inmobiliario.* Participó en la redacción de las leyes hipotecarias españolas de 1909 y 1944.

Goubeaux, Gilles. Jurista francés (1938-¿?). Profesor en la Facultad de Derecho de Nancy. Sus trabajos abarcan la totalidad del Derecho civil francés.

Gounot, Emmanuel. Abogado francés (Connaux, 18 de junio de 1885-Lyon, 14 de mayo de 1960). Especialista en el derecho de familia. Redactó un proyecto que se convirtió en ley el 29 de diciembre de 1942, el cual lleva su nombre.

Gual Vidal, Manuel. Jurista mexicano. (Campeche, 3 de agosto de 1903-Ciudad de México, 7 de agosto de 1954). Fue director de la Escuela Nacional de Jurisprudencia.

Guidi, Dario. Jurista italiano (Cecina, 23 de febrero de 1898-Roma, 24 de mayo de 1931). Fundador de la *Rivista Ditritto e pratica mercantile* y auto, entre otras obras, de *Condominio Nel Nuovo Codice Civille*.

Gutiérrez y González, Ernesto. Jurista mexicano (Tampico, 27 de septiembre de 1920-Ciudad de México, 11 de noviembre de 2005). Fue uno de los teóricos del derecho más influyentes en México. Colaboró como asesor de los gobiernos de Tlaxcala, Quintana Roo y Puebla, entidades que, por sugerencia suya, incluyeron por primera vez la teoría del patrimonio moral de las personas y muchos otros de sus conceptos y postulados.

Guzmán Núñez, Felipe. Fue notario 145 de la Ciudad de México.

Hegewisch Arrillaga, Everardo. En 1959 escribió *La naturaleza jurídica del derecho de retención en el derecho civil.*

Hernández Gil, Antonio. Jurista y político español (Puebla de Alcocer, Badajoz, 29 de marzo de 1915-Madrid, 26 de mayo de 1994). Fue residente del Consejo de Estado y en 1985 del Tribunal Supremo y del nuevo Consejo General del Poder Judicial de España.

Hernández Romo, Jorge. Abogado mexicano. Profesor en la Universidad Iberoamericana, y autor, junto con su hermano Miguel Ángel, de la obra intitulada *Notas para la Enseñanza del Curso de Introducción al Estudio del Derecho*

Hernández Romo, Miguel Ángel. Abogado mexicano. Fue rector de la Escuela Libre de Derecho de 1993 a 1998 y miembro del Instituto Americano de Derecho.

Herrasti y de la Fuente, Francisco de Paula. Abogado mexicano (Ciudad de México, 1 de mayo de 1879-Ibídem, 3 de noviembre de 1940). Profesor de derecho romano e historia del derecho en la Universidad Nacional Autónoma de México.

Holder, Eduard. Jurista alemán (Stuttgart, 27 de noviembre de 1847-Baden-Baden 14 de abril de 1911). Se convirtió en profesor en 1871 y asiduo en 1873 en Zurich, 1874 en Greifswald, 1880 en Erlangen y 1893 en Leipzig. Fue un destacado investigador en el campo del derecho romano.

Huschke, Georg, Philipp Eduard. Jurista alemán (Hannoversch Münden, 26 de junio de 1801-Breslau, 7 de febrero de 1886). Romanista. En 1827 se trasladó a la Universidad Silesia Friedrich Wilhelm de Wroclaw. Fue rector allí en 1831 y 1845.

Ibarrola Aznar, Antonio de. Abogado mexicano (Ciudad de México, 28 de julio de 1909-Ibídem, 25 de mayo de 1996). Fue catedrático de derecho civil, familiar y agrario en la UNAM. Fue uno de los más importantes peritos traductores del Tribunal Superior de Justicia del Distrito Federal.

Ihering, Caspar, Rudolf von. Jurista y filósofo del derecho alemán (Aurich, 22 de agosto de 1818-Gotinga, 17 de septiembre de 1892). Fue fundador de la sociología jurídica. Sus teorías influenciaron el desarrollo de la doctrina jurídica moderna.

Jordano Barea, Juan Bautista. Jurista español (Córdoba,1 de marzo de 1924-Sevilla, 10 de febrero de 2005). Catedrático de derecho civil en las universidades de Córdoba y Sevilla.

Josserand, Louis. Jurista francés. (Lyon, 31 de enero de 1868-La Sauvetat, 8 de noviembre de 1941). Coautor del proyecto de código de obligaciones y contratos libaneses. Fue decano de la Facultad de Derecho de Lyon.

Kelsen, Hans. Jurista austríaco (Praga, 11 de octubre de 1881-California, 19 de abril de 1973). Es conocido como el autor de la teoría pura del derecho.

Kischinewsky-Broquisse, Edith. Jurista francesa. Autora del libro *La copropiété des inmeubles batis.*

Kohler. Jurista alemán. (1849-1919) Filósofo del derecho, alemán, fue profesor en Berlín y uno de los padres del procesalismo científico moderno.

Kozolchyk, Boris. Abogado Cubano (La Habana, 6 de diciembre de 1934). Especialista en Derecho comparado. Fue profesor adjunto de Derecho y Director del Programa de legislación de las Américas en la Southern Methodist University School of Law en Dallas.

La Lumia, Isidoro. (Palermo, 1 de noviembre de, 1823-Ibídem, 29 de agosto de 1879). Fue nombrado secretario de la Mesa durante la revolución siciliana de la independencia (1848), de la que recibió el cargo de Escribe un "Memoria sobre los derechos políticos de Sicilia".

Laband, Paul. Jurista Alemán (Breslau, 1838-Estrasburgo, 1918). specialista en teoría del Estado, ejerció como profesor en las universidades de Königsberg y de Estrasburgo.

Lacunza, José María. Jurista mexicano (Ciudad de México, 16 de agosto de 1809-La Habana, 1869). Tuvo el cargo de ministro de Relaciones durante el gobierno de José Joaquín de Herrera. Durante su gestión se ocupó del manejo de la deuda con los acreedores españoles

Lagunes Pérez, Iván. Jurista mexicano (Potrerillos, 15 de marzo de 1913-Ciudad de México, 4 de junio de 2015). Fue director del Seminario de Derecho Civil de la Facultad de Derecho de la UNAM.

Laje, Eduardo Jorge. Jurista argentino ("La Propiedad Horizontal en la Legislación Argentina", Abeledo-Perrot Buenos Aires, 1957,

Landero Sigrist, Ricardo. Jurista mexicano (Ciudad de México, 17 de febrero de 1931-) Profesor de Derecho Civil en la Facultad de Derecho de la Universidad Nacional Autónoma de México y en la Universidad Iberoamericana.

Larenz, Karl. Jurista y filósofo alemán (Wesel, 23 de abril de 1903-Olching, 24 de enero de 1993). Uno de los más importantes tratadistas del derecho privado germánico.

Laurent, François. Jurista francés. (Luxemburgo, 8 de julio de 1810-Gante, 11 de febrero de 1887). Fue historiador y autor de un voluminoso tratado de Derecho Civil.

Lebret Jean. Jurista francés (Saint-Hilaire-du-Harcouët, 7 de mayo de 1895-1964). Profesor de la Facultad de Derecho de Aix-Marseille y de la de Argel. Se especializó en derecho penal, aunque su disertación para el doctorado fue La notion de l'indivision dans le droit français actuel: l'article 815 c. civ. et les lois récentes (1922).

Ledesma Labastida, José de Jesús. Jurista mexicano. (Ciudad de México, 3 de junio de 1911-Ibídem, 11 de septiembre de 1974). Dio clases de todos los cursos de derecho civil en la Facultad de Derecho de la UNAM, de la que llegaría a ser secretario académico.

Ledesma Uribe, José de Jesús. (Ciudad de México, 3 de julio de 1911-Ibídem, 11 de septiembre de 1974). Fue titular de los cuatro cursos de Derecho Civil que imparte la Facultad de Derecho de la Universidad Nacional Autónoma de México y asesor de la Secretaría de Comunicaciones y Transportes.

Lemus García, Raúl. Jurista mexicano. (1923-2003). Profesor de Derecho Agrario y Derecho Romano en la Universidad Nacional Autónoma de México.

León Orantes, Gloria. Ministra mexicana (Tuxtla, 6 de junio de 1913-1984) Fue la segunda mujer que llegó a ser Ministra de la Suprema Corte de Justicia de la Nación. Fue adscrita a la Tercera Sala Civil a propuesta del Presidente de México Lic. José López Portillo y ratificada por el Senado.

Linares, José. Abogado mexicano. Formó parte de la primera Comisión de Justicia para revisar la iniciativa referente al Código civil de 1884.

López Monroy, José de Jesús. Jurista mexicano (Ciudad de México, 22 de mayo de 1922-Ibídem 12 de febrero de 2015). Fue uno de los fundadores de las cátedras de Historia del derecho mexicano y de Derecho comparado.

Lomonaco, Giovanni. Jurista italiano (Nápoles, 21 de octubre de 1948-Ibídem, 10 de abril de 1912) Escribió un *Trattato di diritto internazionale pubblico* y *Delle obbligazioni e dei contratti in genere*.

Lotmar, Philipp. Jurista alemán (1850-1922) Abogado y filósofo jurídico alemán, profesor en Berna desde 1888. Escribió *Sein Engagement für das schweizerische Arbeitsrecht*.

Lozano, José María. Abogado mexicano (Texcoco, 5 de enero de 1823-Ciudad de México, 17 de agosto de 1893). Junto con Manuel Dublán publicó la magna obra que recopiló la legislación del siglo XIX. En 1876 formó un proyecto de ley minera, misma que culminó con la reforma de 1884.

Lozano Noriega, Francisco. Notario mexicano (Ciudad de México, 25 de diciembre de 1916-Ibídem, 11 de abril de 2012). Abogado por la Escuela Nacional de Jurisprudencia. Su obra más conocida es el *Cuarto curso de derecho civil: contratos.*

Lozano y Romen, Javier. Jurista mexicano. Autor del libro *La estipulación a favor de tercero en el derecho comparado*

Macedo y González Saravia, Miguel Salvador. Abogado mexicano (Ciudad de México, 8 de junio de 1856-Los Ángeles, 14 de julio de 1929). Su efigie figura en el Patio de los Juristas de la entonces Procuraduría General de la República.

Macedo y González Saravia, Pablo. Abogado mexicano (Ciudad de México, 1 de febrero de 1851-Madrid, 25 de diciembre de 1919). Fue directo de la Escuela Nacional de Jurisprudencia y uno de los fundadores de la Escuela Libre de Derecho.

Magallón Ibarra, Jorge Mario. Jurista mexicano (Ciudad de México, 20 de septiembre de 1925). Catedrático de Derecho civil. Fue nombrado Profesor Emérito por la Facultad de Derecho de la UNAM.

Maleville, Jacques. (Domme, 19 de junio de 1741-22 de noviembre de 1884). Fue uno de los redactores del Código Napoleón.

Mantica, María Francesco. Cardenal y jurista italiano (Venzone, 20 de marzo de 1534-Roma, 28 de enero de 1614). Su obra *De conjecturis ultimarum voluntatum* fue uno de los textos más estudiados y publicados entre 1500 y 1600.

Martínez Báez, Antonio. Jurista mexicano (Morelia, 18 de julio de 1901-Ciudad de México, 20 de diciembre de 2000). Impartió clases de Derecho constitucional en la Facultad de Derecho de la UNAM, misma que lo reconoció como Profesor Emérito.

Martínez de Castro, Antonio. Jurista mexicano (1825-1880) Fue encargado de la comisión que se encargó de redactar el Código Penal para el Distrito Federal.

Martínez Rojas, Salvador. Abogado mexicano (San Luis Potosí, 20 de abril de 1919-Ciudad de México, 6 de septiembre de 1986). Ministro de la Suprema Corte de Justicia de la Nación.

Mateos Alarcón, Manuel. Abogado mexicano (Ciudad de México, 20 de diciembre de 1842-Nueva York, 15 de diciembre de 1921). Fue uno de los principales animadores de la redacción del Código civil de 1884.

Matter, Albert. Jurista suizo (Basilea, 2 de febrero de 1906-Ibídem, 26 de junio de 1992). Además de publicar diversos textos jurídicos, fue presidente de la Comisión Bancaria Federal Suiza.

Máynez, Carlos. Jurista mexicano Autor del libro *Curso de Derecho Romano*

Mazeaud, Henri. Jurista francés (Limoges, 7 de marzo de 1900-París, 23 de octubre de 1993). Junto con sus hermanos escribió un tratado de Derecho Civil francés.

Mazeaud, Jean. Jurista francés (17 de octubre de 1904-26 de septiembre de 1995) Junto con sus hermanos escribió un tratado de Derecho Civil francés.

Mazeaud, Léon. Jurista francés (Limoges, 7 de marzo de 1900-22 de agosto de 1970) Junto con sus hermanos escribió un tratado de Derecho Civil francés.

Méndez Echazarreta, Luis. Jurista mexicano (Campeche, 27 de julio de 1832-Ciudad de México, 30 de enero de 1919). Fue director de la Escuela Nacional de Jurisprudencia.

Mentha Fritz-Henri. Jurista francés (Neuchâtel, 7 de abril de 1858-Ibídem, 6 de marzo de 1945). Escribió, junto con Virgile Rossel, el *Manuel du droit civil suisse: Supplement.* Participó en la redacción del Código civil suizo de 1907.

Merlin de Douai, Philippe Antoine. Abogado y político francés (Arleux, 30 de octubre de 1754-París, 26 de diciembre de 1838). Propugnó por la abolición de la primogenitura y la igualdad de herencia entre parientes del mismo grado, y entre hombres y mujeres.

Messina, Guiseppe. Jurista italiano (Naro, 20 de febrero de 1877-Roma, 25 de abril de 1946). Fue uno de los primeros juristas italianos que abandonó el método exegético en favor del método "técnico-jurídico".

Messineo, Francesco. Magistrado italiano (Regio de Calabria, 2 de junio de 1886-Milán, 1° de marzo de 1974). Autor del célebre *Manuale di diritto civile e commerciale*.

Montero Duhalt, Sara. Jurista mexicana (Ciudad de México, 21 de enero de 1921, Ibídem, 30 de enero de 1989). Fue presidente del Colegio de Profesores de Derecho Civil de la Facultad de Derecho de la UNAM.

Montiel y Duarte, Isidro. Jurista mexicano (Mérida, Yucatán, 1821-Toluca, estado de México, 1892). Su efigie figura en el Patio de los Juristas de la entonces Procuraduría General de la República.

Monroy Estrada, Mario. Jurista mexicano. Notario número 31 de la Ciudad de México.

Moreno, Fernando. Abogado mexicano. Destacó como litigante en Zacatecas. Profesor del Segundo curso de derecho civil mexicano en su estado natal.

Moreno Castañeda, Gilberto. Jurista mexicano (Jalisco, el 23 de febrero de 1910-Guadalajara, 24 de julio de 1990). Ejerció su profesión de abogado principalmente en el área del Derecho Privado y de manera muy particular en el ámbito mercantil y, dentro de éste, en el Derecho Bancario. El 28 de septiembre de 1942 recibió el fiat de notario público.

Morín, Gastón. Jurista francés. Hizo resaltar lo que él llamaba la revuelta de los hechos contra las interpretaciones tradicionalistas y convencionales del Código civil.

Morineau Iduarte, Martha. Jurista mexicana (Ciudad de México, 22 de noviembre de 1934-Ibídem, 7 de octubre de 2004). Catedrática de Derecho romano en la Facultad de Derecho de la UNAM.

Muñoz, Luis. Jurista exiliado español. Héctor Fix-Zamudio y Eugenio Hurtado Márquez lo recuerdan como a un autor "a quien se debe ediciones comentadas de textos legales".

Natoli, Ugo. Abogado italiano (Mesina, 9 de febrero de 1915-Roma, 13 de noviembre de 1992). Fue directivo en la Facultad de Derecho de la Universidad de Pisa. Fundó la *Rivista Giuridica del Lavoro e della Previdenza Sociale*.

Negri, José Adrián. Notario argentino (Buenos Aires, 25 de agosto de 1893-Ibídem, 21 de diciembre de 1961). Promovió la gesta de la formación de la unión de Notariados que compartieran principios en común que dio lugar a la Unión Internacional del Notariado Latino.

Núñez y Escalante, Roberto. Jurista mexicano. Autor del *Compendio de Derecho Internacional Público.*

Odoardo, José Hipólito. Jurista Cubano (Puerto Príncipe, 1781-Ibídem, 1835). Fue un abogado de los Reales Consejos. Al convertirse Iturbide en emperador, Odoardo regresó a Cuba (1822). Allí sirvió como director del Montepío de Habana.

Ortiz Urquidi, Raúl. Jurista mexicano (Tehuantepec, 17 de abril de 1910-Ciudad de México, 5 de febrero de 1992). Catedrático de la UNAM. Fue autor del libro *Derecho civil: parte general.* Sobre este título, el jurista francés Henri Mazeaud comentó: "Es un trabajo susceptible de hacer avanzar el derecho civil".

Ortolan, Joseph-Louis-Elzéar. Abogado francés (Tolón, 21 de agosto de 1802-París, 27 de marzo de 1873). Es autor de una vasta obra sobre derecho constitucional y derecho comparado, de las cuales destacan *Histoire du droit constitiitionnel en Europe pendant lemoyen age* e *Introduction historique au cows de legislation penale comparee.*

Pacheco Escobedo, Alberto. Jurista mexicano (2 de septiembre de 1930-Ciudad de México, 7 de febrero de 2014). Autor del libro *La familia en el Derecho Civil mexicano* y *La Persona en el Derecho Civil mexicano.*

Pacificci-Mazzoni, Emidio. Jurista italiano (Ascoli Piceno, 13 de diciembre de 1834-Genzano, 15 de agosto de 1880). Autor de la *Colección de leyes especiales y convenciones internacionales del Reino de Italia (1878).*

Palavicini, Manuel. Jurista mexicano (Tabasco, 8 de febrero de 1903 -). Fue jefe de misión ante el Comité para el estudio y formulación de un contrato multilateral de los Derechos Comerciales de la Aviación Civil, creado por la OACI, dependiente de la ONU.

Pallares López, Jacinto. Abogado mexicano (Michoacán, 9 de septiembre de 1842-Ciudad de México, 2 de diciembre de 1904). Considerado como el mejor abogado de su tiempo. Fue profesor de derecho natural, romano, procedimientos criminales, elocuencia forense, mercantil y civil en la Escuela Nacional de Jurisprudencia.

Paula Ruanova, Francisco De. Jurista mexicano. Autor del libro *Lecciones de Derecho Civil.*

Passaggeri, Rolandino de. Jurista italiano (Bolonia, 1234-Ibídem, 13 de octubre de 1300). Fue maestro del arte notarial en el estudio boloñés y uno de los juristas medievales más famosos.

Pérez González, Blas. Jurista y político español (Santa Cruz de la Palma, 13 de agosto de 1898-Madrid, 7 de febrero de 1978). Fue catedrático de Derecho civil y decano en la Universidad de Barcelona. Escribió *El método jurídico* y *El requisito de la viabilidad.*

Pérez Fernández del Castillo, Bernardo. Jurista mexicano (Ciudad de México, 26 de agosto de 1941). Catedrático de la Facultad de Derecho, historiador jurídico y notario de la Ciudad de México.

Pittaluga Rangel, Ernesto. Abogado mexicano. Se matriculó en la UNAM en 1959. Escribió el *Ensayo sobre la naturaleza jurídica de la propiedad horizontal.*

Planiol, Marcel. Jurista francés (Nantes, 23 de septiembre de 1853-París, 31 de agosto de 1931). Es uno de los autores clásicos del derecho civil francés.

Poirier, Pierre. Jurista belga. La propiedad horizontal; "condominium". Traducido y anotado con la legislación argentina,

Portalis, Jean-Étienne. Jurista francés (Le Beausset, 1° de abril de 1746-París, 25 de agosto de 1807) Conocido por ser uno de los redactores del Código civil francés.

Pothier, Robert-Joseph. Jurista francés (9 de enero de 1699-2 de marzo de 1772). Es autor de una copiosa serie de monografías que encabeza el célebre *Traité des obligations* (1761-1764).

Quijano Baz, Javier. Jurista mexicano (Ciudad de México, 9 de mayo de 1942). Fue profesor de Derecho Civil de la Universidad Iberoamericana y Secretario General de la Unión Iberoamericana de Colegios de Abogados.

Ramírez, Alfonso Francisco. Jurista mexicano (Oaxaca, 15 de noviembre de 1896-1979) Fue miembro fundador del Partido Nacional Revolucionario en 1929.

Rau, Charles-Frédéric. Jurista francés (Bouxwiller, 3 de agosto de 1803-París, 10 de abril de 1877). Junto con Aubry escribió *Cours de droit civil francais d'apres l'ouvrage allemand de C.-S. Zachariae.*

Reyes Tayabas, Jorge. Jurista mexicano (29 de abril de 192) Fue subprocurador de Procesos de la Procuraduría General de Justicia del Distrito Federal y miembro de la Barra Mexicana-Colegio de Abogados y de la Asociación Nacional de Funcionarios.

Ricci, Francesco. Jurista italiano (Ascoli Piceno, 10 de septiembre de 1843-Ibídem, 19 de octubre de 1891). Entre otras obras, autor de un tratado de Derecho Civil.

Rincón y Miranda, Manuel. Ingeniero mexicano (1828-27 de marzo de 1894). Profesor de la Academia de San Carlos. En 1883 publicó la obra titulada *Tratado de legislación de edificios y construcciones.*

Ripert, Georges. Jurista francés (La Ciotat, 22 de abril de 1880-París, 4 de julio de 1958). Profesor de derecho mercantil y marítimo en las universidades de Aix y París. Junto con otros autores escribió el *Tratado práctico de derecho civil.*

Roa Bárcena, Rafael. Escritor y abogado mexicano (Xalapa, 13 de noviembre de 1822-Puerto de Veracruz, 23 de julio de 1863). Fue regidor de Jalapa en 1858. Publicó diversos artículos en el diario *El Renacimiento* en la Ciudad de México.

Rocha Díaz, Salvador. Abogado mexicano (San Miguel de Allende, 21 de diciembre de 1937-Ciudad de México, 17 de julio de 2011). Fue ministro de la Suprema Corte de Justicia.

Rodríguez de San Miguel, Juan Nepomuceno. Abogado mexicano (Puebla, 6 de abril de 1808-Ciudad de México, 2 de mayo de 1877). Fue secretario de la Junta Directiva del Banco Nacional de Amortización. Hacia 1938, ocupó el cargo de magistrado del Tribunal que debía juzgar a los ministros de la Alta Corte de Justicia y de la Marcial.

Rojas Roldán, Abelardo. Jurista mexicano. Autor del libro *Sistema de Interpretación de la Ley en el Arte de la Interpretación Jurídica*

Rojina Villegas, Rafael. Abogado mexicano (Orizaba, 22 de julio de 1908-Acapulco, 20 de junio de 1976). Profesor de derecho civil en la Universidad Nacional Autónoma de México. Fue ministro de la Suprema Corte de Justicia de la Nación y redactor del Código Civil para el estado de Morelos de 1945.

Rossel, Virgile. Jurista, político y escritor suizo (Tamerlán, 19 de marzo de 1858-Lausana, 29 de mayo de 1933). Fue presidente del Consejo Nacional y de la Suprema Corte Federal suizos.

Rotondi, Mario. Jurista italiano (Gorla Menor, 9 de septiembre de 1900-Milán, 7 de agosto de 1984). Fue profesor de Derecho mercantil en la Universidad de Pavía. Es autor de obras como *Trattato di diritto dell'industria* y *Istituzioni di diritto privato*.

Rubino, Doménico. Jurista italiano. Impartió cursos de derecho privado en Nápoles. En 1939 publicó *La fattispecie e gli effetti giuridici preliminari*.

Ruiz Álvarez, Eduardo. Jurista mexicano (Michoacán, 22 de mayo de 1839 Ibidem, 16 de noviembre de 1902). Fue un político mexicano, de ideología liberal, que combatió contra la Segunda Intervención Francesa en México. Destacó igualmente por sus facetas como historiador, como escritor y como periodista.

Rümelin, Max von. Jurista alemán (Stuttgart, 15 de febrero de 1861-Tübingen, 22 de julio de 1931). Doctor en derecho, enseñó inicialmente como profesor titular de derecho, derecho romano y derecho procesal civil en la Universidad Martin Luther Halle-Wittenberg.

Sala Bañuls, Juan. Jurista español (Alicante, 19 de febrero de 1731-Valencia, 29 de agosto de 1806). Fue el catedrático más destacado de la Facultad de Leyes en el siglo XVIII, publicó los dos tomos de *su Vinnius castigatus, ad usum Tyronum Hispanorum accommodatus; in quorum gratiam Hispanae leges opportunioribus locis traduntur*.

Sánchez Cordero, Jorge. Jurista mexicano (Ciudad de México, 30 de agosto de 1914, Ibídem, 6 de marzo de 1986). Catedrático universitario y notario de la Ciudad de México.

Sánchez de la Barquera, Juan Wenceslao. Jurista mexicano (Querétaro, 22 de abril de 1779-Ciudad de México, 25 de febrero de 1840). Se desempeñó como Presidente del Tribunal Superior de Justicia y como Gobernador del estado de México.

Sánchez Medal, Ramón. (Morelia, 20 de septiembre de 1917-Ciudad de México, 15 de marzo de 2000). Abogado por la Escuela Libre de Derecho. Su famoso libro *De los contratos civiles* se ha convertido en un texto básico de consulta para los estudiosos de la ciencia jurídica.

Savatier, René. Jurista francés (Poitiers, 29 de marzo de 1892-Ibídem, 20 de junio de 1984).

Savigny, Friedrich Karl von. Jurista alemán (Francfort, 21 de febrero de 1779-Berlín, 25 de octubre de 1861). Fundador de la escuela histórica del derecho alemana.

Schneider, Albert. Jurista alemán. Especialista en Derecho romano.

Scheifler Amézaga, Xavier. Economista español (Bilbao, 3 de diciembre de 1915-Tijuana, 8 de febrero de 1996). Fue rector del Instituto Tecnológico y de Estudios Superiores de Occidente, en Jalisco. En 1989, la Universidad Iberoamericana le otorgó el Doctorado "Honoris Causa".

Schreiber, Otto. Jurista Alemán (Berlín, 11 de mayo de 1882-Königsberg, 24 de enero de 1929). Fue un académico jurídico alemán y profesor universitario. Entre otros, escribió *Das Testament der Fürsten Wolfgang von Anhalt.*

Scialoja, Antonio. Jurista italiano (Roma, 19 de noviembre de 1879-Ibídem, 30 de septiembre de 1962). Profesor de derecho mercantil en la Universidad de Siena (1911). Posteriormente ocupó las cátedras de derecho marítimo y de la navegación en la Universidad y en el Instituto Superior de Ciencias Económicas y Comerciales de Nápoles y en la Facultad de Roma.

Segura Dorantes, Francisco de Paula. Abogado mexicano (Santa María del Río, 1832-Ibídem, 8 de agosto 1903). Autor de diversas obras de derecho civil. Fue miembro de la Suprema Corte de Justicia de la Nación.

Siqueiros Prieto, José Luis. Jurista mexicano (Chihuahua, 7 de junio de 1924-¿?) Especialista en derecho internacional. Entre sus obras más importantes destaca las *Sociedades extranjeras en México.*

Stolfi, Giuseppe. Jurista italiano (Nápoles, 26 de febrero de 1902-¿?). Fue profesor de Derecho civil en la Universidad de Pavía. Es autor de obras como *Teoria del negozio giuridico* y *Note sul concetto di successione.*

Tena Ramírez, Felipe. Jurista mexicano (Morelia, 23 de abril de 1905-Ciudad de México, 9 de octubre de 1994). Especialista en derecho constitucional. Fue ministro de la Suprema Corte de Justicia de la Nación.

Terán, Jesús. Jurista mexicano (Aguascalientes, 14 de enero de 1821-París, 25 de abril de 1866). Fue nombrado Secretario de Gobernación por Ignacio Comonfort. En 1863 es nombrado embajador plenipotenciario frente a las cortes europeas así como representante personal del ejecutivo Federal por Benito Juárez.

Tiraquello, André. Jurista francés (Fontenay-le-Comte, 1488-París, 1558). Fue un abogado francés del siglo XVI se desempeñó como juez principal y teniente general de *Sénéchal du Poitou en Fontenay-le-Comte*.

Torres Eyras, Sergio. Abogado mexicano (Veracruz, 21 de septiembre de 1927-Saltillo, 4 de abril de 2006). Fue secretario de estudio y cuenta de la Suprema Corte de Justicia de la Nación. Autor del libro *Origen y naturaleza jurídica del derecho de condominio en el derecho mexicano*, entre otros.

Toullier, Charles-Bonaventure. Jurista francés (Dol-de-Bretagne, 21 de enero de 1752-Rennes, 19 de septiembre de 1835). Juez de la corte de Ille-et-Vilaine. Autor de *Le droit civil français: suivant l'ordre du code: ouvrage dans lequel on a tâché de réunir la théorie à la pratique*.

Tuhr, Andreas von. Jurista ruso-germano (San Petersburgo, 14 de febrero de 1864-Zúrich, 16 de diciembre de 1925). Su trabajo fue fundamental en las concepciones del derecho privado dentro de la tradición civilista

Treviño García, Ricardo. Jurista mexicano (Coahuila, 22 de octubre de 1945). Profesor emérito del Tecnológico de Monterrey y ganador del Premio Luis Elizondo 2004, en la categoría científico tecnológica.

Troplong, Raymond Théodore. Jurista francés (Saint-Gaudens 8 de octubre de 1795-París, 1 de marzo de 1869) Coautor del texto inicial de la Constitución de 1852.

Trabucchi, Alberto. Jurista italiano (Verona, 26 de julio de 1906-Padua, 18 de abril de 1998). Escribió *Instituciones de derecho civil*, obra capital en la enseñanza del derecho privado italiano.

Turgot, Anne Robert Jacques. Jurista francés (París, 10 de mayo de1727-Ibídem, 18 de marzo de 1781). Robert Jacques Turgot fue uno de los gobernantes franceses más representativos de la segunda mitad del siglo XVIII, y el que se consagró más a fondo a una concreta reforma económica y social.

Unge, Joseph. Jurista alemán (Viena, 2 de julio de 1828-ibídem, 2 de mayo de 1913) Fue presidente austriaco del Reichsgericht. Es considerado el padre de la escuela de derecho histórico en Austria. System des Oesterreichischen Allgemeinen Privatrechts (Leipzig, 1856-64)

Valencia Zea, Arturo, Jurista colombiano (Bojacá, Cundinamarca, 14 de noviembre de 1914-Bogotá D.C, 16 de julio de 1993). Es considerado el más grande jurista y catedrático del derecho civil colombiano del siglo XX. A través de sus obras y la enseñanza universitaria modificó los roles tradicionales del derecho civil, logrando constituir un tratado completo sobre la materia; dos monografías sobre la posesión en el derecho y la propiedad privada; así como también un Proyecto de Código de Derecho Privado, a través del cual pretendió unificar los Códigos Civil y de Comercio.

Valverde y Valverde, Calixto. Jurista español (Castromonte, 1 de marzo de 1870-Valladolid, 25 de marzo de 1941). Ejerció la docencia en la facultad de Derecho de la Universidad de Valladolid. Autor del libro *Tratado de derecho civil español.*

Vasconcelos Aguilar, Mario. Jurista mexicano (Querétaro, 8 de octubre de 1933). Desempeñó el cargo de abogado auxiliar de la UNAM y fue jefe del Departamento de Ciencias Sociales y Secretario de Difusión Cultural de la Escuela Nacional Preparatoria. Autor de los libros *El fin específico del Derecho, Derecho positivo elemental y El Derecho y la Sociología.*

Vázquez Pando, Fernando Alejandro. Jurista mexicano (1945-1995). Licenciado en Derecho por la Escuela Libre de Derecho. Catedrático de la ELD y de la Universidad Iberoamericana. Miembro del Comité Editorial de la Revista Jurídica y Barra Mexicana del Colegio de Abogados. Director de la Revista El Foro.

Vázquez Pérez, Francisco. Jurista mexicano. Fue presidente de la Asociación Nacional del Notariado.

Velasco, Gustavo R. Jurista mexicano (Ciudad de México, 3 de abril de 1903-ibídem, 18 de enero de 1982). Fue presidente de la Barra Mexicana de Abogados, la cual posteriormente le honró con el título de Presidente Honorario Vitalicio.

Verdugo, Agustín. Jurista mexicano. Fue profesor de adjunto de la cátedra de elocuencia en la Escuela Nacional de Jurisprudencia y socio de la Real Academia de Jurisprudencia y Legislación de Madrid

Villain, Jean. Jurista francés (1892-1982). Autor de *L'enseignement social de l'église*.

Villoro Toranzo, Miguel. Jurista mexicano (Barcelona, 21 de noviembre de 1920-28 de septiembre de 1990). Especialista en Filosofía del derecho. Su obra culminante lleva por título Deontología jurídica.

Visco, Antonio. Jurista italiano. Autor de *La Disciplina Giuridica Felle Case in Condominio*.

Voet, Johannes. Jurista holandés (Utrecht, 3 de octubre de 1647-Leiden, 11 de septiembre de 1713). Fue una de las llamadas "antiguas autoridades" de la ley romano-holandesa. Autor de *Commentarius ad Pandectas*.

Weber Ponce de León, Federico. Autor del libro *La Venta de Cosa Futura*. Fue profesor del seminario de Contratos en el departamento de Derecho en la Universidad Iberoamericana.

Windscheid, Bernhard. Jurista alemán (Düsseldorf, 26 de julio de 1817-Leipzig, 26 de octubre de 1892). Sus debates con Theodor Muther dieron origen a los estudios contemporáneos de derecho procesal.

Yáñez, Mariano. Jurista mexicano. Fue nombrado miembro presidente de la comisión redactora del código civil para el Distrito y Territorios Federales de 1870.

Zamora Pierce, Jesús. Abogado mexicano. Fue presidente de la Barra Mexicana, Colegio de Abogados, A.C.

Zamora y Valencia, Miguel Ángel. Notario mexicano (Uruapan, 10 de agosto de 1939). Destacado académico, autor de *Contratos civiles*.

Notas

[1] *Cfr.* Windscheid, B., *Diritto delle Pandette*, trad. de Carlo Fadda y Paolo Emilio Bensa, Torino, s.e., 1925 p. 34.; En el mismo sentido, cfr. Máynez, Ch., *Cours de Droit Romain*, 5° ed., t. III.s.l., s.e., 1891, p. 500.

[2] Justiniano, *Digesto*, Libro X, Tít. III. (533 d. C.); García del Corral, I, *Cuerpo del Derecho Civil Romano*, t. II, Barcelona, s.e., 1889, p. 635.

[3] Cunha Gonçalves, Luiz da, *Tratado de Direito Civil em comentário ao Código Civil Português*, Vol. 1663. No. 1663., Coimbra, 1837, p. 63.

[4] Colin, A. y Capitant, H., *Curso elemental de Derecho Civil con notas sobre el Derecho Civil español*, t. II, Madrid, Demófilo de Buen, 1933, p. 625.

[5] Capitant, Henri, "L'Indivision", *Répétitions Écrites de Droit Civil Approfondi*. París, s.e., 1927-1928, p. 8

[6] Lebrea, *La Notion de l'indivision dans le Droit Français actual*, 1922, Citado en Bonecasse, J., *Suplementau Traité théorique et practique de Droit Civil par Baudry-Lacantinerie*. t. IV. S.l., s.e., s.a., p. 357.

[7] Brassi, Ludovico, *Propietá e compropietá*, Milano, s.e., 1951, p. 762.

[8] Planiol, M., *Traité Elementaire de Droit Civil*, t. I, s.l, s.e., 1953, p. 224., citado en Borja Soriano, Manuel, *Teoría General de las Obligaciones*, 2ª ed. Porrúa, México, s.e., s.a., p. 39.

[9] Baudry-Lacantinerie, G. y Foucade, H., *Traité théorique et practique de Droit Civil*, t. I, núm. 263, s.l., s.e., s.a.; Aubry y Rau, *Cours de Droit Civil Français*, s.a., p. 130. Citado por Borja Soriano, M. *op. cit., loc. cit.*

[10] Baudry-Lacantinerie & Foucade, H., *op. cit.*, t. I, núm. 264; Aubry ey Rau., *op. cit.*, t. I, p. 131.; Planiol, M., *op. cit.*, t. I. núm. 210, citado por Borja Soriano, M. *op. cit.* t. I. p. 40.

[11] Planiol, M. et Ripert, G., *Traité practique de Droit Civil français*, París, ed. Cultural, 1926, t. III, p. 281. En el mismo sentido, cfr. Colin, A. y Capitant, H., *op. cit.*, p. 624.; también cfr. Cunha Gonçalves, Luiz da, *op. cit.*, vol. XI, núm. 1668, p. 279.

[12] Goubeau, "*Étude sur la clause d'indivisión forcé perpetuelle en droit civil français*", 1910, Citado por Bonnecase, J., *op. cit.*, p. 315.

[13] Baudry-Lacantinerie, G., *Traité théorique et practique de Droit Civil*, 3ª ed. Librairie De La Societe Du Recueil, t. IV, París, 1905, p. 199.

[14] Planiol, M. y Ripert, G., *op. cit.*, p. 282.

[15] Colin y Capitant, *op. cit.* p. 267 y 626, sustituyendo los preceptos del derecho francés con las disposiciones de nuestro código.

[16] Colin, A. y Capitant, H., *op. cit.*, p. 624.

[17] Planiol, M. y Ripert, G., *op. cit.*, p. 286. En el mismo sentido, Colin, A. y Capitant, H., *op. cit.* p. 626. (salvo en la segunda condición, en la que opinan en contra).

[18] Borja Soriano, Manuel, *Teoría General de las Obligaciones*, 4° Ed., t. I, México, Editorial Porrúa, 1962, p. 37.

[19]   Capitant, H, *Introduction à l'étude du Droit Civil*, 4a Ed., París, 1904.; Cfr., además Bonnecase, J., *Supplément au Traité Theórique e Pratiqué de Droit Civil*, París, 1924-1935, t. II.; Baudry-Lacantinerie, *Précis de Droit Civil*, 9ª Ed., París, 1906-1909, t. I.; Planiol, M., *Traité eléméntaire de Droit Civil*, 11ª Ed., París, 1932, t. I.; Duguit, L., *Traité de Droit Constitutionnel*. París, 1921, t. I, p. 219.; Gutiérrez y González, E., *Derecho de las obligaciones*, 3ª Ed., Puebla, Editorial Cajica, 1968, p. 103.

[20]   Cariota Ferrara, L., *El negocio jurídico*, trad. Manuel Albaladejo, Madrid, Editorial Aguilar, 1956, p. 58.

[21]   *Ibídem*, p. 568.

[22]   *Cfr.* Borja Soriano, Manuel, *op. cit.*, p. 139.; Rojina Villegas, Rafael, *Derecho Civil Mexicano*, t. V, México, Editorial Robledo, 1951, p. 137.; Gual Vidal, M. *Apuntes de Teoría General de las Obligaciones*, t. I, México, p. 480.; Gutiérrez y González, E., *op. cit.*, pp. 137-138.; Cfr. Código civil de 1928, artículos 1794 y 1795.

[23]   *Cfr.* los autores citados en la nota anterior y los artículos 2224 y siguientes del código civil de 1928.

[24]   Castro y Bravo, F., *El negocio jurídico*, Madrid, Instituto Nacional de Estudios Jurídicos, s.l., s.e, 1967, p. 463.

[25]   Stolfi, G., *Teoría del negocio jurídico*, trad. de Jaime Santos Briz, Madrid, Editorial Revista de Derecho Privado, 1959, p. 123.

[26]   Cariota Ferrara, L., *op. cit.*, p. 538.

[27]   *Idem.*

[28]   *Idem.*

[29]   *Ibídem*, p. 544.

[30]   Citados por Windscheid, B., *Diritto delle Pandette*, trad. de Carlo Fadda y Paolo Emilio Bensa, t. I, Torino, Unione Tipográfico Editrice Torinese, 1925, p. 284.

[31]   *Idem.*

[32]   *Idem.*

[33]   Cariota Ferrara, L., *op. cit.*, p. 548.

[34]   Betti, Emilio, *Teoría General del Negocio Jurídico*. trad. de A. Martín Pérez, Madrid, Editorial Revista de Derecho Privado, 1959, p. 3386.

[35]   Albaladejo, Manuel, *El Negocio Jurídico*, Barcelona, José María Bosch Editor, 1958, p. 231.

[36]   Justiniano, *Las instituciones*, Libro III, título XV, párrafo 4.

[37]   Máynez, C., *Curso de Derecho Romano*, trad. de Antonio José Pou y Ordinas, 2ª Ed., t. I, Barcelona, s.e., 1892, p. 506.

[38]   Von Ihering, R., *L'Esprit du Droit Romain dans diverses phases de son developpement*, trad. de O. de Meulanere, 3ª Ed., t. IV, París, Librairie Maresq Ainé, 1388, p. 166.

[39]   Floris Margadant, G., *Derecho Privado Romano*, México, Editorial Esfinge, 1969, p. 345.

[40]   Ürtolán, J., *Histoire de la Législation Romaine*, 2ª Ed., t. III, París, E. Plón, Nourrit et Cie. Imprimeurs-Editeurs, 1884, p. 162. En el mismo sentido, para los textos romanos: Baudry-Lacantinerie, *Précis de Droit Civil*, t. XVI, París, 1909.

41   Pothier, R.J., *Oeuores Publiée par M. Sijjrein, Videcoq*, t. I, París, Librairie, 1824, p. 208.
42   *Ibídem*, p. 218.
43   Domat, J., *Las Leyes Civiles en su Orden Natural*, trad. de Felio Vilarrubias y José Sardá, t. I, Barcelona, Librería de Esteban Pujol, 1861, p. 137.
44   Merlin, M. *Répertoire Universel et Raisonné de Jurisprudence*, t. III, París, Garnery Librairie, 1828, p. 377.
45   Artículo 1168.
46   Artículo 1181.
47   Citado por Borja Soriano, Manuel, *op. cit.*, t.II, p. 18.
48   Citado por Borja Soriano, Manuel, *Ibídem*, p. 19.
49   Baudry-Lacantinerie y Barde, Aubry y Rau, Laurent, Demolombe, citados por Borja Soriano, Manuel, *op. cit.*, p. 19; Ver, además: Toullier, B. C. M. y Duvergier, J.B., *Le Droit Civil Français suivant l'Ordre du Code*, 6ª Ed., t. VI, París, p. 303.
50   Colin, Capitant y Gaudemet citados por Borja Soriano, M. *op. Cit.*
51   Demolombe, Ch., *Cours de Code Napoléon*, París, A. Lahure Impremeur-Editeur, t. XXV; Demolombe, Ch., *Traité des Contrats ou des Obligations Conventionnelles en Général*, París, A. Lahure Impremeur-Editeur, t. II; Toullier, C. B. M. Y Duvergier, J. B., *op, cit.* t.VI. p. 303.
52   Artículo 1157.
53   Artículo 1158.
54   Lomónaco, G., *Delle Obbligazioni e dei Contrati in Genere*, Torino, Unione Tipográfico Editrice Torinese, 1924, p. 330; Polacco, V., *Le Obbligazioni nel Diritto Civile Italiano*, 2ª Ed., Roma, Athenaeum, 1915, p. 237.
55   Lomónaco, G., *op. cit.;* Polacco, V. *op. cit.;* De Ruggiero, R., *Instituciones de Derecho Civil*, trad. de Ramón Serrano Señor y José Santa Cruz Teijeiro, t. I, Madrid, Editorial Reus, 1929, p. 286; Pacifici-Mazzoni, E., *Instituzioni de Diritto Civile Italiano*, 4ª Ed., Firenze. Casa Editrice Libraria Fratelli Cammelli, 1904, p. 402.; Giorgio, G., *Teoría de las Obligaciones en el Derecho Moderno*, Madrid, 1911, p. 322.; FRANCESCO Rrccr (AUTOR ILEGIBLE), *Derecho Civil Teórico y Práctico*, trad. de Eduardo Ovejero, Madrid, La España Moderna, t. XIII, p. 173.
56   Coviello, N., *Manuale Di Diritto Civile Italiano*, Milán, Societá Editrice Libraria, 1924, p. 433. En el mismo sentido, cfr. Pacchioni, G., *Elementi di Iliritto Ciuile*, Torino, Unione Tipográfico-Editrice Torínese, 1921, p. 287.
57   Artículo 108.
58   Artículo 109.
59   Colin, A. y Capitant, H., *Traité de Droit Civil Refondu par Léon Iulliot de la Morandiére*, t. II, París, Libraire Dalloz, 1959, p. 937.
60   Borja Soriano, Manuel, *op. cit.*, p. 15.
61   Von Tuhr, Andreas, *Derecho Civil. Teoría General del Derecho Civil Alemán*, trad. de Tito Ravá, t. V, Buenos Aires, Editorial De Palma, 1948, p. 305.
62   *Ibídem*, p. 308.
63   *Ibídem*, p. 328.

[64]   *Ibídem,* p. 329.

[65]   *Ibídem,* p. 339

[66]   Enneccerus, L., (et. al.), *Tratado de Derecho Civil,* trad. de Blas Pérez González y José Alguer, 13ª Ed., t. I, Barcelona, Editorial Bosch, 1935, p. 355.

[67]   Dernburg, H., *Diritto delle Obbligazioni,* trad. de Francesco Bernardino Cicala, Torino, Fratelli Bocea Editori, 1903.

[68]   Larenz, K., *Derecho de Obligaciones,* trad. de Jaime Santos Briz, t. I., Madrid, Editorial Revista de Derecho Privado, 1958.

[69]   *Code Civil Allemand,* traducido y anotado por. C. Bufnoir, J. Challamel, J. Drioux, F. Geny, P. Hamel, H. Lévy Ullmann, y R. Saleilles, Imprimerie Nationale, t. I, París, s.e., 1904, pág. 190.

[70]   Artículo 1353.

[71]   Natoli, U., *Della Condizioni Nel Contratto,* en Códice Civile Libro delle Obbligazioni, vol. I, s.l., s.e., 1948, p. 419.

[72]   *Ibídem.* p. 420.

[73]   *Idem.*

[74]   Messineo, F., *Manuale Di Diritto Civile e Commerciale,* 8ª Ed., Milano, s.e, 1950, p. 564.

[75]   Betti, Emilio, *op. cit.* p. 382.

[76]   Trabucchi, A., *Instituzioni di Diritto Civile,* 3ª Ed., Padova, s.e., 1946.

[77]   Barassi, Ludovico, *La Teoría Generale Delle Obbligazioni,* Milano, Editorial A. Guiffré, 1946.

[78]   Cariota Ferrara, L. *op. cit.*

[79]   Betti, Emilio, *op. cit.* p. 62.

[80]   *Idem.* Cfr. Cariota Ferrara, L. *op. cit.* p. 550.

[81]   Betti, Emilio, *op. cit.* p. 62.

[82]   Albaladejo, Manuel, *op. cit.* p. 235.

[83]   Natoli, U. *op. cit.* p. 428.

[84]   Ferrara, F., *Trattato Di Diritto Civüe Italiano,* 1921, p. 432.

[85]   Messineo, F., *op, cit.,* t.I. p. 568.

[86]   Betti, Emilio, *op. cit.,* p. 401.

[87]   Windscheid, B. *op, cit. loc. cit.*

[88]   Von Tuhr, A. *op. cit.*

[89]   Henri, L. y Mazenaud, J., *Leçons de Droit Civil.* París., t. II, Ediciones Montchrestien, 1956.

[90]   Coviello, N., *op, cit.,* p. 287.

[91]   Betti, Emilio, *op, cit.,* p. 401.

[92]   Albaladejo, Manuel, *op. cit.*

[93]   Baudry-Lacantinerie, *op. cit.*

[94]   Natoli, U. *op. cit.* pp. 428-429.

[95]   Von Tuhr, Andreas, *op. cit.* p. 81.

[96]   Así, Enneccerus, Ludwig, *op. cit.,* t. I, vol. II, núms. 184-1, p. 335; Pérez González, Blas y Alguer, José, en las notas a la obra de Enneccerus, núm. I, p. 338.; Von Tuhr, Andreas, *op. cit.,* núm. 81; Natoli, Ugo, *op. cit.,* p. 428.

[97]   Así, Baudry-Lacantinerie, *op. cit.* núm. 838.

98 Así, Baudry-Lacantinerie, *ídem;* Betti, E. *op. cit.,* núm. 65; Natoli, U. *op, cit.* núm. 8, p. 430.

99 Así, Baudry-Lacantinerie, *op. cit.* p. 56; Von Tuhr, A. *op. cit.,* núm. 81, p. 330; Enneccerus, L. *op, cit.* p. 338; Betti, E. *op. cit.,* p. 402; Demolombe, Ch. *op, cit.* p. 351; Aubry y Rau. *op. cit.* t.III. p. 50; Henri, L. y Mazeaud, J. *op, cit.* t.II. p. 850. Cariota Ferrara, L., *op cit.* p. 558.

100 Girard, P.F., *Manuel Elémentaire de Droit Romain,* París, s.e., 1924, p. 496.

101 Kelsen, Hans, *El Contrato y el Tratado,* trad. de Eduardo García Máynez, México, Imprenta Universitaria, 1943, pp. 67-71.

102 Gutiérrez y González, Ernesto, *op. cit.,* p. 686

103 Enneccerus, Ludwig, *op. cit.,* pp. 325 y 327.

104 Gutiérrez y González, Ernesto, *op, cit.,* p. 687.

105 Pérez González, Blas y Alguer, José, *Notas a la obra de Enneccerus,* ed. Bosch, p. 346.

106 Enneccerus, Ludwig, *op. cit.,* p. 336.

107 Pérez González, Blas y Alguer, José, *op. cit.,* p. 338.

108 Gutiérrez y González, Ernesto, *op. cit.,* pág. 688, núm. 974.

109 Rojina Villegas, Rafael, *op. cit.,* t. V, vol. III, p. 461.

110 Borja Soriano, Manuel, *op. cit.,* t. II, p. 18. En el mismo sentido, cfr. Gual Vidal, Manuel, *op. cit.,* t. II, p. 63.

111 Exposición de los Cuatro Libros del código civil del Distrito Federal y Territorio de la Baja California que hizo la Comisión al presentar el Proyecto al Supremo Gobierno, Tipográfica ele Aguilar e hijos, México, 1879, p. 56.

112 Borja Soriano, Manuel, *op. cit.,* t. II, p. 18.

113 Gual Vidal, Manuel, *op. cit.*

114 Rojina Villegas, Rafael, *op. cit.,* t. V, vol. III, p. 451; Flores, Barroeta, Benjamín, *Lecciones del primer curso de Derecho Civil,* México, Universidad Iberoamericana, 1965, p. 167.

115 Gutiérrez y González, Ernesto, *op. cit.,* p. 685; Araujo Valdivia, Luis, Derecho de las cosas y derecho de las sucesiones, Puebla, Editorial Cajica, 1965, p. 423.

116 *Idem.*

117 *Ibídem, p. 686.*

118 *Idem.*

119 *Ibídem, p. 691.*

120 Betti, Emilio, *op. cit.,* p. 404.

121 Gutiérrez y González Ernesto, *op. cit.,* p. 691.

122 Borja Soriano, Manuel, *op. cit.,* t. II, p. 18.

123 *Cfr.* nota 82.

124 *Cfr.* el capítulo sobre Método de Interpretación que aparece al principio del tomo I de la *Teoría General de las Obligaciones,* de Manuel Borja Soriano.

125 Citado por Borja Soriano, Manuel, *Teoría General de la Obligaciones,* t. I, México, 1953, p. 100.

126 Gounot, Emmanuel, "La libertad de los contratos y sus justos límites", *Estudios Sociales,* trad. de Héctor González Uribe, México, Editorial Jus, 1947, p. 93.

[127] Sobre el principio de la autonomía de la voluntad, su concepto y desarrollo puede verse: Borja Soriano, Manuel, *op. cit.*

[128] Cfr. Fubini, Ricardo, "Contribución al Estudio de los Contratos Complejos (llamados mixtos)", *Revista de Derecho Privado*, año XVIII, núm. 208, enero de 1931; Rubino, Doménico, "El Negocio Jurídico Indirecto", *Revista de Derecho Privado*, trad. de Lino Rodríguez-Arias, Madrid, Editorial, 1953, p. 47; Flores Barroeta, Benjamín, "La Declaración Unilateral de la Voluntad como Fuente Especial de Obligaciones", *Estudios Jurídicos que en homenaje a Manuel Borja Soriano presenta la Universidad Iberoamericana*, México, Editorial Porrúa, 1969, pp. 325-453.

[129] Aun en los sistemas jurídicos, que en razón del régimen sociopolítico dentro del cual funcionan conceden un campo mucho más restringido al ejercicio de la voluntad, como sucede en el derecho soviético, no deja de reconocerse la posibilidad de que los particulares configuren contratos que no están expresamente previstos por las leyes. Sobre este punto Cfr. Serevrovsky, V. y Jálfina, R., "Derecho Civil Soviético", en Romashkin, P. *Fundamentos del Derecho Soviético*, Moscú, Ediciones en Lenguas Extranjeras, p. 235.

[130] Sobre la distinción entre "Libertad de Contratar" y "Libertad Contractual", Cfr. Messineo, Francesco, *Dottrina Generale del Contrato*, 3a. Ed., Milano, Editorial Dott. A. Giuffre, 1948, p. 13.

[131] D´Ors y Pérez-Peix, Álvaro, "Formación Histórica de los tipos contractuales romanos", conferencia pronunciada el 22 de marzo de 1947 en la Academia Matritense del Notariado, publicada por el "Instituto Editorial Reus" en Madrid el año de 1950, p. 3; Cfr. D´Ors y Pérez-Peix, Álvaro, "Apostillas sobre la Formación Histórica de los Tipos Contractuales Romanos", *Revista de Derecho Notarial*, núms. XXV y XXVI, julio-diciembre de 1959; y D´Ors y Pérez-Peix, Álvaro, "Creditum", *Anuario de Historia del Derecho Español*, Madrid, Instituto Nacional de Estudios Jurídicos, 1963.

[132] D'Ors y Pérez- Peix, Álvaro, *op. cit., p. 19.*

[133] Bautista Jordano, Juan, "Los Contratos Atípicos", *Revista General de Legislación y Jurisprudencia*, Madrid, Instituto Editorial Reus, julio-agosto, 1953.

[134] En la exposición histórica realizada hemos seguido fundamentalmente las orientaciones de Álvaro D'Ors y Juan Bautista Jordano expresadas en sus obras citadas en las notas anteriores, y la de Aguilar Gutiérrez, Antonio, "Los Contratos Mixtos y los Contratos Innominados", *Anales de Jurisprudencia*, año IX, t. XXXII, núm. 6, junio de 1941.

[135] Messineo, Francesco, *op. cit.*, p. 214.

[136] Dualde Gómez, Joaquín, "La Materia Contractual Única", *Libro-Homenaje al profesor don Felipe Clemente De Diego*, Madrid, 1940, p. 33.

[137] Fubini, Ricardo, *op. cit.*, p. 5

[138] Messineo, Francesco *op. cit.*, p. 222. En el mismo sentido, cfr. Barassi, Ludovico: "La Teoría Generale delle Obbligazioni" *Le Fonti*, Milano, Vol. II, núm. 170, 1946.

[139] Betti, Emilio, *Teoría General del Negocio Jurídico*, trad. de A. Martín Pérez, Madrid, Editorial Revista de Derecho Privado, 1959, p. 153.

[140] Messineo, Francesco, *op. cit.*, p. 213.

[141] Bautista Jordano, Juan, *op. cit.*, p. 14.

[142] Messina, "I Concordati di Tariffe Nell'Ordinamento Giuridico del Lavara", *Rivista de Diritto Comerciale e del Diritto Generale delle Obligazioni*, t. I I, Vol. II, p. 548.

[143] Rubino, Doménico, *op. cit.*, p. 49

[144] Fubini, Ricardo, *op. cit.*, p. 6

[145] Planiol, Marcel, *Traité Elémentaire de Droit Civil*, 11a Ed., t. II, París, 1932, p. 508.

[146] Fubini, Ricardo, *op. cit.*, p. 8.

[147] Betti, Emilio, *Teoría Generale delle Obbligazioni*, Milano, Ed. Dott. A. Geiuffré, 1954, p. 64.

[148] Rotondi, Mario, *Istituzioni di Diritto Privato*, s.a., p. 419.

[149] Rubino, Doménico, *op. cit.*, p. 54.

[150] Aguilar Gutiérrez, Antonio, *op. cit.*, p. 827.

[151] Además de las opiniones de los autores citados en el texto, Cfr. De Gennaro, Gino, *I Contratti Misti. Delimitazione, Classificazione e Disciplina Negotia Mixta Cum Donatione*, Padova, Casa Editrice Dott. Antonio Milani. 1934, p. 16.

[152] De Gennaro, Gino, *Le Cassette Forti di Sicurezza*, Milano, Ed. Dott A. Giuffré, 1938, p. 102.

[153] Cariota Ferrara, Luigi, *El Negocio Jurídico*, trad. de Manuel Albaladejo, Madrid, Editorial Aguilar, 1956, p. 181.

[154] Gino De Gennaro, *op. cit.*, capítulo 6.

[155] Fubini, Ricardo, *op. cit.*, p. 9.

[156] Aguilar Gutiérrez, Antonio, *op. cit.*, p. 82

[157] Mateos Alarcón, Manuel, *Lecciones de Derecho Civil*, t. III, p. 14.

[158] Calva, Esteban y Segura, Francisco de P., *Instituciones de Derecho Civil según el Código del Distrito Federal y Territorio de la Baja California*, t. II, México, imprenta de Díaz De León y White, p. 11.

[159] Rojina Villegas, Rafael, *Derecho Civil Mexicano*, t. VI, s.l., s.e., p. 73

[160] De Gennaro, Gino, *op. cit.*, p. 171.

[161] Troplong, M., *De Droit Civil Expliqué, Suivant l'ordre des Articles du Code. De L'Echange et du Louage*, t. I, París, 1840, p. 19. En el texto se asienta lo siguiente: "Brunernan proponía las distinciones siguientes que apoyaba en la opinión de graves autores. Si la suma pagada en dinero excede el valor de la cosa [...] será una venta más que una permuta. La permuta no será más que un accesorio. Se percibe a primera vista lo atinado de esta solución. Si la suma pagada en dinero es igual a la cosa, será aún una venta porque en la duda se debe hacer triunfar al contrato más noble. *Venditio Dignior Est quoe in dubio proferenda*. Pero confieso que me gustaría más decir que es preferible consultar las circunstancias del acto, así como la intención de las partes y el nombre que han dado al contrato; porque no veo que la venta esté fundada para reclamar, entre nosotros, el privilegio de la dignidad y de la su-

perioridad sobre las otras convenciones. Si el precio es inferior a la cosa, el contrato de permuta prevalecerá; la suma de dinero no será más que un accesorio […]".

162 Fubini, Ricardo, *op. cit.*, p. 11.

163 Dualde, Joaquín, *op. cit.*, p. 30.

164 Para el desarrollo de esta idea se puede consultar: Aguilar Gutiérrez, Antonio, *op. cit.*, p. 81.

165 De Castro y Bravo, Federico, *El Negocio Jurídico,* Madrid, Instituto Nacional de Estudios Jurídicos, 1967, p. 205.

166 Aguilar Gutiérrez, Antonio, *op. cit.,* p. 816.

167 Messineo, Francesco, *op. cit.*, p. 228.

168 Aguilar Gutiérrez, Antonio, *op. cit.,* p. 819.

169 Messina, *op. cit.*, p. 420.

170 Cariota Ferrara, Luigi, *op. cit.,* p. 181.

171 Aguilar Gutiérrez, Antonio, *op. cit.,* p. 829.

172 Messineo, Francesco, *op. cit.*, p. 229.

173 Aguilar Gutiérrez, Antonio, *op. cit.,* p. 814.

174 Messineo, Francesco, *op. cit.,* p. 231.

175 Fubini, Ricardo, *op. cit.,* p. 29.

176 De Castro, Federico, *op. cit.,* p. 209.

177 Barassi, Ludovico, *op. cit.,* núm. 170.

178 Betti, Emilio, *op. cit.,* p. 63.

179 Dualde, Joaquín, *op. cit.,* p. 39.

180 Bautista Jordano, Juan, *op. cit.,* p. 41.

181 Kohler, "El derecho de los Aztecas", *Revista de Derecho Notarial Mexicano,* trad. de Carlos Rovalo y Fernández, México, año III, núm. 9, diciembre de 1959, p. 57.

182 Esquivel Obregón, Toribio, *Apuntes para la Historia del Derecho de México,* t. III, México, Publicidad y Ediciones, 1943, p. 175.

183 *Idem.*

184 *Idem.*

185 *Idem.* Ver además t. III, p. 179.

186 Esquivel Obregón, Toribio, *op. cit.,* t. II, p. 14.

187 Esquivel Obregón, Toribio, *op. cit.,* t. II. p. 226.

188 *Cfr.* Pittaluga Rangel, Ernesto, *Ensayo sobre la Naturaleza Jurídica de la Propiedad Horizontal,* México, s.e., 1958, p. 42.

189 Mateos Alarcón, Manuel, *La evolución del Derecho Civil Mexicano desde la Independencia hasta nuestros días. Concurso Científico y Artístico del Centenario.* México, Tipografía Vda. De Francisco Díaz de León, 1911, p. 5.

190 *Cfr.* Bugueda Lanzas, Jesús, *La Propiedad Horizontal,* La Habana, Editorial Cultural, 1954, p. 8.

191 *Cfr.* Borja Martínez, Manuel, *La Propiedad de Pisos o Departamentos en Derecho Mexicano,* México, Porrúa, 1957, pp. 30-31.

192 La legislación de México independiente del siglo XIX puede consultarse en Dublán, Manuel y Lozano, José María, *Colección Completa de las Disposiciones*

Legislativas expedidas desde la Independencia de la República, México, Edición Oficial, 1876-1886, XVIII tomos.

[193] *Cfr.* Tena Ramírez, Felipe, *Leyes Fundamentales de México,* México, Porrúa, 1957.

[194] *Cfr.* Zarco, Francisco, *Crónica del Congreso Extraordinario Constituyente 1856-1857,* México, El Colegio de México, 1957, p. 550.

[195] *Cfr.* artículo 72 de la Constitución de 1857 y artículo 73 de la Constitución de 1917.

[196] Dublán, Manuel y Lozano, José María, *Legislación Mexicana o Colección Completa de las disposiciones legislativas expedidas desde la independencia de la República,* t. I, México, Edición Oficial, 1876, p. 589.

[197] Mateos Alarcón, Manuel, *op. cit.,* p. 7.

[198] Cfr. en la parte correspondiente a la legislación del estado de Oaxaca el artículo 530 de este código.

[199] Sierra, Justo, *Proyecto de un código civil Mexicano,* México, Edición Oficial, 1861.

[200] En el manuscrito del proyecto del código elaborado por esta comisión figura el artículo 765 o 632, el cual dice a la letra:

[201] *Código civil del Imperio Mexicano.* México, Imprenta de Andrade y Escalante, 1866. El texto del artículo 706 es el siguiente:
Artículo 706. Cuando los diferentes pisos de una casa pertenecieren a distintos propietarios, si los títulos de propiedad no arreglan los términos en que deben contribuir a las obras necesarias, se guardarán las reglas siguientes:
1. Las paredes maestras, el tejado o azotea, y las demás cosas de uso común, estarán a cargo de todos los propietarios, en proporción al valor de su piso.
2. Cada propietario costeará el suelo de su piso. El pavimento del portal, puerta de entrada, patio común, y obras de policía comunes a todos, se costearán a prorrata por todos los propietarios.
3. La escalera que conduce al piso primero, se costeará a prorrata entre todos, excepto el dueño del piso bajo: la que desde el primer piso conduce al segundo se costeará por todos, excepto por los dueños del piso bajo y primero, y así sucesivamente.
Código Civil del Imperio Mexicano, Libro Segundo, Título V: "De las Servidumbres", Capítulo II: "De las Servidumbres Legales", México, Imprenta de Andrade y Escalante, 1866.

[202] De Rivera, Ángel (comp.), *Legislación del estado de Veracruz Llave,* Jalapa, Imprenta Veracruzana de Agustín Ruiz, 1882.

[203] Pallares, Jacinto, *Legislación Federal Complementaria del Derecho Civil Mexicano,* México, s.e., s.a.

[204] *Cfr.* Borja Soriano, Manuel, *L'Influence du Code Civil Français au Mexique,* Barreau del Montreal, 1934.

[205] La Ley de 12 de julio de 1859 sobre nacionalización de los bienes que administraba el clero preceptuaba en su artículo primero que "entran al dominio de la nación, todos los bienes que el clero secular y regular ha estado administrando con diversos títulos, sea cual fuere la clase de predios, derechos y acciones en

que consistan, el nombre y la aplicación que hayan tenido"; y en el segundo: "una ley especial determinará la manera y forma de hacer ingresar al tesoro de la nación todos los bienes de que trata el artículo anterior". Por lo que toca a los inmuebles, la Ley de 13 de julio de 1859 estableció que "con objeto de que la enajenación de los bienes de que habla la Ley de 12 del actual, contribuya eficazmente a la subdivisión de la propiedad territorial, y ceda en beneficio general de la Nación, que es el gran fin de la reforma que ella envuelve, he tenido a bien decretar, con acuerdo unánime del Gabinete, lo siguiente: [...] Artículo 5. Igualmente nombrará la primera autoridad política uno o más peritos, para que dentro del preciso térmico de ocho días *formen planos de división de los edificios* que ocupaban las comunidades suprimidas, y los sometan a la aprobación de dicha autoridad[...] y una vez aprobados los planos de división, se valuará separadamente cada una de las fracciones que resulten". Artículo 6. Hecho este avalúo, se venderán dichas fracciones en subasta pública [...]".

206   *Código Civil del Distrito Federal y Territorio de la Baja California.* México, 1879, p. 43.

207   Mateos Alarcón, Manuel, *Estudios sobre el código civil del Distrito Federal,* t. II, México, Librería y Agencia de Publicaciones de N. Budin, pp. 261 y 262.

208   Rincón y Miranda, Manuel, *Tratado de Legislación de Edificios y Construcciones,* México, 1873, p. 112.

209   García Goyena, Florencio, *Concordancias, motivos y comentarios del código civil español,* t. I, Madrid, s.e., 1852, p. 449.

210   Macedo, Miguel S., *Datos para el estudio del nuevo código civil,* México, Imprenta de Francisco Díaz de León, 1884, pp. 3-4. Por lo que toca a la identidad de los artículos 1014 del código de 1884, y el 1120 del de 1870, puede consultarse la obra citada (p. 73) así como el texto mismo de los preceptos.

211   *Cfr.* Los comentarios y observaciones hechas por la Barra Mexicana de Abogados al proyecto de código en la revista *El Foro.*

212   *Cfr.* Borja Soriano, Manuel, *L'Influence du code civil francais au mexique,* Barreau del Montreal, 1934, p. 818.

213   García Téllez, Ignacio, *motivos, colaboración y concordancias del nuevo código civil mexicano,* México, s.e., 1932.

214   *Cfr.* Rojina Villegas, Rafael, *Derecho civil mexicano,* 2ª Ed., t. III, México, 1949, pp. 342, 343, 353-355; Gomís Soler, José y Muñoz, Luis, *Elementos de derecho civil mexicano,* t. II, México, s.e., 1944, p. 186.

215   Bandera Olavarría, José, *La propiedad horizontal o propiedad por pisos,* México, s.e., 1954, pp. 13-14.

216   Estos mismos conceptos, vertidos en nuestra obra sobre *La Propiedad de Pisos o Departamentos en Derecho Méxicano,* (Pág. 45) han hecho suponer a Sergio Torres Eyras ("Origen y Naturaleza Jurídica del Derecho de Condominio en el Derecho Mexicano", artículo publicado en la sección de Estudios Jurídicos de la revista *Anales de Jurisprudencia*) que encontramos intrascendente la reforma realizada en 1954. Ignoramos cómo pudo formarse esta falsa opinión el autor citado, pues en ningún momento la hemos expresado.
Sin embargo, insistimos en lo afirmado en el texto a propósito de que el espíritu de la reforma es el de una reglamentación más amplia y explícita

del instituto y no creemos que signifique un cambio en cuanto al concepto mismo de la institución.

Por eso es que consideramos un tanto exagerada la opinión de Sergio Torres Eyras, que en el artículo antes citado, afirma que "la reforma del artículo 951 a virtud del decreto de 30 de noviembre de 1954 vienen a introducir verdaderas modificaciones al sistema anterior, que no era equivocado, sino un lujo". La reforma de 1954, según Torres Eyras, significa "un cambio muy importante en la institución" y al efecto señala como puntos de divergencia entre el texto antiguo y el nuevo del artículo 951 del código civil los siguientes:

"1. La división horizontal de la propiedad no se limita sólo a los pisos, sino que ahora permite acorde con la realidad el fraccionamiento de los pisos en departamentos, los departamentos en viviendas y por último las viviendas en simple locales:

2. Se habla ya específicamente y en forma expresa de copropiedad sobre partes comunes;

3. Nos califica esa copropiedad de indivisible, o lo que es lo mismo de "copropiedad forzosa" como dice el Maestro Rojina; y

4. Obliga a los condóminos a estar y pasar por cierta organización, que nada tiene que ver con el dominio.

Por nuestra parte pensamos que no hay un cambio de substancia en la reforma de 1954, ya que:

1. Aun cuando el Código civil, en su texto anterior a la reforma de 1954 sólo hacía referencia expresa a "pisos", el término fue siempre interpretado en un sentido amplio y nunca en forma restringida con la idea de que sólo podían hacerse divisiones en pisos o plantas. La interpretación anterior se basó siempre en la claridad jurídica del término empleado por la ley, rechazando una simplista interpretación gramatical. La doctrina nacional encontró apoyo a su interpretación en las opiniones de los autores extranjeros que, comentando preceptos semejantes al nuestro, como el del código napoleónico, no vacilaron en conceder amplitud al término "pisos" empleado por la ley. En consecuencia, la nueva redacción del código sólo vino a reconocer en forma expresa lo que antes se entendía implícito, y esto, en nuestra opinión, no constituye cambio de fondo.

Por otra parte, la expresión empleada por Torres Eyras para analizar este punto parece implicar un criterio de jerarquía que de más a menos se desarrolla entre el piso y el local, pasando por los departamentos y las viviendas. No creemos que este sea el sentido de nuestro código.

2. La idea de copropiedad sobre las partes comunes del edificio existía aún antes de la reforma de 1954 y el propio Torres Eyras lo admite al hacer el análisis del artículo en su texto anterior a 1954, pues consigna entre los elementos de dicho precepto la existencia de "Cosas de propiedad... común". En la nueva redacción hay mayor claridad pero no cambio.

3. Por lo que toca a la concepción de la copropiedad sobre los elementos comunes del inmueble, como forzosa, también desde antes de la nueva re-

dacción se conceptuaba a esta como tal. Hoy se dice en forma expresa lo que antes ya se entendía. No hay modificación de fondo.

4. La organización a que quedan sujetos los condóminos, a nuestro juicio sí tiene que ver con el dominio, ya que esta les obliga en razón y en la medida en que son dueños de sus respectivos departamentos. Las obligaciones de los propietarios, que tienen el carácter de "propter-rem", no son sino el resultado de las relaciones de vecindad entre sus propiedades.

El hecho de que algunos estados del República reglamenten en forma semejante al Distrito Federal, el Régimen de Condominio, sin alterar el texto original de su código civil, y dejándolo en términos iguales a los del artículo 951 del código del Distrito antes de la reforma, es elocuente para demostrar que no son incompatibles sus disposiciones.

217 Villain, Jean, *La Enseñanza Social de la Iglesia*, trad. de Salvador Bordoy, Madrid, Editorial Aguilar, 1961, p. 66. La cita es del Levítico XXV. 37 y Deuteronomio XXIII. 19-20.

218 Villain, Jean, *op. cit.* p. 67.

219 Capítulo sexto versículo 35.

220 Villain, Jean, *op. cit.* pp. 67 y 68.

221 Scheifler Amézaga, Xavier, *Historia del Pensamiento económico*, México, Editorial Trillas, 1968, tomo I, p. 74.

222 Scheifler Amézaga, *op. cit.*, pp. 75 a 78.

223 Rodríguez de San Miguel, Juan N, *Pandectas Hispano Megicanas, o sea Código General Comprensivo de las Leyes Generales, útiles y vivas de las Siete Partidas, Recopilación Novísima, la de Indias, Autos y Providencias conocidas por de Montemayor y Beleña y Cédulas posteriores hasta el año de 1820 con exclusión de las totalmente inútiles, de las repetidas y de las expresamente derogadas*, México, Impreso en la Oficina de Mariano Galván Rivera, 1839, t. III, p. 518 núm. 5098.

224 Ibídem, t. I, p. X del "Discurso Preliminar".

225 Villain, Jean, *op. cit.*, p. 73.

226 Idem.

227 Vix Prevenit núm. 3 Tercera.

228 Idem.

229 Ambas obras impresas en un solo volumen publicado en París el año de 1828.

230 Canon 1543.

231 La ley IX del título V, libro V del Fuero Juzgado dispone textualmente: "Qui empresta pan o vino o olio, o otra cosa de tal manera, non debe aver mas por usura de la tercia parte, assí que si tomare dos moyos de III, acabo de anno. Hy esto mandamos solamente de las usuras de los panes. Hy de las usuras de la pecunia mandamos cuemo es dicho en la ley de suso". De este texto se infiere que el interés en esta clase de préstamos no puede exceder de la era parte, pero si se aplica el ejemplo de la misma ley pone debemos entender que el interés es del cincuenta por ciento de lo recibido. Fuero Juzgo en latín y castellano, cotejado con los más antiguos y preciosos códices por la real Academia Española. Ibarra, impresor de cámara S.M., Madrid 1815. p. 92.

232 En mucho excedería los límites de nuestro trabajo estudiar las relaciones de judíos y cristianos con motivo de la usura, pero no podemos dejar de mencionar que muchas de las disposiciones de las disposiciones de las leyes antiguas españolas tienen como finalidad reglamentar este comercio.

233 Cuando por engaño una persona se había obligado por escrito a pagar a su acreedor más de lo que en realidad debía, y este le demandaba en juicio el pago del total de la deuda falsamente reconocida, el acreedor perdía tanto la verdadera deuda, como por la falsa no pudiendo recuperar nada del deudor. (Ley XLIV, título II, partida tercera).

234 Permitían sin embargo las leyes de partida los intereses moratorios en el caso de que la obligación de restituir lo prestado no fuera ejecutada oportunamente, pero cuidando evitar la simulación que debió haber sido frecuente, cuando se señalaba un plazo para el cumplimiento de la obligación sin que hubiera intención de respetarlo y con el solo objeto de cobrar intereses a su vencimiento, pues en este caso se suponía la usura y no la pena convencional (Ley XL, título XI, partida quinta).

235 La ley I del título veintitrés del Ordenamiento de Alcalá prohibió también la venta con pacto de retroventa en la que el comprador estuviere facultado para gozar de los frutos y "esquilmos" de la cosa vendida, obligándose a retrovenderla en el mismo precio que la adquirió, pues en este caso los frutos hacían las veces de interés. (Ley IV, título VI, libro VIII, de la Nueva recopilación y ley II, título XXII, libro XII de la Novísima Recopilación).

236 *Cfr. Curia Philipica* por De Hevia Bolaños, Juan, Madrid, 1783. En el libro segundo, capítulo segundo, números 1, 2, 3, 4, 5, 7, 8 y 26, en las páginas 345 y siguientes.

237 Don Joaquín Escriche en su *Diccionario razonado de legislación y jurisprudencia*, señala que "esta pragmática no subsistió más que tres días, pues con fecha 17 del mismo mes y año expidió el mismo Felipe una cédula real que suspendía la ejecución y la dejaba sin efecto... de suerte que quedó en todo su vigor la ley de don Carlos y doña Juana... pero el redactor de la Novísima Recopilación... orilló por capricho, olvido u otra razón la cédula revocatoria de Felipe IV de 17 de noviembre, y tomó por su cuenta la pragmática revocada del 14 anterior del mismo mes que había muerto en la cuna a los 3 días de su nacimiento... no porque una ley se encuentre en la Novísima debe por solo este hecho considerarse con fuerza...".

238 Roa Bárcena, Rafael, *Manual teórico-práctico y razonado de las obligaciones y contratos en México*, México, Imprenta de Manuel Castro, 1861, p. 100.

239 Escriche, Joaquín, *Diccionario razonado de legislación y jurisprudencia*, París, 1851, p. 508.

240 *Cfr.* Escriche, Joaquín, *op. cit.* p. 508; Roa Bárcena, *op. cit.* p. 215; y Febrero, José, *Librería de Jueces, Abogados y Escribanos, que refundida y ordenada bajo nuevo método, y adicionada con varios tratados y con el título de "Febrero Novísimo" dio a luz don Eugenio de Tapia, nuevamente adicionada con otros diversos tratados y las disposiciones del derecho de Indias y patrio, por el Lic. Anastasio de la Pascua* México, 1835, tomo III, pp. 174 y ss.

241   *Cfr.* La cédula de 13 de mayo de 1786 en el núm. 660, último folio de la Re-
       copilación de Beleña, y las leyes VI, VIII y IX, nota 2, del título XV, libro X
       de la Novísima Recopilación.

242   *Cfr.* Roa Bárcena, Rafael, *op. cit.* p. 62. Febrero, *op. cit.* tomo III, p. 120 y sigts;
       y Joaquín Escriche *op. cit.* p. 431.

243   Joaquín Escriche *op. cit.* p. 433.

244   Escriche, Joaquín, *op. cit.*, p. 543.

245   Sobre el tema puede consultar, además, Roa Bárcena, *op. cit.* p. 130; y Febre-
       ro, José, *op. cit.* en el t. II, núm. 29, p. 130.

246   Uno de los pactos más antiguos en los que se encubría la usura fue la Mo-
       hatra definida por don José Febrero como: "especie de usura o fraude que
       comenten los mercaderes con los labradores u otras personas necesitadas,
       las cuales se obligan por grandes cantidades, recibiendo mucho menos que
       el importe de su obligación, y comprando géneros al fiado por mucho más
       de lo que valen, para venderlos luego al contado por el tercio o menos, tal
       vez a persona destinada por los mismos mercaderes para hacer esta compra"
       op. cit. tomo VII, p. 174. El 3 de marzo de 1543 se instruyó a los alcaldes,
       Mayores y a los Adelantados para castigar este tipo de usura. (Ley XXIX,
       título IV, libro III de la Nueva Recopilación y ley V, título XXII, libro XII de
       la Novísima Recopilación).

247   *Cfr.* Ley II, título XIII de la quinta partida.

248   *Cfr.* Escriche, Joaquín., *op. cit.*, p. 1160.

249   *Cfr.* Sala, Juan, *Ilustración del Derecho Real de España*, México, s.e., 1852, t. I, p.
       303, quien apoya su doctrina en las leyes LVI y LVII título V partida quinta;
       leyes I y VI, del título XI de la Nueva Recopilación; y ley II, título I, libro X,
       de la Novísima Recopilación.

250   Roa Bárcena, op., cit. p. 99 y leyes XVIII y XIX título I, libro X de la Novísima
       Recopilación.

251   *Cfr.* Gómez, Antonio, *Varias resoluciones*, México, Imprenta de cumplido,
       1852, pp. 68 y 69 y ley IX, título I de la quinta partida.

252   Ley XV, título XVIII, libro V de la Nueva Recopilación y ley XXI, título I,
       libro X, de la Novísima Recopilación; *Cfr.* Roa Bárcena, *op. cit.* p. 100.

253   Ver el texto de esta ley en *Legislación Mexicana o Colección Completa de las Dis-
       posiciones Legislativas expedidas desde la Independencia de la República.* Ordenada
       por los Lics. Manuel Dublán y José María Lozano. Edición Oficial México,
       1876, tomo II, p. 657.

254   Ver el texto de este Decreto en Dublán y Lozano *op. cit.* t. III, p. 651.

255   Ver el texto de este Decreto en Dublán y Lozano *op. cit.* t. IV, p. 632 y el sen-
       tido del término "premio legal" en Roa Bárcena *op. cit.* p. 100

256   Ver el texto de esta ley en Dublán y Lozano *op. cit.* t. IX p. 124.

257   Ver el texto de este decreto en *Boletín de las Leyes del Imperio Mexicano, o sea
       Código de la Restauración.-Colección Completa de las Leyes y de más disposiciones dic-
       tadas por la intervención Francesa, por el Supremo Poder Ejecutivo Provisional, y por el
       Imperio Mexicano, con un apéndice de los documentos oficiales más notables y curioso
       de la época,* publicado por José Sebastián Segura, México, 1873, tomo I, p. 144.

258   "Opúsculos inéditos de Don Ignacio Ramírez" citados por Guillermo Prieto en sus *Lecciones Elementales de Economía Política*, dadas en la Escuela de Jurisprudencia de México en el curso de 1871. México, Imprenta del Gobierno, a cargo de José María Sandoval. 1871, p. 340.

259   Prieto, Guillermo, *op. cit.* p. 345.

260   De Paula Ruanova, Francisco, *Lecciones de Derecho Civil, formadas en las doctrinas de varios autores y anotadas con el texto de todas las leyes respectivas*, Puebla, Imprenta de Narciso Bassol, 1871, t. II, pp. 39 y 40.

261   González Castro, Vicente, *Redacción del Código Civil de México*, Guadalajara, Imprenta de Mariano Meléndez y Muñiz, 1839.

262   *Cfr.* el artículo 2319 del Proyecto Méndez.

263   "Exposición de motivos" del código de 1870, p. 64.

264   *Cfr.* "Exposición de motivos" del Código de 1870, p. 96. La supresión del depósito irregular tiene su origen en el artículo 1782 del Proyecto Sierra y la reproducen los códigos de Veracruz (artículo 2132) y del estado de México (artículo 1930).

265   El proyecto Sierra (artículo 1760) si exigía el pacto por escrito, lo mismo que el proyecto que resultó de su revisión por la primera comisión presidida originalmente por don Jesús Terán y después por don José María Lacunza (artículo 2318), y que los códigos de Veracruz (artículo 2110) y del estado de México (artículo 1910).

266   Sobre el pacto de anatocismo puede consultarse con utilidad el estudio de Sánchez Medal, Ramón, "El Pacto de Anatocismo y los Daños y Perjuicios Moratorios en las Deudas en Dinero", en *Jus, Revista de Derecho y Ciencias Sociales*, núm. 121, agosto de 1948, p. 127 y ss.

267   En este mismo sentido pueden verse los artículos 1764 del Proyecto Sierra: 2321 de su primera revisión; 2114 del código de Veracruz y 1913 del código del estado de México.

268   Artículos 1645 del Proyecto Sierra; 1991 del código de Veracruz; y 1810 del código del estado de México.

269   *Cfr.* artículo 3230 al 3234 del código de 1870.

270   Por el contrario nosotros pensamos que se asemeja al mutuo en virtud de las innovaciones introducidas.

271   Mateos Alarcón, Manuel, *La Evolución del Derecho Civil Mexicano desde la Independencia hasta Nuestros Días*, México, Tipografía de la viuda de F. Díaz de León Sucs, 1911, p. 75.

272   Picazo, Luis; Gullón, Antonio, *Sistema de derecho civil*, Madrid, Editorial Tecnos, 1975. p. 51 y ss.

273   La Comisión está integrada por los profesores: Ignacio Galindo Garfias, María Carreras Maldonado, José de Jesús López Monroy, Iván Lagunes Pérez y Jorge Sánchez Dávila.

274   Castán Tobeñas, José, "La Socialización del Derecho" en *Revista de Legislación y Jurisprudencia*, s.l.i., 1915. p. 279 y 280.

[275]   Castán Tobeñas, José, "La ordenación sistemática del derecho civil" en *Revista general de legislación y jurisprudencia*, Madrid, Instituto Editorial Reus, 1954, p. 121.

[276]   *Cfr.* el artículo 149.

[277]   Por decreto de 20 de diciembre de 1975 (D.O. 23/XII/74) cambió su nombre por el de "ley sobre el régimen de propiedad en condominio de inmuebles para el distrito Federal" en atención a la supresión de los Territorios Federales.

[278]   Urquidi, Raúl, *Oaxaca, cuna de la codificación Iberoamericana*, México, Editorial Porrúa, S, A., 1974.

[279]   "Centenario del código civil del Distrito Federal en la Universidad Iberoamericana", *Jurídica. Anuario del Departamento de Derecho de la Universidad Iberoamericana*, núm. 3, julio de 1971. p. 185.

[280]   "Notas para el Estudio de la Historia de la Codificación del Derecho Civil en México, de 1810 a 1834", *Jurídica, Anuario del Departamento de Derecho de la Universidad Iberoamericana*, núm. 4, julio de 1972. p. 381.

[281]   "Breve Reseña Histórica de la Legislación Civil en México, desde la época precortesiana hasta 1854", *Jurídica, Anuario del Departamento de Derecho de la Universidad Iberoamericana*. núm. 4, julio de 1972. p. 201.

[282]   "Algunas modificaciones introducidas al Derecho Civil por el Código de 1870", *Jurídica. Anuario del Departamento de Derecho de la Universidad Iberoamericana*, núm. 3, julio de 1971. p. 269.

[283]   "El Código civil de 1870. Su Importancia en el Derecho Mexicano", *Jurídica, Anuario del Departamento de Derecho de la Universidad Iberoamericana*, No 3, julio de 1971, p. 245.

[284]   Folleto editado por su autor en el año de 1972.

[285]   Este trabajo fue presentado como tesis profesional para obtener el título de Licenciado en Derecho, el año de 1973.

[286]   Publicado en la "Revista de la Facultad de Derecho de México U.N.A.M". t. XX, núm. 79-80. Julio-diciembre de 1970. p. 1245.

[287]   T. XVII, núm. 68. Octubre-diciembre de 1967, p. 957.

[288]   México, Imprenta Universitaria, 1976. p. 37.

[289]   México, Editorial Jus, 1975.

[290]   México, Editorial Porrúa, S. A., 1973.

[291]   México, Editorial Porrúa, S. A., 1977.

[292]   Folleto editado por su autor en el año de 1972.

[293]   *El Foro*, Quinta Época, núm. 34, 35 y 36. Abril-octubre de 1974. pp., 19,27 y 53.

[294]   *Jurídica, Anuario del Departamento de Derecho de la Universidad Iberoamericana*, núm. 5, julio de 1973. p. 235.

[295]   *Revista de la Facultad de Derecho de México*, U.N.A.M., t. XXV núm. 99 y 100. Abril-octubre de 1974.

[296]   *Revista de la Facultad de Derecho de México*, U.N.A.M., t. XXVII, núm. 105-106. Enero-junio de 1977 p. 325.

297   Foro sobre la Legislación Mexicana acerca de la Deficiencia Mental. Problemática de Derecho Civil. *Revista de la Facultad de Derecho de México*. U.N.A.M. t. XIX. No 74. Abril-junio de 1969.

298   Trasplante de Órganos Humanos. Dictamen, *El Foro*, Quinta Época. núm. 9. Enero-marzo de 1968. p. 71.

299   El Nombre, *El Foro*, Quinta Época, NO. 33. Enero-Mazo de 1974. p. 55.

300   "El Nombre de los Personas Físicas (Necesidad de su Regulación Jurídica)", *El Foro*, Sexta Época, núm. 2o. Julio-septiembre de 1975. p. 55.

301   "El Acta de Nacimiento", *Revista de la Facultad de Derecho en México, U.N.A.M.*, t. XVII. núm. 66-67. Abril-septiembre de 1967. p. 537.

302   Dictamen, *El Foro*, Quinta Época. NO. 8. Octubre-diciembre de 1967.

303   "La Autonomía del Derecho de Familia", *Revista de la Facultad de Derecho en México U.N.A.M.*, t. XVII, núm. 68. Octubre-diciembre de 1967. p. 809.

304   "Derecho de Familia", *Contemporánea, Revista del Ilustre y Nacional Colegio de Abogados de México*, núm. 1. Julio de 1976. p. 23.

305   "El Derecho de Familia en el Código Civil de 1870", *Revista de la Facultad de Derecho de México U.N.A.M.*, t. XXI. núm. 8384. Julio-diciembre de 1971. p. 379.

306   "La Doctrina del Derecho de Familia", *Revista de la Facultad de Derecho de México U.N.A.M.*, t. XXII, núm. 99-100. Julio-septiembre de 1975.

307   "El Derecho Familiar Mexicano y el Establecimiento de los Tribunales de lo Familiar", *Anales de Jurisprudencia*, t. 149. Octubre-noviembre-diciembre de 1975. p. 379.

308   "Motivación y Trascendencia de las Reformas al Código Civil en Vista de una Efectiva Integración Familiar", *El Foro*, Sexta Época, núm. 1. Abril-junio de 1975. p. 31.

309   "Algunos Comentarios Sobre el Contenido del Derecho Familiar", *Anales de Jurisprudencia*, t. 159. Abril-mayo-junio de 197, p. 309.

310   *La Reforma de 1975 al Derecho Familiar*, Folleto publicado por su autor. México, 1975.

311   "Condición Jurídica de la Mujer en México", s.n., Dirección General de Publicaciones U.N.A.M., México 1975.

312   *Anales de Jurisprudencia*, t. 156. Julio-agosto-septiembre de 1975. p. 289.

313   "Esponsales", *Revista de Facultad de Derecho de México, U.N.A.M.*, t. XVIII, núm. 69-70. Enero-junio de 1968, p. 163.

314   "Los Esponsales, Naturaleza Jurídica", *Revista de la Facultad de Derecho de México, U.N.A.M.*, t. XXVII, núm. 105-106. Enero-junio de 1977. p. 239.

315   "Comentarios al artículo 161 del código civil para el Distrito y Territorios Federales", *Estudios Jurídicos en Homenaje a Manuel Borja Soriano*, México, Editorial Porrúa, S. A., 1969, p. 141.

316   "El consentimiento en el matrimonio de menores", *Estudios Jurídicos en Homenaje a Manuel Borja Soriano*, México, Editorial Porrúa, S. A., 1969. p. 269.

317   "De los matrimonios ilícitos", *Anales de Jurisprudencia*, t. "S" 117 y 118, 1967, pp. 280 y 243.

[318] "Contribución económica de los cónyuges al sostenimiento del hogar", *Anales de jurisprudencia,* t. 160. Julio-agosto-septiembre de 1976, p. 267.

[319] "Matrimonio y concubinato según el código civil", *Revista de derecho notarial,* Año XIX, núm. 39. Junio de 1975, p. 25.

[320] "La evolución mexicana del matrimonio civil", *Revista Jurídica de la Sociedad de Alumnos de la Escuela Libre de Derecho,* t. I, núm. L. Junio de 1977, p. 149.

[321] *El divorcio en México,* México, Editorial Porrúa, S. A, 1968.

[322] *Revista de derecho notarial,* Año XV, núm. 41. Enero de 1971, p. 41,

[323] México, Ediciones Marítimas, 1975.

[324] México, Fuentes Impresores, 1974.

[325] "La separación pre-prejudicial de los consortes ", *Anales de Jurisprudencia,* t. 156. Julio-agosto-septiembre de 1975. p. 255.

[326] "El divorcio de extranjeros en México y las Reformas a la ley de nacionalidad y naturalización", *El Foro,* Quinta Época, núm. 21. Enero-marzo de 1971. p. 51.

[327] "En defensa de los hijos naturales ", *Estudios jurídicos en homenaje a Manuel Borja Soriano,* México, Editorial Porrúa, S. A., 1969, p. 681.

[328] "Mantenimiento y custodia de los hijos. aspectos internacionales y comparativos", *El Foro,* Quinta Época, núm. 8. Octubre-diciembre de 1967, p. 45.

[329] "Estatuto jurídico de los niños legítimos, huérfanos y abandonados", *Revista de la Facultad da Derecho de México U.N.A.M.,* t. XXIII, núm. 91-92. Julio-diciembre de 1973, p. 313.

[330] "Algunas consideraciones sobre las acciones de filiación legítima ", *Estudios Jurídicos en Homenaje a Manuel Borja Soriano,* México, Editorial Porrúa, S. A., 1969, p. 455.

[331] "La adopción. necesidad de actualizar la institución en nuestro país", *Jurídica, Anuario del Departamento de Derecho de la Universidad Iberoamericana,* núm. 2. Julio de 1970, p. 23.

[332] Puebla, Editorial José Ma. Cajica Jr. S. A., 1971.

[333] "La propiedad en su manifestación positiva en el código de 1870", *Jurídica. Anuario del Departamento de Derecho do la Universidad Iberoamericana,* núm. 3. Julio de 1971, p. 341.

[334] "Los antecedentes inmediatos del concepto de propiedad en el código civil de 1870" *Jurídica. Anuario del Departamento de Derecho de la Universidad Iberoamericana,* núm. 3. Julio de 1971. p. 321.

[335] "El derecho de propiedad en el pensamiento Liberal Mexicano, hasta el año de 1860 ", *Jurídica. Anuario del Departamento de Derecho do la Universidad Iberoamericana,* núm. 3. Julio de 1971. p. 303.

[336] "El movimiento conservador frente al derecho de propiedad", *Jurídica, Anuario del Departamento de Derecho de la Universidad Iberoamericana,* núm. 3. Julio de 1971, p. 299.

[337] "La propiedad en el derecho Indiano ", *Jurídica, Anuario del Departamento de Derecho de la Universidad Iberoamericana,* núm. 3. Julio de 1971, p. 285.

[338] "El origen de la propiedad", *Revista Jurídica de la Sociedad de Alumnos de Escuela Libre de Derecho,* t. I, núm. L. Junio de 1977, p. 141.

339   *Anales de Jurisprudencia,* t. 128, 1967, p. 297.
340   *Jurídica, Anuario del Departamento de Derecho de la Universidad Iberoamericana,* núm. 4. Julio de 1972, p. 87.
341   *Revista de Derecho Notarial,* año XIII, núm. 36. Octubre de 1969, p. 7.
342   "*El derecho del tanto de los copropietarios*", *Revista de Derecho Notarial,* año XVII, núm. 33. Octubre de 1968, p. 19.
343   "Consecuencias Jurídicas de la Violación al Derecho del Tanto *", Estudios Jurídicos en Homenaje a Manuel Borja Soriano,* México, Editorial Porrúa, S. A., 1969. p. 121.
344   "Derecho de superficie", *Revista de Derecho Notarial,* año XVIII, núm. 55. Junio de 1974, p. 17.
345   *Anales de Jurisprudencia,* 1967.
346   *Anales de Jurisprudencia,* 1968.
347   *Comunicaciones Mexicanas al VIII Congreso Internacional de Derecho Comparado, celebrado en Péscara, Italia,* México, Imprenta Universitaria, 1971.
348   *Revista de Derecho Notarial Mexicano,* año XIV. Octubre de 1970, núm. 38, 39, y 40.
349   *Revista de Derecho Notarial Mexicano,* año XVII, núm. 51. Junio de 1973. p. 49.
350   *El Foro,* Quinta Época, núm. 28. Octubre-diciembre de 1972, p. 43.
351   *Revista de Derecho Notarial Mexicano,* año XVII, núm. 52. Septiembre de 1973. p. 83.
352   México, Imprenta Universitaria, 1967.
353   *Estudios Jurídicos en Homenaje a Manuel Borja Soriano,* México, Editorial Porrúa, S. A. México 1969. p. 151.
354   *Ibídem,* p. 325.
355   *Ibídem,* p. 473.
356   *Ibídem,* p. 205.
357   *Ibídem,* p. 253.
358   *Ibídem,* p. 517.
359   *Ibídem,* p. 705.
360   *Revista de la Facultad de Derecho de México. U.N.A.M.,* t. XVII, núm. 66-67. Abril-septiembre de 1967, p. 503.
361   *Anales de Jurisprudencia,* t. 131. Abril-junio de 1968, p. 177.
362   *El Foro,* Quinta Época, núm. 10. Abril-junio de 1968, p. 23.
363   *El Foro,* Quinta Época, núm. 20. Octubre-diciembre de 1970, p. 67.
364   Publicado en ' 'El Foro". Quinta Epoca. núm. 20. Octubre-diciembre de 1970. p. 25.
365   Publicado en *Jurídica,* Anuario del Departamento de Derecho de la Universidad Iberoamericana. núm. 5. Julio de 1973. p. 285.
366   Publicado en *Jurídica.* Anuario del Departamento de Derecho de la Universidad Iberoamericana. NO. 9. Julio de 1977. p. 417.
367   Régimen Jurídico de la Moneda Extranjera. Publicado en *Jurídica.* Anuario del Departamento de Derecho de la Universidad Iberoamericana, No, 9 Julio de 1977. p. 239.

368   La Devaluación y sus Consecuencias sobre las Obligaciones. Publicado en
      "El Foro" Sexta Época. núm. 7. Octubre-diciembre de 1976. p. 29.

369   Tesis presentada para obtener el título de licenciado en Derecho en Univer-
      sidad Nacional Áut6noma de México el año de 1974.

370   Editorial Font S. A., Guadalajara, Jalisco, 1972.

371   México, Editorial Porrúa S. A., 1973.

372   *Jurídica, Anuario del Departamento de Derecho de la Universidad Iberoamericana,*
      núm. 5. Julio de 1973.

373   México, Cárdenas Editor y Distribuidor, 1973.

374   "Algunos aspectos relativos a la antijuridicidad de las normas contractuales
      y de resoluciones administrativas a la luz de la constitución", *Anales de Juris-*
      prudencia, t. 151. Abril-junio de 1973, p. 217; "Los conflictos de intereses en
      los casos de contratos viciados por error", *El Foro,* Quinta Época, núm. 22.
      Abril-junio de 1971, p. 73.

375   *Una legislación sobre contratos y sobre propiedad urbana (según las leyes de protección*
      al consumidor y de asentamientos humanos y las últimas reformas a la Constitución),
      México, Imprenta Mexicana, S. de R. L., 1976.

376   "El Contrato Masivo", *El Foro,* Quinta Época, núm. 19. Julio-septiembre de
      1970.

377   "Los Contratos Aleatorios", *Estudios Jurídicos en Homenaje a Manuel Borja So-*
      riano, Editorial Porrúa, S. A. México, 1969, p. 663; y "El Consentimiento en
      los Contratos", *El Foro,* Quinta Época, núm. 20. Octubre-diciembre de 1970,
      p. 57.

378   "La Buena Fe de los Contratos", *Revista de la Facultad de Derecho de México,*
      U.N.A.M., t. XX., núm. 79-80. Julio-diciembre de 1970, p. 1103.

379   "Lineamientos generales sobre la clasificación de los contratos", *El Foro,* Sex-
      ta Época, núm. 8. Enero-marzo de 1977, p. 75.

380   "El Contrato Atípico", *El Foro,* Quinta Época, núm. 19. Julio-septiembre de
      1970, p. 41.

381   "El contrato preparatorio", *Jurídica, Anuario del Departamento de Derecho de la*
      Universidad Iberoamericana, núm. 1. Julio de 1969, p. 65.

382   "La promesa de compraventa", *Revista Jurídica Veracruzana,* t. XXVII, núm. 5.
      Enero-marzo de 1976, p. 7.

383   "El fraude en los llamados contratos de promesa de venta", *Revista de Derecho*
      Notarial, año XVI, núm. 48. Septiembre de 1972, p. 113.

384   "La inexistencia de la promesa de venta bilateral como acto autónomo",
      Revista de Derecho Notarial, año XVI, núm. 48. Septiembre de 1972, p. 125.

385   "El Contrato de Promesa", *Jurídica, Anuario del Departamento de Derecho de Uni-*
      versidad Iberoamericana, núm. 6. Julio de 1974. p. 621.

386   "Los efectos reales con relación a tercero de la promesa de contrato inscrita
      en el Registro Público de la Propiedad, según el Código de Chihuahua",
      Revista de Derecho Notarial, año XIX, núm. 59. Junio de 1975, p. 11.

387   "El Contrato de Promesa", *Revista de la Facultad de Derecho de México, U.N.A.M.,*
      t. M, núm. 79-80. Julio-diciembre de 1970, p. 1181; "El Contrato Preliminar",
      El Foro, Quinta Época, núm. 19. Julio-septiembre de 1970, p. 59.

388   *La Compraventa*, México, Cárdenas Editor y Distribuidor, 1976.

389   "La venta de cosa ajena en el Código Civil", *Publicaciones de la Academia Mexicana de Jurisprudencia y Legislación correspondiente de la de España*, México, s.e., 1967.

390   "La transmisión de propiedad en el contrato de compraventa", *Jurídica. Anuario del Departamento de Derecho de la Universidad Iberoamericana*, núm. 6. Julio de 1974, p. 585.

391   "La venta de cosa futura", *Jurídica, Anuario del Departamento de Derecho de la Universidad Iberoamericana*, núm. 5. Julio de 1973, p. 783.

392   "La Compraventa de Inmuebles Urbanos", *Revista de Derecho Notarial*, Año de 1972, Número Especial, p. 65.

393   *Las donaciones de carácter matrimonial (Tesis)*, México 1967; "Las donaciones de carácter matrimonial es el Derecho Romano", *Jurídica, Anuario del Departamento de Derecho de la Universidad Iberoamericana*, núm. 2. Julio de 1970, p. 109; "El Contrato de Donación", *Jurídica, Anuario del Departamento de Derecho de la Universidad Iberoamericana*, núm. 6. Julio de 1974, p. 163.

394   "Las Donaciones entre cónyuges", Estudio del Título I del Libro XXIV del Digesto, *El Foro*, Sexta Época, núm. 4. Enero-marzo de 1976, p. 61.

395   "La Usura en el Código de 1870", *Jurídica, Anuario del Departamento de Derecho de la Universidad Iberoamericana*, núm. 3. Julio 1971, p. 217.

396   "Validez jurídica de las cláusulas de estabilización monetaria contenidas en los contratos de mutuo", *Estudios Jurídicos en Homenaje a Manuel Borja Soriano*, México, Editorial Porrúa, S. A., 1969, p. 191.

397   "Los contratos de las llamadas compañías arrendadoras", *Revista de Derecho Notarial*, Año- XVI, núm. 47. Junio de 1972, p. 59.

398   "El contrato de arrendamiento y sus modalidades el Distrito Federal", *Anales de Jurisprudencia*, t. 153. Octubre-diciembre de 1973, p. 251.

399   "Régimen jurídico de los poderes otorgados en un estado para tener efecto en otro", *El Foro*, Quinta Época, núm. 6. Abril-junio de 1967, p. 77.

400   "Uso de mandatos generales por personas que carecen de título de Licenciado en Derecho (Dictamen)", *El Foro*, Quinta Época, núm. 8. Octubre-diciembre de 1967, p. 89.

401   "Mandato irrevocable termina con la muerte demandante", *Estudios Jurídicos en Homenaje a Manuel Borja Soriano*, México, Editorial Porrúa, S.A, 1969, p. 557.

402   "Régimen Unificado de poderes en el continente americano", *Revista de Derecho Notarial*, año XVI, núm. 49. Diciembre de 1972, p. 11.

403   "La Hipoteca", *Anales de Jurisprudencia*, t. 127. Abril-junio de 1967, p. 219.

404   "Naturaleza Jurídica de la Sociedad Conyugal", *Revista de Derecho Notarial*, año XVII, núm. 52. Septiembre de 1973, p. 67.

405   *Revista de la Facultas de Derecho de México*, U.N.A.M., t. XXIV, núm. 93-94. Enero-junio de 1974, p. 189.

406   Traducción de Víctor Carlos García Moreno, *Revista de la Facultad de Derecho de México*, U.N.A.M., t. XXIV. núm. 93-94. Enero-junio de 1974, p. 131.

[407]   Carrara, Giovanni, *La Formazione dei Contratti*, Milano Casa Editrice Dottor Francesco Vallardi, 1915, p. 27.

[408]   *Ibídem*, p. 28.

[409]   Sobre el desarrollo de la teoría en el derecho medieval puede consultarse útilmente la obra de Carrara antes citada.

[410]   Citados por Carrara, Giovanni, *op. cit.*, p. 32. *Cfr.* Giorgio Giorgi, Trad. del italiano al español por Dato Iradier, Eduardo, *Teoría de las Obligaciones en Derecho Moderno*, vol. III, Madrid, s.e., 1910. p. 129.

[411]   Citado por Carrara, Giovanni, *op. cit.*, p. 33.

[412]   Pothier, Robert-Joseph, *Ouvres Publiée par M. Siffrein*, t. III, núm. 511, París, Videcoq. Librairie, 1824, p. 303.

[413]   Citado por Carrara, Giovanni, *op. cit.*, p. 33.

[414]   Carrara, Giovanni, *op. cit.*, p. 34.

[415]   Carrara, Giovanni, *op. cit.*, pp. 37-39.

[416]   *Cfr.* núm. 12.

[417]   *Cfr.* Borja Soriano, Manuel, *L'Influnce du Code Civil Francais au Mexique*, Montreal, s.e., 1936.

[418]   *Código Civil del Distrito Federal y de la Baja California, Edición Económica, Limpia y Correcta aumentada con la exposición; índice alfabético; e índice de las referencias y concordancias*, México, Tip. de Aguilar e hijos, 1879, p. 106.

[419]   Puede consultarse al respecto los *Datos para el Estudio del Nuevo Código Civil del Distrito Federal y Territorio de la Baja California.*, formulados por Miguel S. Macedo, México, Imprenta de Francisco Díaz de León, 1884, p. 112.

[420]   Mateos Alarcón, Manuel, *Estudios Sobre el Código Civil del Distrito Federal*, México, Imprenta de Díaz de León Sucs, 1896, t. V, p. 290.

[421]   *Ibídem*, p. 291.

[422]   Borja Soriano, Manuel, *Apuntes de Contratos*, México, Imprenta de Gutiérrez Eskildsen, 1926. También: "Caracteres de la Promesa de Venta que la distinguen de la Venta". Publicado en *La Justicia*, núm. 81, marzo de 1937, p. 1778.

[423]   Aguilar Gutiérrez, Antonio, "El Contrato Preparatorio o la promesa de contrato", *Boletín del Instituto de Derecho Comparado de México*, Año l, núm. 2, s.a., pp. 53-55.

[424]   El código chileno, redactado por don Andrés Bello en l856, contiene el artículo 1554, que se refiere a la posibilidad de celebrar no sólo contratos preparatorios de venta, sino en general promesas de cualquier tipo de contrato; y el artículo 22 del código suizo de las Obligaciones, también prevé esta posibilidad. Sin embargo, ninguno de los códigos citados reglamenta con amplitud el precontrato.

[425]   Ludovico Barassi distingue entre "contrato preliminar" y "promesa de contrato", considerando al primero como el género y al segundo como la especie. El propio Barassi señala como otras especies del "contrato preliminar" al "Contrato Normativo" y al "Pacto Prelación", aun cuando por lo que toca a este último caso afirma que "La verdad en este pacto no subsiste del todo una promesa de venta" (Barassi, Ludovico, *La Teoría Générale Delle Obbligazioni*, vol. II "Le Font". Ed. "Dott. A Giufré", Milano, 1946, p. 407). Paolo Greco

y Gastone Cottino consideran que en el "Pacto de Prelación" existe un caso complejo que no excluye acudir a un contrato preliminar unilateral (Greco, P., Cottino, G., *Commentario del Codice Civile, a cura di Antonio Scialoja e Giuseppe Branca* "Della Vendita", Roma, Nicola Zanichelli Editore, Bologna; Soc. Ed. del Foro Italiano, 1966, p. 31.) Puede plantearse también la posibilidad de que mediante un contrato preliminar una de las partes se obligue frente a la otra a asumir una obligación no mediante el otorgamiento de un contrato, sino por medio de una declaración unilateral de voluntad. Tal situación se la plantea Giorgio Giorgi (*Teoría de las Obligaciones en el Derecho Moderno*, traducción española de la 7a. ed. italiana, Madrid, vol. III, 1910, p. 124.). Considerando la definición que hemos expuesto, la cual está basada en los textos de nuestro código civil, no creemos que la hipótesis señalada cupiera claramente en el concepto de contrato preparatorio, pero pensamos que dado el principio de la autonomía de la voluntad no existe imposibilidad alguna para celebrar este contrato, el cual tendría carácter de innominado. Al lado de la promesa de contrato la doctrina suele referirse a la "Opción". Sin embargo, el concepto de dicho acto jurídico no es uniforme ni bien delineado. En ocasiones se conceptúa a la opción como un acto unilateral, como una simple policitación con plazo, y en otras como un contrato. En la segunda hipótesis los límites y distinciones entre la opción y los contratos preparatorios no quedan siempre bien definidos. Nuestra jurisprudencia usa indistintamente el término de "Opción" para designar a veces policitaciones y a veces promesas de contrato que a su vez tienen carácter contractual. Sobre el concepto doctrinal de "Opción" puede consultarse: Ossorio, Ángel, *El Contrato de Opción*, 2a. ed., México, Unión Tipográfica Editorial Hispano-Americana, 1963; José Mengual y Mencual, María, *La "Opción" como Derecho y como Contrato*. 1a. ed., Madrid, Editorial Reus, 1936; Badenes Gasset, Ramón, *La Preferencia Adquisitiva en el Derecho Español* (*Tanteo, Retracto, Opción*), Barcelona, Bosch, Casa Editorial, 1958.

[426] Macedo, Pablo, *Los Contratos Preparatorios, en Revista General de Derecho y Jurisprudencia.* t. I, 1930, p. 35.

[427] Carrara, G., *op. cit.*, pp. 1-15.

[428] Sobre el punto puede consultarse: Hilserand, Arthur, *Las Obligaciones Precontractuales,* traducción al español de Faustino Menéndez Pidal, Madrid, Góngora, Casa Editorial, s.a.; De Juglart, Michel, *Cours de Droit Civil,* París, 1964; De Labarre, Max, *El Consentimiento, Papel del Notario en los "Pourparleurs",* ponencia presentada al 62 Congreso de Notarios de Francia, celebrado en Perpignán el mes de junio de 1964.

[429] Clemente De Diego, Felipe, *Instituciones de Derecho Civil Español*, t.II, p. 125.

[430] *Cfr.* Borja Soriano, Manuel, *Teoría General de las Obligaciones,* t. I, México, Porrúa, 1953, núm. 109 p. 10.

[431] *Cfr.* Borja Soriano, Manuel, *op. cit.* t. I, núms. 325 a 327.

[432] Colin, Ambroise y Capitant, Henri, *Cours Elementaire de Droit Civil Francaise.* t. ll. Dixiéme Edition Entierement refondue et mise a jour par León Julliot de la Morandiere, París, Librairie Dalloz, 1948, núm. 832, p. 554.

[433]   Josserand, Louis, *Cours de Droit Civil Positif Francais*, 2éme Ed. París 1933, t. II, núm. 1069, p. 561.

[434]   León, Henri y Mazeaud, Jean, *Legons de Droit Civil.* Ed., París Montchretien, 1960, t. III, núm. 790, p. 67.

[435]   Gaudemet, Eugén, *Theorie Generale des Obligations*, París, Librairie de Recueil, Sirep, 1937, p. 267.

[436]   Aubry, Ch. y Rau, Ch., *Cours de Droit Civil Francais*, Ed. IV éme, París 1871, t. IV, núm. 349, pp. 332.

[437]   Lacantinerie, G. Baudry y L. Saignat, *Traité Théorique et Pratique de Droit Civil.* III éme Ed. París 1908, t. XIX, núm. 58, pp. 41.

[438]   F. Laurent, *Principes de Droit Civil Francais*, Séme Ed. París 1893. t. 24, núm. 19 y ss., pp. 25.

[439]   Demolombe, Charles, *Cours du Code Napoleón*, París, 1882.

[440]   Al respecto pueden consultarse León, Henri y Mazeaud, Jean, *op. cit.*, núm. 783, pp. 669 y la relación sobre "La Promesa de Contrato", presentada por Sabatier al 62 Congreso de Notarios de Francia, celebrado en Perpignán el mes de junio de 1964, t 1, pp. 89.

[441]   Lours, Boyer; Las promesas sinalagmáticas de venta, publicado en la *Revue Trimestrielle Du Droit Civil*, t. 47, enero-marzo de 1948, p. 21.

[442]   Planiol, Marcel, *Traité Elémentaire de Droit Civil*, t. II, Séme Edítion. "Librairie Genéral de Droit & de Jurisprudence", París 1923, núm. 1401, p. 473.

[443]   Demogue, René, *Traité des Obligations en Général*, París 1923, t. II, núm. 469 y ss. pp. 12 y ss.

[444]   Giorgi, Giorgio, *Teoría de las Obligaciones en el Derecho Moderno*, traducción de Eduardo Dato Iradier, Madrid, 1910, vol. III, núm. 143 y ss. pp. 122 y ss.

[445]   Pacificci-Malloni, Emilio, *Codice Civile Italiano*, III a Ed. Firenze, 1901, t. 12, núm. 26, pp. 45 y ss.

[446]   F. Ricci, *Derecho Civil Teórico y Práctico*, traducción E. Ovejero, Madrid S/F, t. XV, núm. 101 y ss. pp. 246 y ss.

[447]   Valverde Y Valverde, Calixto, *Tratado de Derecho Civil Español*, t. III. "Derechos Personales o de Obligaciones", Valladolid, 1920, p. 309.

[448]   Alguer, José, *Para la crítica del concepto de precontrato.* Publicado en *Revista de Derecho Privado*, t. XXII, 1935, núm. 265-267.

[449]   Durán Castro, Edmundo, *El Precontrato*, Editorial Cajica, Puebla 1963, pp. 302 y ss.

[450]   Von Tuhr, Andreas, *Tratado de las Obligaciones*, traducido del alemán y concordado por Wenceslao Roces, Editorial Reus, S. A. Madrid 1934, núm. 32, pp. 188 y ss.

[451]   Von Tuhr, Andreas, *op. cit.*, p. 189.

[452]   Boyer, Louis, *Les Promesses Synalagmatiques de Vente.* Contribution a la Théorie des Avants-Contrats. Publicado en la *Revue Trimestrielle de Droit Civil*, t. XLII. año de 1949, p. 19.

[453]   Bartin, Etienne, *Théorie des Conditions*, París, Arthur Rouseau Editeur, 1887.

[454]   *Cfr.* el artículo 1944 del código civil.

[455] *Cfr.* Tesis de Jurisprudencia definida números 109, 110, 271 y 272 y en especial la siguiente sentencia relacionada a la tesis 271: "Promesa de venta y compraventa, distinción entre los contratos.- Debe distinguirse entre el contrato que se celebra en la promesa y por el cual ambas partes o una de ellas se obligan a celebrar dentro de un plazo definido, un contrato determinado, y la operación definitiva que habrá de celebrarse en el futuro y dentro del plazo fijado, pues éste constituye un contrato independiente, tanto en lo que se refiere al consentimiento como al objeto, como elementos esenciales. El acuerdo de voluntades para celebrar el contrato definitivo, que se estipula en una promesa de contrato, tiene que ocurrir precisamente en fecha posterior a la celebración de la promesa, dado que en ésta, una de las partes o ambas se obligan a celebrar en el futuro un determinado contrato; de manera que al celebrar la promesa, sólo haya consentimiento para el contrato preliminar, pero no puede haberlo para el definitivo. El hecho de que en la promesa se fije un plazo para celebrar la operación definitiva, sólo origina una obligación de hacer, consistente en la celebración el contrato prometido; y esa obligación de hacer, al ser cumplida se traduce en la celebración del contrato ofrecido; de suerte que hasta el momento en que las partes exteriorizan sus respectivas voluntades, otorgando la operación prevista, es cuando existe el consentimiento en el contrato definitivo. Quinta Época: t. XCV, p. 1794.-Aubert Caire, Antonio".

[456] *Cfr.* Borja Soriano, Manuel, *Teoría General de las Obligaciones.* t. l. núm. 108-133.

[457] Schnaider und Fick, *Commentaire du Code fédéral des obligations du 30 mars 1911.* Nechatel 1915. t. I, p. 64.

[458] *Cfr.* Borja Soriano, Manuel, *Teoría General de las Obligaciones.* t. I, núms. 330-391.

[459] *Cfr.* Borja Soriano, Manuel, *op. cit.* t. I, núms. 392-402.

[460] *Cfr.* Borja Soriano, Manuel, *op. cit.* t. I, núms. del 249 al 296

[461] *Cfr.* Borja Soriano, Manuel, *op. cit.* t. I, núms. del 172 al 187

[462] Schnaider y Fick, *op. cit.* p. 65.

[463] Lozano Noriega, Francisco, *Apuntes de Contratos*, p. 71.

[464] García López, Agustín, *Apuntes de Contratos*, p. 40.

[465] Rojina Villegas, Rafael, *Derecho Civil Mexicano*, t. 6, vol. 19, p. 113.

[466] Macedo, Pablo, "Los Contratos Preparativos". En *Revista General de Derecho y Jurisprudencia*, t. I, año 1930, p. 35.

[467] *Cfr.* Borja Soriano, Manuel, *Teoría General de las Obligaciones*, t. I, núm. 71, p. 120.

[468] Tesis 271. Promesa de venta. Mediante la promesa de venta no se trasmite el dominio de la cosa, pues en ella sólo se consigna una obligación de hacer, consistente en la celebración del contrato definitivo. Quinta Época: t. LI, p. 79. Kondon lsuke, t. LXXXVIII, p. 1640. Méndez Maximino, t. LXXXIX, p. 2446. Cartas Adela, t. XC, p. 2443. Chami Amado, t. XCIU, p. 2126. Furlong Wilfrido y Coags.

469   Tesis 110. Las llamadas promesas de venta, en que no se contiene exclusivamente una obligación de hacer, sino una de dar, o se entrega la cosa y se paga el precio en su totalidad o en parte, satisfacen los elementos necesarios para la existencia de la compraventa, independientemente de la terminología defectuosa que hubieren empleado las partes, t. XLlll, Cia. de Terrenos Mexicanos, S. A., p. 3462, t. LI, Kondo Isuke, p. 79, t. LIII, Cia. de Terrenos Mexicanos, S. A. p. 473. t. LXX, Hernández Rodolfo, p. 2828, t. LXXXVTI, Alfonso Ángel, p. 342. Tesis 109. Son verdaderas ventas a plazo, aun cuando se les titule en el contrato, promesa de venta, aquellas en que se enajena un predio, cuyo valor debe cubrir en diversos abonos, y en que se estipula que las contribuciones serán pagadas, desde luego, por el comprador, y que, al acabarse de pagar el precio se otorgará la escritura relativa, entrando el comprador en posesión de la finca, en el momento de celebrarse el contrato, siendo entonces de aplicarse el artículo 2899 del código civil del Distrito Federal y Territorios de 1884, que permite al comprador pagar aún después de expirado el término, mientras no se haya constituido en mora, por virtud de un requerimiento, y que si éste se ha hecho, el juez debe concederle nuevo término. T. XXVII, Silva Rómulo, p. 1909, t. XXXJ, Colín Antonio, p. 2259, t. XLI, Algarin, Cía. de Terrenos, S. A., p. 379, t. LI, Kondo Isuke, p. 79, t. LIII, Cia. de Terrenos Mexicanos, S. A., p. 473.

470   Degni, Francisco, *La Compraventa*. Traducción española por Francisco Bonet Ramón. Editorial Revista de Derecho Privado. Madrid 1957, p. 38.

471   Coviello, Leonardo, *Enc. giur., voz* "Contrato Preliminar", núm. 52.

472   Barassi, Ludovico, *La Teoría Generale delle Obligazioni.* vol. II, Milano, Giuffré Editore, 1946, p. 41 y ss.

473   Barassi, Ludovico, op. *cit.* p. 410.

474   Barassi, Ludovico, *op. cit.* p. 412.

475   Barassi, Ludovico, *op. cit.*, p. 413.

476   G. Chiovenda, *Instituciones de Derecho Procesal Civil.* Traducción del italiano al español por E. Gómez Orbaneja. Madrid 1936, t. I, núm. 56, pp. 223 ss.

477   Antonio Micheli, Gian, *Comentario del Codice Civile a cura di Antonio Scialoja e Giuseppe Branca.* Libro Sesto. "Tutela Dei Diritti. Seconda Edizione. Nicola Zanichelli Editori. Soc. Ed. del Foro Italiano". Bologna-Roma 1964. Comentario al artículo 2932, p. 189, y *Codice Civile. Libro de la Tutela dei Diritti. Comentario a cura di Mariano D'Amelio, W D'Avanzo, F. Degni, P. D'Onofrio, E. Eula, G. P. Gaetano, L. Lordi, C. Maiorca, G.A. Micheli, D. R. Peretti-Griva, P. Sara-ceno, Diretto Da Mariano D'Amelio Firenze,* S. A. G. Barbera Editore, 1943 Comentario al artículo 2932, p. 944.

478   Por su parte, la Suprema Corte de Justicia de la Nación, en Jurisprudencia Definida (Tesis 272) ha establecido que: Tesis 272. Promesa de venta. La promesa de venta constituye un contrato preparatorio del de compraventa, que obliga a las dos partes contratantes; contrato que, si bien no transmite la propiedad, sí engendra derechos y obligaciones para las partes que en él intervienen, y, por tanto, el derecho formal, no simplemente posible, por parte del vendedor, para exigir del comprador que se lleve a cabo el contra-

to. Quinta Época: t. XVI, p. 620; García Álvarez, Toribio, t. XXXIII, p. 1610; López, José., t. LI, p. 79, Kondo lsuke, t. LVII, p. 1872; Landero Gómez, Francisco y Coags, t. LXII, p. 1685, Pallás de Duque, María Esther.

479 Sentencia relacionada a la Tesis 272. Promesa de contrato. Conforme a los artículos 2243 a 2246 del código civil del Distrito Federal, puede asumirse contractualmente la obligación de celebrar un contrato futuro, en forma unilateral o bilateral, siempre que la promesa se haga constar por escrito, contenga los elementos característicos del contrato definitivo y se limite a cierto tiempo. En la promesa unilateral una parte el prominente es el que queda obligado a celebrar un contrato futuro determinado, y el beneficiario, en cambio, no asume ninguna obligación, simplemente acepta la proposición de su contraparte; de suerte que queda a su arbitrio exigir o no exigir, a su debido tiempo, la celebración del contrato definitivo correspondiente. En la promesa bilateral, ambas partes son promitentes y beneficiarios recíprocos, de modo que mutuamente se pueden exigir el cumplimiento de la obligación de hacer consistente en la celebración o fimia del contrato definitivo. Es equivocado el planteamiento de una demanda para exigir "la formalización del contrato de compraventa, y por ende su elevación a escritura", cuando no tratándose de un contrato informal definitivo de compraventa al que le faltara para su validez el revestimiento de la forma requerida por la ley (escritura), sino de un contrato preliminar, el actor sólo pudo exigir la celebración del contrato definitivo conforme a los términos y condiciones previstos en el referido contrato preliminar. Sexta Época. Cuarta Parte: vol. LVII, p. 124. A-D. 8/61. Sucesión de Antonio Masetto Regazzo. 5 votos.

480 Aguilar Gutiérrez, Antonio, "El Contrato Preparatorio o la Promesa de Contratos", *Boletín del Instituto de Derecho Comparado*, Año I, mayo-agosto 1948, núm. 2, p. 69 y ss.

481 El artículo 31 de la Ley General del Timbre dispone lo siguiente: "Quedan comprendidos en la fracción IX de la Tarifa, los contratos […] no incluidos ni exceptuados expresamente en la Tarifa […]".

482 En este sentido existe jurisprudencia definida de la Suprema Corte de Justicia. Tesis 109. Puede verse en el mismo sentido la tesis 110.

483 Ver en este sentido los apuntes de contratos del doctor Francisco. Lozano Noriega, p. 71 de la Ed. de la Asociación Nacional del Notariado. En sentido contrario, ver la opinión del doctor Agustín García López, que considera el caso como nulidad relativa y el núm. 20 de estos apuntes.

484 Tercer párrafo del artículo treinta y nueve de la Ley General del Timbre.

485 Considero que las operaciones de referencia están claramente comprendidas en la fracción XVIII del artículo 125 de la "ley del impuesto sobre la renta", en vigor hasta el 31 de diciembre de 1964, que dispone: "Artículo 125. Tienen obligación de contribuir en esta cédula, quienes perciben habitual o accidentalmente ingresos provenientes de cualquier operaciones o inversiones de capital, sin importar al nombre con que se les designa, siempre que tales ingresos no estén comprendidos en alguna de las otras cédulas de esta

ley no expresamente exceptuadas por la misma". Actualmente la fracción I del artículo 60 de la Ley del Impuesto sobre la Renta, en vigor, coloca en el capítulo relativo al "Impuesto sobre Productos o Rendimientos" dispone: "artículo 60. Son objeto del Impuesto a que este capítulo se refiere, los ingresos en efectivo o en especie que perciban como productos o rendimientos del capital por los siguientes conceptos: l. Ingresos Procedentes. a) De intereses provenientes de toda clase de actos, convenios o contratos".

[486] Consultar al respecto la fracción X del artículo 316 de la Ley de Hacienda del Departamento del Distrito Federal, así como la fracción 9 del artículo 325 del tercer párrafo del artículo 327 y el quinto párrafo del artículo 334.